АБСОЛЮТНОЕ ОРУЖИЕ

ВАСИЛИЙ ГОЛОВАЧЕВ

ЧЕРНАЯ СИЛА

ЭКСМО

2004

УДК 882
ББК 84(2Рос-Рус)6-4
   Г 61

Оформление серии художника *А. Саукова*

Серия основана в 1996 г.

Г 61   **Головачев В.В.**
          Черная сила: Фантастический роман. — М.: Изд-во
          Эксмо, 2004. — 480 с. (Абсолютное оружие).

          ISBN 5-699-05200-3

Ветви Дендроконтинуума предстоят глобальные изменения. И первое из них — вырождение человечества и освобождение от него звездных ситем галактики. Однако для людей не все так безнадежно. Выход есть, но о нем пока не знает никто, кроме Клима Мальгина — мага и оператора реальностей, странно и загадочно исчезнувшего среди миров и времен. Следы ведут в будущее, где тоже есть люди, озабоченные судьбой Рода. Дар Железвич, княжич Светоруси, — отдаленный потомок интрасенса и одного из руководителей Сопротивления Аристарха Железовского — становится незаменимым помощником своего предка в войне с отеллоидами и их приспешниками, реализующими программу превращения Солнца в черную дыру.

                                                 УДК 882
                                                 ББК 84(2Рос-Рус)6-4

Человек — это особое существо, которому свойственна постоянная свобода принимаемых решений, невзирая на жизненные обстоятельства. Эта свобода включает в себя возможность быть как нечеловеком, так и святым.

А. Портман. Биология и душа
1956 г.

Довольно быстрая езда,
Закат,
Вечерняя звезда,
И незнакомые места.
Все это неспроста.

В. Пелевин. Элегия 2

Часть I

ВЧЕРА

Глава 1

Дар вышел на край поляны, окруженной гигантскими деревьями, и замер. Слуха коснулся тонкий стеклянный перезвон, перелетел через поляну, растворился в лесной чаще. В полусотне километров от Дебрянского лесного массива на острой вершине какого-то городского утеса зазвонил аргус, сторож защиты, открывая в поляроидной крыше утеса окно для приема грузомата. Эти огромные челноки, доставляющие необходимые для жизни города продукты и удаляющие контейнеры с отходами, прибывали все реже, и огромный мегаполис медленно умирал. Впрочем, как и остальные мегаполисы планеты, насколько знал Дар.

Он родился в ту эпоху, когда люди еще жили на Земле, в основном в городах, но цивилизации как таковой уже не было. Никто не ухаживал за городами, кроме автоматов и особых бытовых технологических систем, поддерживающих жизнедеятельность, однако ресурс техники постепенно иссякал, и Земля была покрыта едва ли не сплошным скоплением городских утесов, в которых жили потерявшие интерес к познанию мира потомки тех, кто тысячи лет назад построил мегаполисы, способные прокормить, напоить, одеть и развлечь их население, соединил «струнами» мгновенного транспорта Солнечную систему со звездами Галактики и намеревался покорить Вселенную. Но грянула «тихая компьютерная революция», инициированная пришедшими к власти сторонниками абсолютной свободы личности, и наступила эпоха «интеллектуальной анархии», приведшая к страшной деградации человечества.

Первыми спохватились и забили тревогу те, кого называли интрасенсами и «сверхиндивидуалистами». Но было уже поздно. Повернуть процесс распада цивилизации — при полном материальном достатке и отсутствии духовных устремлений — не смогли и они.

Спустя тридцать веков после этого население Земли сократилось в тысячи раз. Мегаполисы еще функционировали благодаря долгоживущим квазиживым системам обслуживания, но жили в них сотни, от силы тысячи людей, проводящих время в бездумных развлечениях, имитирующих «светскую жизнь». Зато возродились общины — из потомков интрасенсов, хотя не все эти потомки и стали собственно интрасенсами, — на хуторах в лесах и на склонах гор.

Родился и жил Дар на хуторе Жуковец, принадлежащем духовно-родовой общине Дебряны, которая, в свою очередь, входила в состав Союза общин Светорусь.

Союз насчитывал семь общин, располагавшихся в урман-лесах между мегаполисами: Верховину, Гомль, Новгу, Псковь, Ур, Смолены и Дебряны. Несмотря на расстояния, разделявшие хутора и поселения Союза, он являлся реальной с и с т е м о й родового устройства и поддерживал единый порядок и мораль. Управляли Союзом Светлая Рада и князь. К моменту повествования князем Светоруси был отец Дара Бояр Железвич, родившийся в Дебрянах полсотни лет назад. Самому же Дару через день должно было исполниться двадцать лет, и теперь его ждало Испытание, заключавшееся в очищении одной из черноболей — так называемых «черных социумов» или технопатогенных зон. Ибо Дар готовился стать чистодеем — одним из немногих мастеров-чистильщиков общины, способных видеть н е в и д и м о е, слышать н е с л ы ш и м о е и тонко ощущать опасность. В общине таких, как он, насчитывалось не больше десятка, Дар был самым молодым из них.

Младший Железвич имел репутацию натуры серьезной, любознательной, непростой, норовил искать точные ответы на все свои «как?» и «почему?», был сдержан, немногословен и потому казался загадочным и замкнутым, скрытным, особенно — молодым девушкам. С юности стремился к совершенству и полной самореализации, что помогло ему покончить школу и универсалий общины гораздо быстрее, чем сверстникам.

К двадцати годам он вплотную подошел к посвящению в мастера *живы* — древней системы выживания и рукопашного боя, основанной на изучении шести ступеней в л а д е н и я. Первая — физическое совершенство, вторая — способность сознательно изменять скорость химических процессов (владение физиологическими реакциями организма), третья ступень — гиперчувствительность, четвертая — уровень полевого оперирования, пятая — влияние на внутриядерные процессы, шестая ступень — уровень интуитивного предвидения будущего, что издревле называлось *сатори* — озарение. Правда, пятая и шестая ступени давались не каждому мастеру *живы*, так как превращали адепта в мощное живое оружие. По легендам, таких людей за всю историю посткомпативного[1] человечества насчитывалось всего два десятка. Дар надеялся, что сможет стать одним из них. И не без оснований. Отец поощрял его интересы, а наставник общины все чаще призывал к осторожности, видя успехи ученика в ратном деле. И тоже не без оснований. Физически Дар был развит не хуже отца, известного атлета, имевшего мощную, с великолепной мускулатурой фигуру и стать, не обиженного силой и гибкостью, но выглядел более утонченным и элегантным. А вот терпения и способности вовремя остановиться ему иногда не хватало.

Лицо у младшего Железвича было твердое, широкоскулое, загорелое, тяжелый подбородок, большие, но по-мужски сильные губы, серо-голубые глаза, способные светлеть до пронзительной голубизны или становиться темными, как грозовое облако. Волосы он отпускал до плеч, так что они полностью скрывали его сильную шею.

Костюмы Дар предпочитал носить сшитые мастерицами общины — из естественных растительных тканей и пластифоров — под замшу, сукно или миткаль, хотя можно было бы носить и уники — универсальные комбинезоны, добытые в городах и принимающие любую форму. Его любимым цветом был светло-коричневый, а для разнообразия он надевал костюмы зеленоватого и темно-серого цвета. Вот и в нынешнюю ночь на нем отлично сидели «замшевая» курт-

---

[1] Посткомпативный — «послекомпьютерный»; термин обозначает слой людей, сумевших приспособиться к жизни на Земле в условиях поголовного ухода в виртуальные компьютерные миры большинства населения.

ка, свободного кроя штаны и мокасины. Пояс и нож в чехле довершали наряд.

Звон смолк.

В лес вернулась тишина.

На траву поляны лег голубовато-серебристый отсвет — вышла Луна. Всего лишь вчетверо ярче любой звезды, она тем не менее давала много света, хотя Дар знал, что много сотен лет назад Луна была в несколько раз ближе, чем теперь. Почему она стала удаляться от Земли, никто не знал, однако результат был налицо.

До границы черноболи оставалось еще несколько километров, но Дар поспешил перейти на гипервидение, требующее особого внимания. Ему не нравилась тишина вокруг болота и не нравилось око Луны, внезапно выглянувшее из-за туч. Вспомнилось предупреждение отца: «Будь осторожен, сынок. В наших лесах объявились странные черные люди, на мой взгляд — опасные. Они что-то ищут и могут встретиться на пути. Обходи их».

Дар сосредоточился.

Лес перед ним раскрылся в глубину, торжественно-тихий и таинственный, полный скрытого движения. Это был настоящий урман, раскинувшийся на десятки и сотни километров, состоящий из гигантских — под две сотни метров высотой — сосен, елей, осин. За ним никто не ухаживал, за исключением мест, где расположились поселения общины, и пройти через урман было непросто даже привыкшим к природным условиям мальгарам, как называли себя следопыты и охотники общины. Насколько знал Дар, урман-леса покрыли почти всю территорию Евразии между умирающими мегаполисами, скрывая не менее огромные и глубокие болота, возникшие больше двух тысяч лет назад в основном в районах черноболей. К одному из них, расположенному совсем недалеко от родового хутора Жуковец, всего в сорока километрах, и пробирался Дар.

О Вщижском болоте он знал с детства и много раз выходил к его границам во время детских забав или ученических походов, но никогда не думал, что станет первопроходцем черноболи. По легенде, здесь, между его родным хутором и мегаполисом Брянск, находилось когда-то владение Первого Мальгара, волшебника и оператора стихий, укротившего еще одного мага — Черного Шалама. И было это больше трех тысяч лет назад. Легенда передавалась из уст в уста боянами общины, и все родовичи Дара верили в ее правдивость. Однако Дар знал, что Вщижское болото на самом деле скрывает промышленную зону, комплекс строений аварийно-спасательной службы и полигон спасательного флота, занимавшие территорию Дебрянского заповедника в двадцать четвертом веке. Почему Светлой Раде понадобилось вскрыть зону черноболи и очистить от «техножизни», Дар не задумывался. Да и ослушаться не мог, хотя и не понимал смысла чистодей-операции. Население общины не разрослось до такой степени, чтобы требовалось увеличение жизненного пространства, средств для существования хватало, черноболь не тревожила соседей, несмотря на то, что площадь ее постепенно росла. И тем не менее задание было четким и недвусмысленным: проникнуть в зону, обезвредить активные сторожевые системы, определить центр управления защитой черноболи и заставить главный инк центра слушаться человека.

— Справишься с Испытанием, — сказал старший витязь Рады Боригор, — получишь допуск грифа и самостоятельную область ответственности. Не сможешь...

— Справлюсь, — ответил Дар...

Спину вдруг мазнул т е м н ы й — не прицельный или угрожающий, а рассеянно-анализирующий — взгляд.

Дар превратился в «пустой сосуд».

Взгляд миновал его, втянулся в стену леса. Так мог бы смотреть камень... или неживой предмет... хотя Дар был уверен, что взгляд принадлежал какому-то живому существу, хотя и очень чужому привычному миру вокруг. Уж не следит ли за ним тот самый черный человек, о котором предупреждал отец?

Дар р а с с е я н н о огляделся.

В центре поляны высился мравль — «замок» рыжих муравьев, санитаров леса. Муравьи были величиной с палец, и с ними лучше было не связываться.

Над лесом в молчании пролетел вран — стая ворон, организованная в почти разумную систему, живущую по своим птичьим законам. Враны нередко налетали на поселения людей и доставляли немало хлопот защитникам общины.

Но ни мравль, ни вран не могли смотреть так с л е п о и в то же время о ц е н и в а ю щ е, как тот, чей взгляд почуял на своей спине молодой человек. Возможно, это посмотрел на него некий датчик охранной системы черноболи, не пускающей на ее территорию посторонних, но Дар не был уверен в этом стопроцентно. А так как он был приучен прежде разбираться в непонятном явлении, а уж потом следовать прежним курсом, что не раз оправдывало задержку, то решил до конца выяснить причину, насторожившую защитную систему организма.

Мрак в чаще леса еще больше поредел, отступил: это заработал «третий глаз», раздвинувший диапазоны видения. И почти сразу в сотне метров от поляны Дар заметил неподвижную черную — не просматриваемую внутренним зрением — фигуру. Точнее — *тень*. Она склонилась над телом какого-то живого существа и явно присматривалась к нему.

Температура тела существа была ниже теплокровного стандарта — не более пятнадцати градусов, то есть держалась на уровне температуры воздуха, но, судя по колебанию пси-фона, существо еще было живым. А вот тень, застывшая над ним, имела нулевую температуру, что вызывало удивление и протест. Удивление — потому что объект не мог иметь такую температуру, не поддерживая ее искусственно, а протест — потому что *тень* казалась живой и неживой одновременно.

Затем Дар увидел еще одну такую же *тень* — чуть ближе первой, и тоже — рядом с телом существа с пониженной температурой. Точнее — в окружении десятка этих существ. Там явно что-то происходило, несмотря на тишину и неподвижность всех действующих лиц.

Спины коснулся знакомый т е м н ы й взгляд.

Третья *тень*!

Сзади!

Совсем близко!

Как же ей удалось подобраться, не затронув «щупалец» сторожевой системы?!

Дар с д в и н у л уровень в л а д е н и я, ускоряя темп жизни, и, словно дождавшись этого момента, вокруг началось движение, прекратившееся перед тем, как он появился в поле зрения черных *теней*.

Существа, сопровождавшие *тени*, зашевелились, издавая слабые квакающие звуки. Они оказались кваггами или, как их называли сородичи Дара, лягунами. Вероятно, они до этого прятались за кочками и пнями на берегу ручья, вытекающего из болота, а теперь пытались убежать.

Сдвинулись с места и существа-*тени*, практически невидимые человеческому глазу в лесном мраке.

Те, что находились подальше, рядом с лягунами, метнулись к этим метрового роста созданиям, настигая их и касаясь каждого струей черного тумана, от которого лягуны падали и больше не вставали. Ближайшая же к Дару *тень* вдруг скользнула к нему, почти так же быстро, как и он сам, и ветер смерти взъерошил волосы на затылке молодого человека! *Тень* обозначила намерение напасть и убить, хотя никаких причин к такой реакции лесной твари Дар не видел.

Однако размышлять об этом он стал после. Ему предложили с и т у а ц и ю, и он привычно решил ее в свою пользу, ответив на вызов адекватно предлагаемым условиям игры.

Устремился навстречу, бесшумно и упруго, не потревожив ни сучка под ногой, ни ветки дерева, ни листика. Послал вперед тугую волну воздуха, создавшую впечатление массивного движения — словно кабан мчался по лесу, треща ветками, и круто изменил траекторию бега.

Вовремя!

Тень, ощущаемая уже не бесплотным призраком, а тяжелым двуруким и двуногим существом массой под сотню килограммов (столько же весил сам Дар), вдруг метнула ручей неяркого голубоватого пламени, ударивший в центр воздушной волны. И колебания в душе Дара — правильно ли он оценил ситуацию? — прошли. В него только что выстрелили из какого-то электрического разрядника! На доброжелательное приветствие это походило мало.

В двух метрах от противника, остававшегося н е с в е т я щ и м с я во всех диапазонах зрения, Дар снова изменил направление бега, и вторая молния тоже прошла мимо. А затем он вышел в зону прямого поражения противника и сделал два мгновенных удара: физический — спиралевидный выпад руки и энергетический — гасящий злобные замыслы. Но тут же вынужден был продолжить схватку!

Противник не остановился, хотя и потерял оружие: удар ребром ладони выбил из его руки (лапы?) некий металлический предмет, метавший молнии.

Если бы Дар остановился, он бы проиграл ночной бой. Периферию сознания посетила мимолетная мысль: уж не является ли этот неспровоцированный бой частью Испытания?.. Мысль мелькнула и погасла. А тело продолжало двигаться в прежнем темпе, решая возникшую задачу и подчиняясь н е м ы с л и — подсознательной сфере предвидения и интуиции. Спрашивать у противника, почему он так агрессивен, было некогда.

Тень двинула конечностью, внезапно удлинившейся на метр, словно она была сделана из резиноподобного материала.

Дар пропустил удар над плечом, перехватил конечность, одновременно отбивая выпад ноги (нижней конечности) врага, и попытался провести болевой прием. Но не смог! Рука противника потеряла упругость и твердость живого тела, обвисла веревкой, потекла струей жидкости! Но откуда-то вынырнула еще одна конечность — третья! — находя голову чистодея, и молодой человек едва успел отреагировать на выпад, подставив локоть.

Ахнуло, будто молотом!

Отброшенный на два метра, не чувствуя руки от боли, Дар скользнул вокруг противника по ломаной кривой, имитируя атаку, озадаченный непонятностью происходящего. Затем снова пошел на сближение.

Тело противника по-прежнему казалось сплошным слитком металла или резины, даже «третий глаз» не давал возможности Дару найти в этом черном пятне активные точки и нервные узлы, на которые можно было бы воздействовать дистанционно, поэтому схватка продолжалась до тех пор, пока он не разозлился и не нанес мощный, с выплеском энергии, удар в голову *тени*. И этот простой прием оказался действеннее хитрых комбинаций и атак комплекса *живы*.

«Резино-металлический» человек взлетел в воздух и ударился всем телом о толстый ствол сломанной осины, сплющиваясь и разлетаясь струями и брызгами черной субстанции! Струи эти и тело чужака расплылись лужами по земле, по лужам пробежала рябь, и все успокоилось.

Опустив руки, глядя в изумлении на то, что осталось от противника, Дар не сразу пришел в себя. Потом вспомнил о приятелях чужака и восстановил сферу полного видения обстановки.

Пока он сражался с незнакомцем — на это ушло около двух минут, — его приятели-*тени* успели уложить почти всех лягунов и гнались теперь за тремя оставшимися в живых, уходившими к болоту. Словно почуяв, что их соратник потерпел поражение, одна из черных фигур тут же повернула назад, двинулась навстречу Дару. До нее было около ста метров, но Дар все же ощутил и непоколебимую уверенность чужака, и его бесстрашие, и равнодушную целеустремленность. Такая целеустремленность больше была присуща машине, нежели живому существу, и это наводило на мысль о лабораторном происхождении людей-*теней*. Возможно, они были искусственными существами, киборгами.

Дар прикинул варианты предстоящего поединка, нырнул в заросли гигантской крапивы, но сделал крюк и вернулся к месту боя с первой *тенью*. Глянул на лужицы и капли того, что осталось от противника: показалось, что они колышутся, текут, собираясь в более крупные конгломераты. Однако времени на оценку происходящего не было. Пообещав попозже разобраться с «жидким трупом» врага, Дар подобрал его оружие — странной формы пистолет с когтистой рукоятью и дырчатым дулом — и снова помчался в чащу леса, наметив точку встречи с напарником первой *тени*.

Пути их пересеклись там, где и рассчитывал молодой катарсид, — у подножия холма с пробитым куполом древнего строения на вершине. Холм зарос древовидными хвощами, стволы которых были насыщены ядовитым соком. Лесные звери и люди обходили такие заросли стороной, так как сок мгновенно разъедал кожу, а язвы заживали медленно. Однако Дара специально учили использовать такие природные ловушки, поэтому он знал, как обращаться с опасными растениями.

Выждав несколько секунд, он скользнул в чащу бутылковидных, с наплывами и вздутиями, стволов, не дотрагиваясь до них.

Черный человек, не задумываясь, бросился за ним. Но задел ствол хвоща.

Тотчас же раздался сочный треск, и на преследователя из лопнувшего наплыва с хлюпаньем вылился водопад сока. Раздалось шипение. Черный с фырканьем метнулся в сторону, наткнулся на соседний ствол, и на него обрушился еще один фонтан сока. Затем третий, четвертый, пятый. Ошалев, незнакомец заметался по зарослям хвощей, с трудом сориентировался и наконец выбрался назад, к подножию холма, весь облитый липким соком и облепленный комьями коры хвощей и лесным мусором. Тут его и встретил Дар, отметив про себя, что сок не разъел одежду и тело противника, а лишь затруднил ориентацию. Впрочем, этого для реализации замысла вполне хватало.

Дар выбил из лапы незнакомца пистолет и страшным ударом «молота» отбросил его к выпиравшему из почвы валуну. Еще в полете черная *тень* расплескалась на капли и ручьи черной субстанции, словно она действительно представляла собой заполненный жидкостью пленочный сосуд в форме человеческого тела.

Проследив за падением жидких фрагментов противника, Дар огляделся и снова нырнул в лес. Третья черная *тень* продолжала гнаться за лягунами, которых становилось все меньше и меньше. Настигла одного, ударила. Обитатель болот упал.

Черный оглянулся: Дар ощутил злой высверк его псиполя, — но не остановился, снова начал преследование.

Дар ускорил движение, превращаясь в текучую струю ударной волны, оставляя позади струнное гудение воздуха.

Они столкнулись на узкой прогалине, поросшей густой мшавой, но без кустарника и грибной поросли. Луна выглянула из-за туч в этот момент, и Дар наконец смог разглядеть противника в обычном световом диапазоне.

Он и в самом деле был черным с ног до головы. Ни одного намека на одежду. Бликующая кожа-пленка обтягивает мускулистый торс, толстые бедра, икры, плечи, руки и голову, оставляя открытыми лишь светящиеся белые глаза. Черные уши, черный нос, черные губы. Негр, да и только, одетый в пленочный защитный комбинезон. Кто бы мог представить, что под этой пленкой не человеческое тело, а некая квазижидкость... или квазиметалл. Человеком это странное существо не было, хотя и имитировало его фигуру.

Оно взмахнуло рукой (рука удлинилась чуть ли не на полтора метра), нанесло удар лягуну, и болотный житель с жалобным вскриком сунулся носом в траву.

— Зачем? — глухо проговорил Дар, давя шевельнувшийся в душе гнев.

Черный человек несколько мгновений смотрел на него, высокий, сильный, ощутимо ч у ж о й, стоя абсолютно неподвижно, как статуя. Затем направил на Дара оружие.

Они выстрелили одновременно.

Только Дар при этом «качнул маятник», уклоняясь от разряда, а его противник — нет. Молния электрического пистолета вонзилась в грудь черного человека, и тот разлетелся во все стороны клочьями и каплями черной жидкости. Из чего бы ни был сделан этот экзотический «киборг», особой прочностью материал его тела не обладал.

Дар подбежал к лягуну, которого перед этим ударил черный человек.

Метрового роста зеленокожее чешуйчато-пупырчатое

существо с почти человеческим лицом и огромными, с кулак величиной, светло-желтыми глазами — зрачки у лягуна были щелевидные, узкие, горизонтальные — лежало в траве и смотрело на человека с безмерной покорностью, безысходностью и тоской. Левая передняя лапа торчала у него под углом к телу, перебитая ударом, бок пробороздила рана, из которой сочилась прозрачно-зеленая кровь, шейный мешок под подбородком мелко дрожал.

Дар покачал головой, наклонился над телом жителя болот. Тот дернулся, попытался отодвинуться, отталкиваясь задними перепончатыми лапами; передние конечности лягунов не имели перепонок и были похожи на человеческие руки с длинными гибкими пальцами, гнущимися во все стороны. Дар изучал науки, в том числе сравнительную биологию, и знал, что предками квæггов несколько тысяч лет назад были обыкновенные земные лягушки. А спусковой пружиной мутации послужили как раз «черные социумы» — черноболи, до предела загрязненные промышленные зоны, полигоны и районы техногенных катастроф. На территории Светоруси — бывшей России — насчитывалось три десятка таких зон, в Европе — чуть больше, в Азии — больше сотни, в Америке — больше пятисот.

— Успокойся, — мягко, ласково, доброжелательно проговорил Дар, — я подлечу тебя.

Лягун замер, продолжая с кроткой покорностью глядеть на спасителя немигающими, полными влаги глазами.

Дар присел над ним на корточки, медленно повел ладонями над лапой существа, закрыв глаза, переходя на «нервное зрение». Лягуны были холоднокровными созданиями и спектр психических излучений имели отличный от человеческого, но Дару это обстоятельство не помешало определить источники боли — сломанные кости, разорванные сухожилия и сосуды. Через минуту он унял хлещущую из раны кровь, снизил боль, заблокировав поврежденные нервные окончания, и соединил концы сломанной кости. Большего сделать он не мог, не хватало знаний и опыта лечения болотных созданий.

— Потерпи малость, я отнесу тебя к сородичам.

Дар подхватил скользкое холодное тело лягуна на руки, понес, выбрав кратчайшее направление к болоту. Лягун не сопротивлялся, притих, сознавая, что ему пытаются помочь.

Где-то сзади возникли очаги подозрительного пси-волнения, спину погладил неприятный взгляд.

Дар оглянулся, уже понимая, что это означает.

Конечно, провожали его недобрыми взглядами не лесные звери. Ожили «разбрызганные» им черные «киборги». Но преследовать не стали. Сошлись вместе в двух километрах от границы леса, некоторое время «совещались» и подались прочь, на юг, к ближайшему городскому утесу Брянска.

Дар облегченно вздохнул, слегка расслабился. Биться со всеми тремя тварями ему не хотелось. Впрочем, и они не горели желанием отомстить обидчику, испытав его силу.

«Надо будет предупредить мальгаров, — мелькнула мысль. — Отец прав, эти черные псевдолюди опасны. Неизвестно, чем бы все закончилось, наткнись они на хуторян, не сведущих в ратном деле...»

Под ногами зачавкало.

Граница болота.

«Все, дружище, дальше я тебя не потащу, зови сородичей».

Дар преодолел еще полсотни метров, нашел край топи и опустил лягуна в промоину с водой.

— Доплывешь?

Болотный житель проворно заработал нижними конечностями, обернулся. Глаза на пол-лица, умные, все понимающие, с непонятным выражением глянули на человека.

«Может, они и в самом деле разумны?» — подумал Дар.

— Плыви, плыви, лечись. И больше не попадайся этим выродкам. Знать бы, зачем они вас преследовали...

Лягун издал тихий квакающий звук, словно поблагодарил спасителя, и бесшумно нырнул в затянутую ряской и водорослями воду.

— Прощай, — прошептал в ответ Дар.

Кто-то снова посмотрел на него — сверху. Он поднял голову.

Над лесом пролетала стая черных птиц — вран.

Глава 2

Луна снова скрылась за медленно ползущими тучами.

Климатические установки глобального контроля погоды давно не работали, балансовый мониторинг природных экозон никто не проводил, и Земля вернулась к самообеспечению влагой, температурным перепадам и геологическим подвижкам, пытаясь исправить последствия давления на природу технологического «гения» человека. Дар знал, что планета постепенно отдаляется от Солнца, как отдалялась от Земли Луна, что вследствие каких-то экспериментов на Меркурии тысячи лет назад дневное светило изменило спектр излучения, температура его верхнего слоя — фотосферы упала на пятьсот градусов, и теперь сквозь атмосферу Земли оно выглядело не столь ярким, как прежде.

Триста лет назад магнитные полюса Земли скачком сместились, так что экватором стал тридцать третий меридиан. Климат обеих Америк и Восточной Азии резко ухудшился, в зону благоприятных природных условий вошли Сибирь и Центральная Индия. Недаром общины интрасенсов селились в основном именно в экваториальном поясе, позволявшем жить безбедно даже на «природном довольствии», хотя поселения имели и вполне современное бытовое оборудование, позаимствованное в умирающих мегаполисах.

Территория Светоруси простиралась от болот Пскови на севере (бывшем), точнее, от городских утесов Пскова, до Тьмутомска на юге (бывшем востоке), граничащего с Унылосибирском.

Хутор Жуковец, где жил Дар, считался северным форпостом общины. Условия здесь сложились не слишком суровые — из-за огромных болот, не замерзающих даже в лютые морозы, поддерживающих температурное равновесие и водно-воздушный баланс. Летние температуры здешних мест редко превышали плюс двадцать пять градусов, а зимние — минус двадцать. Дар искренне считал, что это лучшее место во всей Евразии. Во всяком случае, жить в Новге, где летняя жара зашкаливала за сорок градусов, ему не хотелось.

Из-за леса прилетел звенящий гул, быстро стих.

Дар очнулся, привычно сориентировался во времени.

Два часа ночи. А он еще даже не дошел до границы черноболи! Успеть бы выполнить задание до рассвета! Рада запросто может не засчитать Испытание, стыда не оберешься!

Он ускорил шаг, загоняя в глубину памяти столкновение с черными людьми и спасение лягуна. Об этом можно было поразмышлять и позже, в спокойной обстановке. Однако пришлось задержаться еще на полчаса, чтобы восстановить значительно ослабшую энергетику организма и утраченное равновесие.

Дар нашел гигантский дуб, произвел рекогносцировку местности, вычисляя наличие очагов опасности, не обнаружил таковых в пределах дальнодействия «третьего глаза» и приник всем телом к шершавой, трещиноватой, толстой коре дерева, возраст которого явно превышал две тысячи лет.

Сначала пришло ощущение огромной живой м а с с ы —

великан обратил внимание на прижавшуюся к нему букашку-человека. Затем душу наполнил невероятный п о к о й. А спустя мгновение Дар «превратился» в дерево, точнее в систему связанных общим биополем деревьев, и осознал себя многоногим и многоруким колоссом, обнимавшим всю планету!

Голова налилась светом. Сознание эйфорически поплыло в туман блаженства и небытия.

Дар глубоко вздохнул, с трудом оторвал себя от энергетической сети леса. Через минуту голова перестала кружиться. Из тела ушли усталость и нервная дрожь, появилось желание жить и двигаться. Он расправил плечи, еще раз оглядел «горизонт» пси-видения «третьим глазом» и направился к лесному клину, вдававшемуся в болото и упиравшемуся в сердце черноболи.

Волки проводили его внимательным взглядом — их семья жила в бору, возле мшаника, но беззлобно, принимая за равного. Спавший вполуха лось встрепенулся, вскинул морду и опустил, не чуя угрозы. Лишь мравль на поляне, чутко дремлющий, охраняемый муравьями-наездниками (для своих целей они использовали прирученных ос), не изменил своего отношения к человеку, смотрел подозрительно, грозно, враждебно, словно ждал нападения. Мравли, в обилии возникшие в лесах вокруг хутора, так и не стали друзьями общинников, хотя их интересы в большинстве случаев и не пересекались.

Дар неслышимым призраком перелетел осиновый дол, вышел к краю болота. В лицо пахнуло болотными запахами, и одновременно кожу на лице укололи тонкие иголочки: нервная система отреагировала на «ветер» внимания, лившийся со стороны черноболи ощутимым силовым потоком. Сотни, если не тысячи, лет назад «черные социумы» были огорожены, заблокированы, накрыты силовыми куполами и завесами, по мысли их создателей способными ограничить доступ к ним «криминальным элементам», а также преградить путь «нежити», обитавшей в «социумах» и дурно влиявшей на цивилизацию. Едва ли это было правильным решением, так как промзоны и районы техногенных катастроф надо было просто чистить и превращать в экологически благоприятные территории. Но подумали об этом поздно, а может быть, и не думали вовсе, и к нынешнему времени сторожевая автоматика продолжала «не пущать» в зоны людей, не имеющих допуска, хотя это уже и не имело особого смысла.

Черноболь Дебрянских болот представляла собой закрытый силовыми завесами периметр: сто два километра в длину, сорок три километра в ширину. Лишь недавно мальгарам общины удалось выяснить — взломав архивы Брянской управы, — что скрывалось за недоступным силовым забором «черного социума». Теперь Дару предстояло проникнуть на его территорию и заставить главного инк-управляющего зоны открыть входы и отключить защитные системы.

Геометрически четкий профиль черноболи возник перед внутренним взором кисейно-серой пеленой с вкраплениями более темных зерен и более светлых окон. Зерна означали места установки силовых эффекторов, окна — провалы в завесе, места ослаблений силового поля. Попасть внутрь зоны можно было только через них, хотя протискивание сквозь энергобарьер, пусть и невысокой плотности, ничего хорошего не сулило.

В тучах, закрывших небосклон, возникло струящееся сияние. Оно стекло спиралью вниз, на купол черноболи, заставив содрогаться силовую завесу. Сухие грозы были редким явлением, и Дар замер, заинтересованный, глядя на судороги защитных стен. Впервые он стал свидетелем попадания м е д л е н н о г о электрического разряда в ограждение черноболи.

Сияющая спираль между тем собралась в сетчатый шар, перекатывающийся по крыше зоны. Серая вуаль энергетических завес начала пульсировать, в ней появились сгущения и разрывы.

Дар внезапно осознал, что может воспользоваться случаем, и метнулся вперед, переходя на л е г к о с т у п. Он давно овладел третьим уровнем *живы* и мог уменьшать вес тела (либо увеличивать, в зависимости от решаемой задачи), а также оперировать электромагнитными полями небольшой мощности.

Прыгая с кочки на кочку, пролетая сразу по десятку метров, молодой человек перебежал край болота и с ходу нырнул в одну из возникающих «дыр» в силовой пленке.

Кожу всего тела словно обожгло кипятком! Свет в глазах померк. Волна боли прокатилась по нервным узлам, вонзилась в голову, гася сознание. Но он был уже на той стороне!

Очнулся от нехватки воздуха.

Он лежал на склоне оврага лицом в черной жиже. Поднял голову, не спеша прочищать рот и глаза, включил сенсорное зрение «третьего глаза».

Гроза закончилась. Небо не светилось, шар голубоватого свечения уже не катался по ограждению черноболи, заставляя силовые поля плясать и рваться. Защитная завеса-вуаль с россыпью искр тихо гудела в десятке шагов за спиной. Он все-таки преодолел ее!

«Повезло», — пришла отстраненная мысль. Если бы не гроза, пришлось бы искать окно, и еще неизвестно, сколько бы на это ушло времени.

Он поднялся, нашел зеркальце чистой воды, умылся, почистил куртку и штаны, затем снова включил всю нервную систему в режим гипервидения.

Горизонт послушно раздвинулся. Стали видны детали ландшафта.

Территория черноболи представляла собой плоское поднятие — метров на пять-шесть — над уровнем окружавшего его болота и леса. Кое-где она была покрыта тарелкообразными воронками и конусовидными холмами, поросшими кустарником. Ее северную часть, где находился в данный момент Дар, разрывали овраги, также заросшие кустарником и травой. Центральная часть скрывалась под шкурой странного великаньего леса: стволы деревьев были очень толстыми, но кроны на высоте тридцати метров упирались в силовую завесу и расползались гигантскими зонтиками, сплетаясь в единую растительную крышу.

Кроме холмов и леса, ничего примечательного на всем пространстве черноболи Дар не заметил. Если здесь когда-то и располагались какие-то постройки, они давно разрушились от времени. Странно, что не отключились генераторы, поддерживающие силовую изгородь зоны.

Дар осмотрелся, разочарованный. Вряд ли стоило тратить силы, напрягаться, искать центр управления этого «черного заповедника», чтобы отключать его защиту. Ничего жизненно важного здесь не сохранилось.

Он еще раз оглядел местность, добросовестно выискивая узлы энергосвечения и выходы металла. И вдруг понял, что холмы, поросшие густым обдерником и травой, представляют собой... какие-то искусственные сооружения! Под двухметровым слоем земли скрывалась металлическая или скорее металлокерамическая оболочка, сплетение труб, этажерчатые каркасы и мешанина разной формы емкостей.

— Полигон спас-флота! — прошептал Дар. — Конусы и купола — это звездные корабли... а этажерки — здания... Отлично! Теперь надо определить, где прячется бункер управления защитной системой...

Он поднялся на небольшой пригорок, проник внутренним взором в его глубины и увидел смутные очертания металлического «блюдца». Под толщей земли прятался какой-то старинный летательный аппарат. Или защитный колпак шахты.

Похоже, здесь вся территория засеяна подобными «семенами». Найти бы действующий летак...

Дар загорелся было, обшаривая окрестности «лучом» гиперзрения, потом остудил свой порыв и сосредоточился на поиске и пеленгации энергетических всплесков. Не стоило ждать халявных подарков там, где требовались терпение и полная самоотдача.

Вскоре обнаружились действующие энергетические источники: три в той части черноболи, где высились холмы-звездолеты, и два в центре зоны, где располагались бугристо-складчатые структуры с этажерчатым каркасом. Дару хотелось проверить сначала конусы космических кораблей, в которых еще теплилась механическая жизнь, но времени до конца ночи на исследование более важных — с практической точки зрения — объектов могло не хватить, и он предпочел не отвлекаться на «мелочи». После разминирования черноболи можно было вернуться сюда и обследовать холмы. Судя же по равномерной пульсации электромагнитных полей, этажерка в центре представляла собой заплывший землей за тысячи лет центр управления полигоном и древним комплексом спас-флота.

Убедившись в очередной раз, что препятствий на пути к центру черноболи нет, Дар перешел на легкоступ и за час преодолел двадцать километров, что отделяли его от длинного холма, поросшего древовидной малиной, хвощами, орешником и жасмином. Внутри холма прятался некий технологический комплекс, до сих пор излучавший электромагнитные импульсы низкой частоты и радиоволны.

Никто не попался на пути, хотя территория черноболи

мертвой не была. Здесь жили как мелкие животные — грызуны, ежи, змеи, так и крупные — волки, медведи, козы и олени. Все они предпочитали селиться в островах леса и на равнинные участки, поросшие травой, и на песчано-пустынные зоны предпочитали не забредать. А птиц Дар не увидел. То ли они спали, то ли было их совсем мало.

Не побеспокоили гостя и технические устройства, летающие аппараты или автоматические механизмы, которые должны были охранять покой «черного социума». То ли они не заметили переход границы человеком, то ли давно выработали ресурс и умерли от старости. В свое время Дар уже встречался с защитниками черноболей и знал, что справиться с ними нелегко. Не всегда можно было подключиться к их управляющим системам в режиме «один на один» и нейтрализовать целевую программу. Не поддающихся же перепрограммированию роботов приходилось уничтожать.

Дар невольно потрогал разрядник в кармане куртки, захваченный на поле боя с черными людьми. Он взял его с собой скорей из любопытства, а не для самообороны, да и хотелось показать оружие экспертам Рады. С таким Дар еще не сталкивался, хотя в арсеналах общины хранились и более мощные излучатели и разрядники, от «универсалов» до лазерных бластеров и «глюков». Община ни с кем не воевала, однако в прошлые времена ей часто приходилось защищаться от городских суперменов беривсеев и банд хочушников, внезапно заявлявших права на землю, которых у них, конечно, не было, или пытавшихся забрать с собой девушек общины. Тогда мальгары брались за оружие, так как гости были, как правило, вооружены.

Холм разлегся перед молодым катарсидом огромным двугорбым динозавром, уснувшим на земле между языками леса. Высотой в сто метров и длиной в три с лишним километра, этот динозавр впечатлял. Гиперзрение Дара позволяло видеть сквозь толстые стены, и он быстро сориентировался в расположении внутренних пустот холма. Естественно, это было не природное образование. Под многометровым слоем почвы скрывалось старинное здание, не выдержавшее бремени веков, но все же сохранившее в глубине работающие технические системы и свободные от земли помещения.

Сосредоточившись на поиске нор и щелей, которые могли бы послужить входом в заплывшее землей здание, Дар медленно двинулся вокруг холма, продолжая параллельно контролировать обстановку на близлежащей территории.

Луна выглянула из-за туч, посеребрила траву и заросли колючего тугая. Из-под сгнившего ствола какого-то дерева с шипением поползли змеи, но, столкнувшись с ментальным «запахом» человека, поспешили скрыться в траве. Змей Дар не боялся, он знал, как их можно было успокоить или напугать.

Внезапно нос почуял некий запах, знакомый и чужой одновременно. Дар остановился, принюхиваясь. Боже правый, да это же запах черных людей, с которыми он недавно сражался! Неужели они опередили его?! Или, наоборот, побывали здесь раньше?

Сердце забилось чаще. Заработали все нервные связи и уровни в л а д е н и я. Диапазон зрения скачком расширился. Стали видны стены здания и то, что скрывалось за ними. Открылось смутно видимое пространство в глубине холма, большой зал с громадами каких-то устройств с мигающими огоньками и световыми пунктирами. Но ж и в о г о движения внутри здания не было. Если кто-то и побывал здесь до молодого чистодея, то давно удалился.

Дар двинулся вперед, ловя чуткими ноздрями слабые струйки чужого запаха, и вскоре увидел примятую траву, сломанные ветки кустарника и темный провал на склоне холма, на высоте двух десятков метров. Именно в этом месте и проникли в здание те, кто пришел сюда раньше Дара. Черные люди. Интересно, что они искали?

Дар хмыкнул, вынул из чехла нож и осторожно полез вверх по крутому склону холма, рассекая жгучие стебли крапивы и сшибая колючки шиповника.

След черных людей привел его к двухметровой норе в почве, уходящей в темноту. Судя по свежему языку песка и глины, протянувшемуся от норы, она была прорыта совсем недавно. Проверив, не ждет ли его засада впереди, а также не наблюдает ли кто со стороны, Дар полез в дыру, готовый к любой неожиданности.

Шестиметровой длины ход привел его к пролому в стене погребенного под землей здания. Пролом был проделан явно каким-то взрывом направленного действия, и его края серебрились пленкой металлической глазури. За ним начинался широкий коридор, удивительно чистый, если не считать толстого слоя пыли, в которой отпечатались следы проходивших здесь людей. Впрочем, отпечатки мало походили на следы подошв человеческой обуви, они были овальными, без рисунка и каких-либо деталей. Очевидно, здесь и в самом деле побывали черные люди-*тени*, объявившиеся потом в лесу, у болота. Скорее всего они возвращались из черноболи, и Дар случайно наткнулся на них, устроивших зачем-то охоту на лягунов.

Коридор повернул. Однако дальше ход упирался в тупик. Потолок коридора в этом месте был проломлен, и в дыру высыпалась на пол гора земли и камней.

Дар поискал следы, обнаружил дверь, пробитую насквозь тем же оружием, что и стена здания. Осторожно протиснулся в дыру, огляделся.

Помещение тоже оказалось завалено горами земли и мусора, но между ними можно было пройти.

Стена. Звездообразный пролом в ней. Соседнее помещение. Горы песка и обломков оборудования вперемешку с кусками стен, глыбы мертвых машин. Снова стена, дыра, коридор. Следы. Те, кто их оставил, упорно шли вперед, точно зная, где и что искать, не отвлекаясь на изучение попадавшихся на пути механизмов и комнат. Дар не удивился, когда следы привели его в тот самый зал, где располагались громады технических устройств и слабо пульсировала электрическая жизнь. Терминал — всплыло в памяти название специализированного комплекса аппаратуры для управления и связи.

Терминал работал. Во всяком случае, отдельные его устройства подмигивали индикаторами и световыми нитями. Дар уже встречал подобные устройства, поэтому со знанием дела выбрал то, какое представлялось ему главным.

Форму его описать было сложно.

Устройство — интерфейс инка, как сказал бы главный эксперт общины по инконике, — представляло собой конгломерат конусов, сфер и зеркальных окон, однако это и в самом деле оказался инк здания, вернее, управитель всей закрытой зоной черноболи. Только в нем кто-то успел покопаться, сняв несколько панелей и ребристых крышек. Панели валялись на полу, в толстом слое пыли, расколотые или обуглившиеся.

Дар подошел ближе, разочарованный и возмущенный картиной постороннего вмешательства в работу терминала. Он готовился подключиться к инку и пообщаться с ним один на один, выяснить особенности зоны и снять блокировки. Теперь же, судя по отсутствию реакции охранных систем на проникновение в зал, ему досталось взломанное компьютерное хозяйство. Непрошеные гости, заявившиеся сюда на несколько часов раньше — а, кроме черных *теней*, сделать это было некому, — тоже подключались к операционной системе и вполне могли повредить ее мозг.

Дар оглядел кактусовидный нарост на вогнутой панели устройства — вириал управления, по терминологии специалистов. Вириал не светился, лишь изредка помаргивал оранжевым глазком и выглядел грустным. Человека он не видел, хотя должен был отреагировать на его приближение включением светового панно.

— Включись! — негромко скомандовал Дар.

«Кактус» вириала продолжал сонно моргать глазком, цвет которого указывал на какие-то отклонения в работе систем.

Тогда Дар нашел на «кактусе» знакомые детали и выдернул один из шершавых шипов с чашечкой на конце. Вставил шип в гнездо на «ухе кактуса». Над гнездом вспыхнул алый огонек.

— Контроль функционирования! — скомандовал молодой чистодей.

Над вириалом взлетел рой голубоватых искр, сложился в колеблющуюся фигуру — нечто вроде качающегося человеческого пальца. Одновременно из скрытых динамиков раздался хрипящий голос:

— Предъявите допуск!

— У тех, кто тебя вскрыл, ты допуска не спрашивал, — проворчал Дар. Добавил: — Раскрой операционное поле! Дай связь!

Палец еще покачался некоторое время (шутники, однако, настраивали машину) и пропал.

В зале внезапно зажегся яркий свет.

Напротив громады устройства с «кактусом» вириала выросло из пола метровое, стеклянно-металлическое на вид яйцо, раскрылось бутоном лилии, но не до конца. То ли не хватило энергии, то ли сбилась программа операционного объема. Кокон оператора так и остался разверстым наполовину.

— Понятно, — пробормотал Дар. — Старость — не радость... Включи мыслесвязь!

Из левой дольки «кактуса» вылез усик с алой вишенкой на конце. Вишенка вспенилась и превратилась в дугу с наушниками. Дар натянул дугу на голову, сосредоточился, отсек лишние мысленные шумы.

«Ты меня слышишь?»

«Наш контакт не санкционирован, — раздался в голове шипящий мыслеголос инка. — Назовите уровень допуска и код».

«Мне не нужны секретные материалы. Ответь на несколько вопросов, не затрагивающих зону допуска».

Шипение мыслеголоса усилилось. Инк-управляющий комплекса пытался определить границы своей компетентности в вопросах, «не затрагивающих границы допуска».

«Мой банк данных повержден».

«Кем?»

«Они не представились».

«Как они выглядели?»

«Человекоподобные... тела черного цвета... температура тел около ноля градусов по Цельсию...»

— *Тени*... — пробормотал Дар.

«Не понял».

«Сколько их было?»

«Трое».

Дар кивнул сам себе. Теперь он окончательно убедился в том, что в лесу ему встретились именно те, кто до встречи побывал в черноболи. Вопрос: что они здесь делали?

«Что они искали?»

«Насколько мне удалось разобраться, им потребовались географические координаты местечка под названием Вщиж.

Но я не уверен. Они взломали защиту, нейтрализовали охранные системы и уничтожили базу данных».

«Странно, — озадачился Дар. — Зачем им координаты старинного хутора?»

«Не знаю».

«Ты имел эти данные?»

«Косвенные. Край полигона выходит на Вщижское болото».

«И все?»

«Я сторож полигона, а не геоинформарий... — Голос инка зашипел сильнее, стал невнятным. — Дальнейш... контакт... невозм... шумы... навод... разруш... связ... отключ...»

Инк явно собирался «брякнуться в обморок».

«Подожди! Сними хотя бы полевую защиту!»

Мыслеголос сторожевой системы на мгновение приобрел чистый бархатный тембр:

«Только после предъявления допуска и ввода пароля».

«Дурак, ты сейчас отключишься и не сможешь вообще контролировать ситуацию!»

«Вынужден включить самоликвидацию! У вас тридцать секунд».

Хрип, шипение, треск, неприятное давление на голову.

Дар сорвал дугу мыслескана, швырнул на пол.

Из «кактуса» вириала вырос усик с вишенкой, которая превратилась в мигающий алый пузырь. Под сводами зала завыла сирена. Включился метроном, отсчитывающий секунды в обратном порядке. Сторож, поврежденный взломщиками, с большим опозданием осознал факт взлома и все-таки включил механизм самоликвидации. Своими вопросами Дар просто встряхнул его, заставил проанализировать происходящее и принять меры по пресечению «агрессии». Запоздалые меры.

Дар перешел на сверхскорость, понимая, что времени на

лечение инка у него нет. Да и смысла это лечение не имело никакого. Черные люди серьезно повредили системы компьютера, и полноценным управляющим зоны он быть уже не мог. Интересно, как им удалось снять блокировки, отключить защитные комплексы — кстати, спасибо им за это — и внедриться в базу данных сторожа, не зная паролей? Или они з н а л и?..

Двадцать две... двадцать одна...

Коридор, помещение с горами мусора...

Двадцать... девятнадцать... восемнадцать...

Еще коридор, анфилада комнат, контейнеры...

Семнадцать... шестнадцать... пятнадцать...

Коридор, стена земли, камни... не поскользнуться бы ненароком...

Четырнадцать... тринадцать... двенадцать...

Поворот, сужение, тупик, неужели свернул не туда?! Нет, вот выход! За ним коридор и дыра наружу! Вперед!

Одиннадцать... десять... девять...

Он выскочил на склон холма и поскакал вниз как заяц, не обращая внимания на шипы обдерника и жгучие укусы крапивы.

Сто метров, сто пятьдесят... все!

Автомат внутри здания досчитал до нуля, включил взрывное устройство.

Холм развернуло изнутри пламенным куполом! На бегущего человека упало море света, затем в спину шибанула волна гула, а за ней — цунами разлетавшейся во все стороны земли. Дар полетел в грохочущую тьму, как в бездну, даже не пытаясь бороться со стихией взрыва...

Очнулся он от тишины. Прислушался к своим ощущениям, не открывая глаз. Болели ушибленные ударом о землю колени, локти и плечи. Кожа на руках и на лице зудела от укусов крапивы. Но ни один сустав сломан не был, и ран от осколков взорвавшегося здания-холма молодой человек не обнаружил. Вздохнул с облегчением, открыл глаза.

Он лежал в низинке между огромным валуном и стволом упавшего дерева. Времени с момента взрыва прошло немного, Луна еще не успела спрятаться за тучи, светила в оконце между ними. Дар оглянулся.

Холма сзади не было. На его месте курился дымными столбами гигантский ров. От здания, прятавшегося под слоем почвы многие сотни лет, не осталось практически ничего.

Дар включил гиперзрение, полюбовался на котлован, в который уже устремились ручьи из ближнего торфяника, еще раз огляделся.

Взрыв уничтожил не только древнее здание центра управления полигоном, но и всю его начинку, а вместе с ней — связи с генераторами защитного поля, отгораживающего чернобольь от остального мира. И кисейно-серая завеса, накрывающая территорию древнего космодрома и полигона, исчезла. Генераторы отключились.

Чистодей-поход Дара закончился результативно и без особого напряга. Если не считать бегства из готового взорваться в любой момент центра управления. Но и тут ему повезло.

Впрочем, повезло на самом деле не однажды, подвел Дар итог своим размышлениям. Черные люди «разминировали» подходы к черноболи — раз. Они же проделали проход в здание центра — два. Отключили охранные системы — три. Повредили сферу сознания управляющего инка до такой степени, что он не смог адекватно отреагировать на проникновение в зону еще одного непрошеного гостя, — четыре. Это ли не подарок судьбы? Если бы не черные люди, ему пришлось бы долго возиться с отключением защитного поля и сторожевой техники, и еще неизвестно, справился бы он с заданием за одну ночь или нет.

Луч гиперзрения наткнулся на скопление конусовидных холмов на границе черноболи. Древние звездолеты, спейсеры! Некоторые из них еще излучают слабые электромагнитные поля. Хорошо бы осмотреть их, проверить, можно ли чем поживиться...

Но сил у молодого человека на многочасовую работу, да и желания, не было. Он и так возвращался победителем.

Глава 3

Его встретили за болотом.

Рассветало. Из низин поднялся туман. Похолодало.

Дар выбрался на край кочковатого поля, собираясь рвануть к хутору по прямой, через луг на берегу Десны и лес за поймой, и в это время на кусты ракитника спикировал с неба каплевидный летак с мигающей алой звездой под брюхом. Откинулся прозрачный колпак блистера, на траву спрыгнули трое мужчин.

— Отец?! — удивился Дар. Перевел взгляд на его спутников. Это были наставник общины Вольга и витязь Боригор. — Что-нибудь случилось?

— Ничего не случилось, — сказал старший Железвич, одетый почти в такой же костюм, что и сын, только белого цвета, с золотой бахромой и с вышитым золотым соколом на груди — знаком княжеской власти. — Просто мы совершенно случайно пролетали мимо и решили завернуть к болоту, забрать тебя.

Дар вдруг сообразил, что за ним скорее всего наблюдали — через дальнодействующие приборы или с помощью лесной системы биолокации. Покраснел.

— Вы в и д е л и...

Бояр Железвич улыбнулся, подходя ближе, обнял сына, похлопал по спине.

— Не расстраивайся. Это обычная практика. Должны же эксперты Рады знать, как действует претендент на звание мастера жизни во время Испытания. Рад сообщить, что ты его преодолел.

Дар посмотрел на Вольгу.

Наставник — крупнотелый, с виду медлительный, суроволицый, с шапкой белоснежных волос и пронзительно-голубыми глазами — кивнул. В глазах его всплыл и тут же потонул некий вопрос.

— Поздравляю.

Подошел подтянутый, гибкий, среднего роста, но широкоплечий и ощутимо сильный Боригор, сунул ладонь, стукнул кулаком по плечу.

— Рад за тебя! Отныне ты не просто дружинник, но гриф-чистодей. Все девки теперь твои.

Отец засмеялся. За ним Боригор. Улыбнулся и Вольга, продолжая оценивающе разглядывать лицо молодого чистодея. Дар выпрямился, сказал глухо, не отводя взгляда:

— Я не прошел Испытания.

Отец и старший витязь общины перестали смеяться, посмотрели на него с удивлением и сомнением:

— О чем ты?

— Я не прошел Испытания, — повторил Дар. — Черноболь была уже разминирована, когда я перешел границу.

Мужчины переглянулись. Князь взял сына под локоть, подтолкнул к летаку:

— Садись, рассказывай.

Летак был четырехместный, такими пользовались жители городов, называя их куттерами, поэтому все четверо уместились в кабине, несмотря на габариты мощных тел.

Взлетели. Горизонт распахнулся вширь. Стали видны

темные утесы городских строений на юге и башни на востоке. Лесной массив, скрывающий часть болота, сдвинулся к северу. Летак пересек черноболь с огромным рвом на месте взрыва, увеличил скорость, направляясь к хутору.

— Что произошло? — повернулся к сыну князь. — Мы видели, что ты проник в зону и отключил защитное поле.

— До этого я наткнулся на черных людей...

— На болоте?

— Раньше, в лесу, до болота... — Дар протянул отцу трофей — электропистолет и скупо рассказал о своем бое с черными *тенями*, лишь внешне имеющими сходство с людьми.

В кабине летака повисло молчание.

— Надо было собирать сход, — нарушил его Боригор, поглаживая протянутое князем оружие. — Отеллоиды что-то ищут в наших краях и становятся опасными. В Гостилове они напали на старейшину хутора и увели с собой. Старейшину потом нашли мертвым на болоте.

— В Людиновке они ночью пытались захватить ведуна Свентуру, — добавил Вольга, — но дружина успела вовремя.

— Отеллоиды? — непонимающе посмотрел на отца Дар. Тот усмехнулся.

— Это идея кемтаря Рады назвать черных нелюдей отеллоидами. Кемтарь — страстный театрал, любитель драм Шекспира. Но ситуация мне не нравится. Боригор прав, пора собирать мальгаров для поиска и перехвата отеллоидов, взять под контроль весь край, леса и болота. Хорошо, что твой поединок с ними закончился так... нейтрально.

— Это моя вина, — буркнул Боригор. — Надо было начать слежение за болотами до того, как туда пойдет молодой. — Он имел в виду Дара.

— Не посыпайте себе голову пеплом, други, — осуждающе покачал головой наставник. — Истинный чистодей обязан единолично справляться с любым противником, иначе он не является мастером жизни. Дар прошел весь путь, прошел хорошо, и я считаю, что он справился с заданием.

— Но Испытание зачесть полностью Рада не сможет, — вздохнул князь. — Ему будет назначено дополнительное Испытание.

— Схватка, — мрачно сверкнул глазами старший витязь.

— Возможно, — согласился Бояр, косо глянув на сына. — С кем-нибудь из мастеров-воев.

— Со мной.

— Это решит сход. Ты согласен? — Отец положил руку на плечо сына.

— Да! — ответил Дар, стиснув зубы, не показывая, что расстроен. Впрочем, одновременно он был рад, что первым заговорил о своем походе как о несостоявшемся Испытании. Было бы гораздо хуже, если бы об этом первым завел речь наставник.

Вольга шевельнул уголком губ, понимая состояние ученика. Он тоже чувствовал удовлетворение, что не ошибся в молодом чистодее, воспитанном прежде всего ценить правду и подчинявшемся голосу совести.

Солнце еще не успело взойти над лесом, когда летак опустился в центр сходовой площади хутора, окруженной красивейшими бревенчатыми теремами, которые возводила без единого гвоздя строительная артель общины. Каждой семье — индивидуально и вместе с тем — в одном стиле, композиционно и эстетически связывающем поселение в единый гармонический с в е т о с т а в.

Мужчин встречали несколько человек, в том числе мать Дара Веселина. Крепкая, статная, с милым добрым лицом, она перекинула косу с груди на спину, обняла сына.

— Ты справился, сынок? У тебя куртка порвана и на лице царапины.

— Все в порядке, ма, — улыбнулся Дар. — Это я о сучок зацепился.

— О сучок, — улыбнулась мать в ответ, провела по щеке сына прохладной ладошкой. — Синяк под глазом тоже сучком делан?

— Ну, я все-таки не по грибы ходил, — по-взрослому пожал плечами Дар.

— Идем, — сказал князь, подмигнув жене, направился к семейному терему.

— Потом поговорим, скрытник, — подтолкнула Дара в спину Веселина, — за завтраком.

Мужчины поднялись по резной лестнице в хоромы.

— Дар! — окликнули молодого человека.

Он оглянулся. На крыльце соседнего терема стоял, почесываясь, в одних шальварах, дружок Борята, сонный, весь округлый, как хлебный каравай.

— Зайдешь?

— Зайду, — пообещал Дар.

Его усадили в отцовской приказне, светлой — на три окна, просторной, настраивающей на рабочий лад.

Две полки со старинными книгами, еще бумажными, хорошо сохранившимися. Шкаф с оружием и атрибутами княжеской власти. Светящийся янтарной слезой стол, резные деревянные стулья. Вириал оперативного инка в углу комнаты, похожий на алмазную друзу.

Сели и остальные.

— Ничего не упустил? — посмотрел на Дара старший Железвич.

Дар покачал головой:

— Вроде бы нет.

— Значит, выяснить через терминал защитного комплекса, что искали отеллоиды, не удалось? Это плохо.

— Я не предполагал...

— Тебя никто не обвиняет, ты действительно не знал, что на пути встретятся эти черные твари. Кстати, нужен срочный информационный поиск по глобальной Сети — кто или что такое отеллоиды. По-моему, в земной истории уже имелись факты встреч с некими черными людьми.

— Очень давно, более трех тысяч лет назад, — кивнул Вольга. — Но, насколько я знаю, те черные люди и отеллоиды — разные классы явлений.

— Тем не менее поиск необходим.

— Сделаем, — прогудел Боригор, огладив пальцами подбородок, положил электрический пистолет на стол. — Любопытное оружие. Я таких не видывал. Клейма на нем нет, а, судя по форме и размерам, создавали его не под человеческую руку и вообще не на Земле. Покажу экспертам, пусть голову поломают.

— Думаешь, это галактическое изделие? — поднял брови Бояр. — Не местное?

— Я не специалист по оружию предков, но в нынешние времена такие штучки просто некому делать. Кроме разве что кустарей-умельцев из других общин. Китаезы, между прочим, любят этим заниматься. Но этот излучатель, во-первых, т е х н о л о г и ч е н, что говорит о высоком уровне изготовителя, а во-вторых, весьма необычен.

— Может быть, его сделали п о с л е д ы ш и?

Вольга покачал седой головой.

— Претенденты на престол разумного вида после падения человеческой расы есть, те же лягуны, рептилии, сумчатые, но им еще далеко до высоких технологий. Возможно, разрядник действительно изготовлен за пределами Солнечной системы. Весь вопрос в том, как он попал на Землю.

— Метро галактической сети заблокировано...

— И я о том же. Если отеллоиды суть не земляне, они знают способы преодоления межзвездных расстояний. Это их оружие. Вот почему нам стоит поспешить с изучением звездных кораблей на полигоне, который открыл твой сын.

Все посмотрели на Дара.

Князь помолчал, думая о своем. Как и Дар, он сидел совершенно неподвижно, что являлось фамильной чертой всех Железвичей-мужчин.

— Нам нужны звездные корабли!

— Чернобóль разминирована, — сказал Боригор, — теперь можно будет попытаться расконсервировать спейсеры на Вщижском полигоне.

— Пошли туда дружину.

— Сейчас же и соберу.

— Я еще нужен, отец? — напомнил о себе Дар.

— Отдыхай, — не сразу ответил князь. — У тебя была трудная ночь. К вечеру встретимся, покалякаем, обсудим планы.

«Если хочешь рассмешить бога, расскажи ему о своих планах», — вспомнил Дар любимую присказку деда, но вслух ничего не сказал. Поклонился, вышел.

В течение часа он искупался, переоделся в чистое и позавтракал, подробно отвечая на вопросы матери: она всегда точно знала, скрывает он что-либо или нет, и говорить ей неправду не имело смысла. Дар лишь приуменьшил степень опасности всех его похождений и встреч и не стал красочно описывать свой бой с черными *тенями* — отеллоидами.

Шел девятый час утра, когда он вышел из дома, не строя никаких особых программ на день.

Борята, одетый в свой обычный костюм: пестрая рубаха ниже пояса, перетянутая в талии кушаком, штаны и сапожки, — ждал его на улице, нетерпеливо прохаживаясь по песчаной дорожке между теремами. Круглое румяное лицо его с соломенного цвета усиками и желтыми глазами выражало сдерживаемое волнение и жадный интерес.

— Ну что, сдал экзамен?! — бросился он к приятелю.

Дар кинул взгляд на вставшее солнце, неяркое, с заметной черной щербиной на диске.

— Будет назначено дополнительное Испытание.

— Почему?! Ты не справился?!

— Мне помешали.

— Кто?!

— Слышал об отеллоидах?

Борята озадаченно дернул себя за вихор.

— Это же миф...

— Отнюдь, я встретился с тремя черными уродами на болоте, они гнались за лягунами, убили многих.

— Зачем?! — вытаращил глаза Борята.

— Не знаю, я спас одного, подрался с двумя черными, они убежали.

— Расскажи!

— Ты ко мне шел? Пошли посидим в шатре, попьем чего-нибудь вкусненького, погода хорошая.

Чаевня хутора уже открылась. Обслуживала ее семья Яра Палагуты: отец, мать и дочь Оксана, ровесница Боряты. Молодые люди дружили с детства, но Борята питал к девушке не только дружеские чувства, и уже поговаривали о свадьбе.

Встретили ранних гостей радушно.

Оксана, такая же крупнотелая, как и ее мать Анфиса, но очень подвижная, веселая, милая, захлопотала вокруг гостей, принесла фрукты, чайные приборы, варенье и сыр. Села рядом, делясь впечатлениями от вчерашнего вечернего выступления песняров общины. Борята посматривал на нее снисходительно и нежно, как на маленькую, и Дар мимолетно подумал, что характеры влюбленной пары так близки, что в будущем это обстоятельство может сыграть с ними злую шутку.

Заметив, что мужчины слушают ее вполуха, девушка упорхнула, пообещав рассказать им какую-то жутко интересную историю.

— Болтушка, — сказал Борята, мечтательно глядя ей вслед. Очнулся. — Ну рассказывай, что тебе досталось в качестве Испытания? Говорят, ты взорвал черноболь?

— Кто говорит?

— Да все, — простодушно пожал круглыми плечами Борята. — Я от дядьки Симы узнал. А что, не так было?

— Ничего я не взрывал. — Дар отхлебнул горячего душистого напитка, нарочито делая паузу, потом все-таки не выдержал и поведал приятелю историю своего похода в черноболь. Закончил небрежно: — Теперь можно будет очистить всю зону и посмотреть, что сгодится для хутора.

— А давай прямо сегодня и махнем туда? — загорелся Борята. — Вдруг те звездные корабли действительно в состоянии летать?

— Нет, сегодня праздник, — мотнул головой Дар. — Вечером гуляние, в честь моего дня рождения.

— Забыл, прости! — прижал к груди руку Борята, приподнялся. — Посиди тут, я за подарком сбегаю.

— Успокойся, успеешь, — остановил его чистодей. — Весь день впереди.

— Отдыхать будешь?

— Я не устал. — Это была неправда, но признаваться приятелю в желании поспать пару часов, чтобы компенсировать ночное бдение, не хотелось.

— Тогда у меня идея. Давай рванем до обеда в Брянск? Лука вчера был там, открыл заград, купался в бассейне, играл с местными в ролевик.

— И местные его приняли?

— Он был в унике, а на лице не написано, где ты родился и живешь, в городе или на воле. Кстати, мы со Скибой нашли вход в один из центральных жилых комплексов, прошлись по квартирам, такое увидели...

— Какое?

— Ну, много чего... техника там интересная... почти все квартиры пустые... а в некоторых сетлеры сидят, грезят... Давай слетаем, посмотрим? Все равно каникулы, а дома торчать скучно.

Дар допил чай, подумал.

— Ладно, до обеда я действительно свободен, можно и погулять.

— Отлично! — обрадовался Борята, вскакивая из-за стола. — Возьмем кого с собой? Может, Оксанку и Славу?

Дар усмехнулся. Борята искренне считал, что у друга со Славой роман. Девушка ему и в самом деле нравилась, но о любви речь не шла. Встречаться с ней было приятно — и только.

— Зачем? Не люблю быть зависимым, а если с нами полетят подруги, мы и к вечеру не обернемся.

— Тоже верно, — легко согласился Борята. — В таком случае летим вдвоем, Скиба куда-то еще вчера сорвался. Будешь переодеваться?

— Пожалуй, — кивнул Дар.

— Попроси летак у старшины, ладно? Ты теперь без двух минут гриф-чистодей, тебя он не станет расспрашивать, куда и зачем летишь.

Они разошлись и через четверть часа встретились на краю хутора, возле транспортного лабаза.

Дар надел свой обычный повседневный костюм: светло-коричневый замшевый кафтан с бахромой, такие же штаны и мягкие сапожки. На Боряте красовался блестящий уник, обтягивающий фигуру, но не скрывающий ее достоинства и недостатки. Фигуру же приятель Дара имел примечательную и был весьма похож на японских борцов сумо. Впрочем, это не помешало ему стать неплохим бойцом, не уступающим в силе и скорости многим мастерам рукопашных видов самозащиты.

— Приветствую молодежь, — буркнул вечно хмурый Малх, старшина хутора, отвечающий за хранение и использование оружия и транспортных средств. — С чем пожаловали?

— Нужен летак, — сказал Дар уверенным тоном. — По важному делу.

— Нужен так нужен, — кивнул старшина без удивления. — По важному так по важному. Я слышал, ты успешно прошел Испытание?

— В общем, да, — уже менее уверенно сказал молодой чистодей, слегка краснея. — Только вернулся.

Малх не обратил внимания на его обмолвку.

— Говорят, ты встречался с черными бродягами?

— Было дело.

— Они действительно черные?

— Как сажа. С головы до ног. Только глаза белые.

— Как же ты с ними справился? Утверждают, что они ничего не боятся.

Дар вспомнил бой с первым отеллоидом, поведение человека-*тени*, его реакцию на сильный удар.

— Они боятся мощного броска, сплющиваются от удара, буквально расплываются лужей.

Старшина с сомнением почесал бровь.

— Уверяли, что черные бродяги неуязвимы.

— Они не люди, дядя Малх, псевдоживые существа. Их тела действительно состоят из какого-то странного материала, который может превращаться в жидкость, а потом восстанавливает форму.

— Понятно, нежить, значит, объявилась. То беривсеи нас пугали, то хочушники, то мутанты, а ныне другая напасть. Так в лес теперь ходить опасно?

— Повременить надо. Отец сказал, что пошлет дружину для поимки черных людей.

— Жаль, я по грибы собрался. — Малх озабоченно скрылся в лабазе, выглянул. — Берите что хотите.

Дар выбрал такой же куттер, на каком его доставили на хутор отец с наставником и витязем, сел на место пилота. Помалкивающий Борята занял место рядом. Взлетели.

Хутор, стоящий на берегу речушки Ветьмы, — всего в нем насчитывалось двадцать теремов, не считая лабазов с продовольствием и бытовой техникой, — провалился вниз, ушел под деревья, окружавшие селение, растворился в сочной зелени леса. Строили его с расчетом, чтобы не было видно с высоты, потому что в те времена еще действовал закон, запрещавший людям селиться в заповедных зонах — так он звучал официально. На самом деле в лесах и в горных ущельях селились индивидуалы — интрасенсы, и закон работал против них. Однако цивилизация развалилась, население городов резко сократилось, исчезли контролирующие социум службы, и закон перестал служить средством давления на вольнолюбивых потомков интрасенсов. Строить свои поселения они могли теперь где угодно. Хотя предпочитали все же лесную глушь. Лес защищал их, кормил и предупреждал об опасности.

На горизонте соткались из воздуха стеклянно-призрачные пирамиды Брянска. Когда-то город окружали светящиеся столбы орбитальных лифтов, соединявшие технические сооружения на земле со станциями в космосе. Но последний из них перестал работать еще до рождения Дара, и знал он о существовании лифтов только из исторических Хроник и учебных Вед.

В небе просияла золотом точка.

— Кто-то летит к городу с юга, — сказал Борята.

— Вижу, — отозвался Дар. — Маленькая машина, двухместная.

— Догоним?

— Зачем?

— Ну... посмотреть, кто там, — простодушно сказал Борята. — Не каждый день встречаются летающие машины. Может быть, это кто-то из соседей?

— Может быть.

— Мы со Скибой однажды встретили китайца. В Брянске.

— Ну и что?

— Китайцы теперь редкие гости, их совсем мало осталось. Кстати, почему? Я читал, что раньше их было очень много, чуть ли не половина неселения Земли.

— Вымерли. — Дар вспомнил Хроники социума. — В условиях снижающейся плотности населения китайский этнос прошел через «бутылочное горлышко» резкого уменьшения размера популяции. К тому же против них было применено этническое оружие.

— Какое?

— Этническое, влияющее на генофонд.

— Не слышал.

— Это произошло давно. Им начали поставлять так называемые пищевые добавки, что привело к резкому ослаблению иммунитета и росту заболеваний. Разве в универсалии вы этого не проходили?

Борята виновато шмыгнул носом.

— Нет.

— Еще будете. Все, не отвлекайся. Показывай, где находится ваш перспективный заград.

Приятель встрепенулся, поднес ко лбу ладонь козырьком.

— У него форма необычная... гриб на кристаллической ножке... вот он! Чуть правее.

— Вижу.

Дар повел куттер к грибовидному зданию, выросшему среди стандартных пирамид и конусов города. Высота «гриба» достигала не менее трех сотен метров, в «ножке» — опоре здания располагались лифты и торговые модули, в двухсотметрового диаметра шляпке находился собственно комплекс жилых модулей и блоков, каждый из которых имел выход в атмосферу и в центральное ядро, имеющее зоны отдыха и развлечений.

— Куда теперь?

— Садись на купол, он пробит. — Борята поймал взгляд приятеля, заторопился. — Это не мы, дыра уже давняя, кто-то до нас ее сделал.

Дар обнаружил звездообразный пролом в прозрачном куполе здания, как раз над центральной зоной, и повел летак на снижение.

Под куполом повеяло теплом и запахами жилого помещения, несмотря на дыру в крыше. Климатические установки здания работали, что говорило о его состоянии: здесь еще жили люди.

Дар вылез первым, огляделся.

Рощица хилых березок, не гигантских, как в настоящем лесу, а миниатюрных, в два человеческих роста. Ровные шпалеры цветущих розовых кустов, заросли цветущей травы. Красивые беседки и ротонды, зеркально-стеклянные гнутые стены, витрины, статуи, стелы, фонтаны, тихая музыка... и ни души вокруг!

Борята, выбравшийся вслед за другом, шумно выдохнул:

— Мороз по коже... правда, странное ощущение? Будто на кладбище попали...

Дар не ответил, хотя у него сложилось примерно такое же впечатление. К тому же показалось, что на них кто-то посмотрел, внимательно и оценивающе.

— А вообще-то мне здесь нравится, — добавил Борята с виноватой ухмылкой. — Я не прочь пожить тут какое-то время. Все работает, рестораны, бары, игровые... библиотека есть, мы со Скибой заходили... можно жить безбедно, учиться.

— Учиться и жить безбедно можно везде... если нет других запросов. Ты меня за тем и притащил, чтобы сказать, как тебе нравится городская жизнь?

— Идем, — заторопился Борята, — тут недалеко.

Они направились к ближайшему порталу зоны отдыха, открывающему вход в западный жилой сектор.

Над блестящей полосой хоум-контроля зажглось мигающее оранжевое колечко: инк контроля предупреждал о недопущении в жилую зону вооруженных людей и о запрете на пронос опасных грузов.

Гости шагнули на полосу.

Колечко изменило цвет на зеленый и растаяло. Гости не представляли опасности для обитателей сектора.

Вышли в широкий светлый коридор с полосой травы и цветов по центральной части. Двери слева и справа со светящимися номерами на них. Красные номера означали, что хозяева выбыли и освободили модуль, желтые — что хозяева отсутствуют «временно», зеленые — что в этих блоках живут. Но таких было меньше, чем желтых и красных.

Борята остановился перед дверью с номером 12. Номер был зеленым.

— Здесь.

— Но ведь блок — жилой!

— Сейчас увидишь, какой он жилой. — Борята по-хозяйски стукнул кулаком в дверь. — Открывай, свои!

Дверь на мгновение изменила цвет с розовато-мраморного на белый и расползлась дымком.

Гости вошли. Борята — как родственник хозяина, без колебаний, Дар — с чувством неловкости.

Небольшой холл с красивыми вазами по углам, перламутровые стены, приятное освещение. А вот запахи не слишком приятные, запахи застоялости, плесени, давно не убиравшегося помещения, человеческого пота и гнили.

— Амбре, однако...

— А я что говорил?

Борята шагнул в среднюю дверь, на которой светился желтый значок в форме непонятного иероглифа. Дверь автоматически скользнула в сторону, открывая вход в средних размеров комнату, занятую игровым комплексом грезира. У прозрачной стены, сквозь которую был виден ландшафт города, синее небо с космами сизо-фиолетовых туч и неяркое солнце с черной отметиной, стоял необычный формы стол со множеством каких-то наростов и вмятин. Рядом — диван с горой подушек, бесформенное кресло, стойка с прозрачными полочками до потолка, на которых лежат кассеты компакт-игл, кнопки игровых программ, кристаллы видеозаписи и множество непонятных мелких предметов. В центре комнаты располагалось кокон-кресло грезира, внутри которого полулежал с закрытыми глазами...

Дар вздрогнул, показалось, что в кресле находится труп!

Но хозяин модуля был жив. Хотя его жизнедеятельность поддерживалась автоматикой комплекса. Это был самый настоящий сетлер[1]. Тело его в настоящий момент жило самостоятельно, питаемое белково-клеточными растворами через специальную аппаратуру, а где, в каких мирах

---

[1] Settler *(англ.)* — переселенец; в настоящее время на западе бурно развивается наука сетлеретика, изучающая технологии считывания личности при переносе с биологической на компьютерную основу.

обитало сознание — слепок личности, перенесенный на компьютерную матрицу, — можно было только догадываться.

Теория подобного отдельного существования разума и его носителя была разработана очень давно, в начале двадцать первого столетия Ветхой Эры, насколько знал Дар. Принцип инвариантности информации относительно своего материального носителя позволил разработчикам сетлер-программ не только переносить психику и сознание личности в игровое поле компьютера, но и материализовать избранную человеко-программу из компьютера, внедрить в биологический объект — тело человека или животного. Из школьного курса теории психогенеза Дар помнил, что до середины двадцать четвертого века процесс переселения человека в виртуальные миры сдерживался на государственных и общепланетных уровнях. Но потом к власти пришел Орден адептов «свободы выбора и удовлетворения всех потребностей личности», основа морали которых — слоган: «Бери от жизни все!» — была заложена еще в далеком двадцатом веке, и цивилизация покатилась в пропасть стихийного бесструктурного управления, анархии и деградации. Живое человечество превратилось в Е-человечество[1].

Впрочем, мысль об этом мелькнула и погасла. В настоящий момент душу Дара переполняла жалость. Он смотрел на «живой труп» и не знал, как помочь человеку, сознание которого скользило по выдуманным, несуществующим мирам. Хотя для него они, наверное, существовали реально. И был ли он несчастлив — неизвестно. Вот только судьбы такой Дар себе не желал.

Сетлер был немолод, судя по длинным и не седым, а пегим, беловато-прозрачным волосам. Мышцы его лица за долгие годы сидения в игровом коконе атрофировались, не-

---

[1] Electronic *(англ.)* — электронный.

смотря на постоянную регенерацию тканей и стимуляцию нервных волокон, и лицо выглядело мертвой маской. Лишь глазные яблоки изредка шевелились под веками, напоминая, что сетлер еще жив.

— Жуть, да? — пробормотал Борята. — Уж лучше в тюрьме мучиться, чем так... жить.

— Не лучше, — качнул головой Дар. — Но и это не жизнь. Уходим.

Они вышли из игрового холла модуля, Борята хотел было заглянуть в другие помещения блока, но Дар вытолкал его в коридор.

— Не трогай здесь ничего.

— Я только посмотреть...

— И смотреть нечего, это чужое жилище.

— Ладно, я покажу тебе совсем пустую квартиру, там никто не живет. Скиба в ней останавливался несколько раз. Там очень уютно.

— Стоит ли? — засомневался Дар. — Что у тебя за интерес шарить по чужим квартирам? Дома же все есть.

— Не все. Хотя это и неважно на самом деле. Но ты же знаешь, я собираю коллекцию старинных часов, а где их еще можно найти, кроме брошенных жилых модулей?

— Мне кажется, это не вполне этично.

— Но ведь я же не ворую часы? Они же никому не нужны. К тому же...

Борята остановился. Дар тоже.

В двух десятках шагов от них открылась дверь одного из модулей, выпуская в коридор двух девушек в серебристо-зеркальных комбинезонах. Одна была высокая, русоволосая, смуглолицая, зеленоглазая, с тонкими бровями вразлет и необычного рисунка — с трагическим изгибом — полными губами. Другая — с черными волосами, с тонким изящным носиком и черными глазами. Видимо, ее предками были выходцы из Индии.

Девушки, заметив молодых людей, переглянулись и зашагали навстречу независимой походкой, окинули друзей любопытствующими взглядами.

— Привет, — сказал Борята, покосился на приятеля.

— Здравы будьте, — очнулся Дар, слегка поклонился, ощущая прилив крови к коже лица; красота зеленоглазой незнакомки его буквально заворожила.

— Здравствуйте, — ответили девушки, проходя мимо с тем же независимым видом. Понимая, что на них смотрят, они с поднятыми головами прошагали до выхода из сектора, оглянулись, прыснули и скрылись в зоне отдыха.

— Хохотушки, — хмыкнул Борята, глянул на задумавшегося Дара. — А ничего себе девки, да? Особенно та, с зелеными глазами. Понравилась?

— Идем, — нахмурился Дар, жалея, что не спросил, кто они и откуда. Почему-то он был уверен, что девушки такие же гости здесь, как и они сами.

— Может, догоним, познакомимся? — предложил Борята.

— Незачем. — Настроение Дара испортилось. Захотелось побыстрей уйти отсюда. Особого интереса к жизни горожан он и в самом деле не испытывал.

— Давай покажу наш модуль, — заторопился Борята, — и полетим в парк, развлечемся, в ресторане посидим.

Дар не хотел идти в парк, но промолчал. Появилась крохотная надежда, что они встретятся с незнакомками в парке и тогда уж он своего шанса не упустит.

Борята остановился у двери под зеленым номером 44, привычно стукнул кулаком в перламутровую пластину. Дверь распалась на струйки дыма, пропуская гостей.

Модуль был пятикомнатный, чистый, просторный. Две спальни с конформным интерьером, изменяющимся по воле хозяина. Гостиная в «марокканском стиле», со множеством ковров, пуфов, подушек, лежбищ, статуэток, кувшинов и старинным кальяном на полу. Туалетный блок —

сплошной хрусталь, зеркала, мрамор, множество разного
рода приспособлений для ухода за телом, уютные ванны и
лежаки. Кабинет с вириалом инка, стены которого представляют витрины с богатой коллекцией оружия.

— Ух ты! — качнул головой Дар.

— Нравится? — расплылся в довольной улыбке Борята. — Мы тоже обалдели, когда увидели. — Он поймал взгляд
друга и добавил торопливо, вытянув вперед ладонь: — Но
мы почти ничего не взяли! Честно!

— Почти, — проворчал Дар, разглядывая коллекцию.
Многие виды оружия он встречал впервые.

— Скиба забрал глушак без батарей, я нож, и все. Но ведь
хозяина-то нет? Почему нельзя взять?

— А если он вернется?

— Не вернется, Скиба пообщался с домовым, и тот сказал, что модуль давно свободен, лет сто.

Дар заинтересовался необычной формы пистолетом с
длинным, без отверстия, стволом, обвитым спиралью. Поколебавшись, достал его с полки, повертел в руках. Пистолет
внушал уважение массой, размерами и формой, но главное — он был заряжен! И стрелял не пулями и не электрическими разрядами, а направленными звуковыми пакетами.
Дар понял это, обнаружив на щечке пистолета значок:
рупор и несколько расширяющихся дужек, обозначавших
звуковые колебания.

— Возьми себе, — посоветовал Борята, заметив интерес друга. — Это грапль, гиперзвуковой пистолет. Уровень
звукового давления до ста пятидесяти децибел, длина импульса — одна тысячная секунды.

— Откуда ты знаешь такие подробности?

— Скиба сказал, он же оружейник. Возьми, пригодится.

Дар еще раз осмотрел красивую опасную машинку (слава
богу, не смертельно опасную, это большой плюс) и засунул
под ремень штанов. Вряд ли он в тот момент предвидел, что
грапль понадобится ему в будущем. Но интуиция сработала

тихо, не затрагивая сознания, хотя некоторое время он и размышлял о законности и этичности своего поступка.

Бегло оглядев оставшиеся экспонаты коллекции — интересно, кем был ее владелец? — друзья покинули брошенное жилище, вполне годное для уютного проживания семьи из трех-четырех человек.

— Пошли дальше, — сказал возбужденный Борята, — здесь еще есть кое-что интересное.

Дар хотел было согласиться, азарт приятеля передался и ему, но вдруг почуял холодное дуновение ветра в спину и насторожился. Пришло неуютное ощущение рассеянного беспокойства. Подсознание отреагировало на изменение пси-поля в здании и предупреждало об опасности.

— Возвращаемся, — сказал он.

— Почему? — удивился Борята. — Мы никому не помешаем, здесь же почти никого нет.

Дар вышел в коридор, определяя вектор пси-шума. Источник его находился в здании, в зоне отдыха. Судя по колебанию и дроблению сигнала, там появились люди, целая группа в количестве восьми-десяти человек.

— Не отставай.

Борята хотел было возразить, но посмотрел на сдвинувшиеся брови приятеля и не решился.

— Ладно, в другой раз посмотрим. Скиба нашел пустой блок с галереей древних картин, хорошо сохранившихся, много ликон...

— Тихо! — Дар прижал палец к губам. — В зоне отдыха гости, и, судя по пси-спектру, не очень добрые.

Борята примолк.

Они вернулись ко входу в жилой сектор и услышали возбужденные голоса, смех, возгласы, шум.

За блестящими пилонами, поддерживающими прозрачный купол крыши, между фонтанами и цветником, стояли три летака: куттер прибывших первыми хуторян, стреловидный двухместный пинасс и большой многоместный флайт, разукрашенный разнообразными надписями на русском и английском языках от «Люблю е...лю!» до «Пропади все пропадом!». Это была машина беривсеев, как называли эту дурацкую секту молодых отморозков сородичи Дара. Он уже неоднократно сталкивался с ними, будучи дружинником, при защите хутора и в других городах. Эти люди — хотя язык не поворачивался называть их людьми — привыкли жить по волчьим законам, руководствуясь только собственными желаниями и лозунгом: «Бери от жизни все! Свое и чужое!» Что такое совесть, справедливость и уважение, они не знали.

Группа насчитывала восемь человек: пятеро парней и три девицы. Одеты они были в невообразимое тряпье, подчеркивающее их отношение к жизни. Смуглые, грязные, размалеванные физиономии, п л ы в у щ и е от употребления алкоголя и наркотиков глаза, дикие разноцветные прически разных форм, множество колец на пальцах, браслеты на руках и ногах, блестящие побрякушки на лохмотьях, непонятный по большей части жаргон, ухмылки, обезьяньи ужимки, ни тени мысли... А у пилона, окруженные кривляющимися, хохочущими членами группы, стояли давешние незнакомки, с которыми Дар и Борята встретились в жилом секторе. Девушки стояли спиной к спине и явно находились в растерянности, не зная, что предпринять в такой ситуации.

Дар встретил озадаченный взгляд приятеля, двинулся к центру зоны отдыха.

Первыми его заметили незнакомки в бликующих, как жидкая ртуть, униках. Повернули к нему головы.

Оглянулся один из беривсеев, второй, третий. Одна из размалеванных девиц подергала за руку здоровенного парня с оранжевыми волосами, собранными в петушиный гребень. Очевидно, это был вожак группы. Он тоже оглянулся. На несколько мгновений стало тихо. Затем «петух» вскинул руки и дурашливо пропел:

— Какая клевая парочка! Папочка и мамочка! Фадер и

мадер. У нас были две телки, а теперь и два борова подтянулись. Сбацаем им таньгу, братаны?

— Йе! — дружно взревели «братаны».

Дар, не задерживаясь, прошел мимо двух размалеванных, как попугаи, здоровяков, словно не видя их, — они посторонились, озадаченные его независимым видом, — остановился в метре от незнакомок.

— Извините, что вмешиваюсь. Разрешите вас проводить?

— Благодарю, — улыбнулась смуглолицая зеленоглазая девушка: в ее глазах читался интерес и почему-то изумление. — Мы бы и сами справились, но коль уж вы так любезны, предложение принимается.

Говорила она с едва заметным акцентом, но очень правильно и приятно. Ее приятельница дернула зеленоглазую за руку:

— Ты посмотри... он похож на...

— Я тоже обратила внимание, — ответила та. — С ума сойти! Вы, наверное, тоже не из здешних?

— Хуторские мы, — обозначил улыбку Дар, ощутив эфемерное прикосновение пси-ветерка к своей пси-сфере; девушка была интрасенсом! — В дебрянских лесах живем.

— А я подумала... Вы случайно не родственник дяде Аристарху?

— Аристархов в нашем роду нет.

— Удивительно! Вы очень на него похожи, просто копия. А я, по-моему, видела ваш хутор, возле речки, километров в пятидесяти отсюда, к югу.

— Да, это хутор Жуковец.

— Очень красивый.

— Спасибо.

— Не за что.

— Как вас зовут?

— Меня Дарья, ее Аума. А вас?

— Дар.

Девушка распахнула глаза шире.

— Надо же, какое совпадение. — Пошутила: — Вашего друга случайно не Аумом звать?

— Борятой, — прищурился Дар.

— Жаль.

— Э-э... а-а... какого хява?! — обрел дар речи вожак банды. — Вы чо бузлаете, в рюх влябываетесь?!

— Идемте, — будничным тоном сказал Дар, направляясь из круга к летательным аппаратам. — Это ваша машина?

Ошеломленные его непосредственностью и напором, беривсеи снова расступились. Наверное, им не приходилось сталкиваться с человеком, который не только не откликался на их речь, но и вообще словно не замечал.

Девушки шмыгнули вслед за чистодеем.

Блистер их небольшого летака откинулся, обе нырнули в кабину. Зеленоглазая помахала рукой.

— Приятно было познакомиться. Может, еще свидимся, мир тесен.

«Оставьте координаты», — хотел попросить Дар, но постеснялся.

— Доброго пути. Пусть вам сопутствует удача.

— Вам тоже, — хором ответили девушки.

Блистер встал на место.

Аппарат взлетел, свечой вонзился в дыру в куполе, исчез.

— Не, ну ты гля! — взревел вожак беривсеев. — Они на нас хяв позюрили! Облаеды воньские! Совсем оборзели, хомлы! Пацаны, посячим обех, чтоб хайлом не торгали!

Вожак и трое его «телохранителей» бросились на Дара, намереваясь «посячить» наглеца по полной мере. В руках их появились дубинки, а у вожака — электрошоковый разрядник. Дар хотел было пресечь атаку в стиле древнекитайского дацзе-шу, но вспомнил о грапле и достал пистолет.

Первую звуковую «пулю»-оплеуху получил вожак. С воплем отскочил, роняя оружие и хватаясь за уши. Заорали и его сподвижники, нарвавшись на звуковые пакеты, от которых едва не лопались барабанные перепонки, а голова начинала кружиться и «плыть».

Остальные остановились, не понимая, что происходит.

Дар поднял грапль над головой, покачал указательным пальцем левой руки.

— Не стоит рисковать! Эта штука позюрит любого. — Он перевел взгляд на так и стоявшего в столбняке Боряту. — Поехали, они больше не будут.

Борята выдохнул, обошел опасливо отодвинувшихся парней, сел в летак. Дар устроился рядом, захлопнул колпак.

Куттер устремился вверх.

Толпа разинувших рты беривсеев осталась внизу.

Вылетели за пределы здания. Однако небо по всем направлениям было чистым, если не считать облачных косм и стай птиц над городом. Летак с понравившейся Дару красавицей по имени Дарья исчез.

Глава 4

Отец хмурился и молчал.

Дар особой вины за собой не чувствовал, однако понимал, что напрасно поддался увещеваниям Боряты и полетел в город. Время отдыха следовало тратить с умом, не уступая соблазну пустого времяпровождения. Люди, отвергающие этот принцип в угоду собственным желаниям, никогда не добиваются высот творческой реализации. С другой стороны, Дар считал, что имеет право распорядиться свободой по своему усмотрению. П о с л е дела.

— Да, банды беривсеев все еще существуют, — проговорил Боригор, взялся горстью за подбородок. — И продолжают терроризировать городских. Власти нет, контроля нет.

— Все они подлый люд, — тихо сказал Вольга. — Они не понимают смысла слов и делают только так, как их научат, но по-своему, и делают только то, что им по нраву, и требуют за свои дела поощрений. Они не ведают осознания, и понимание их ущербно. Много будет беды, когда они придут к власти. Они не пощадят вас, но унизят. Они будут воевать и убивать ради власти, Высшие Ценности заменят низменными, будут разделять народы, низвергать Правду и заменять ее ложью, извратят Язык и обесценят слова, назовут уродство красотой, глупость мудростью и отменят Огнь Славы...

Князь посмотрел на наставника общины вопросительно, и Вольга добавил:

— Это Предсказание Честьяраты, мудреца двадцать первого века Ветхой Эры. До нас дошли тексты его Вед. Хотя, может быть, такого человека и не было вовсе.

— Я пойду, отец? — пробормотал Дар.

Старший Железвич посмотрел на сына, кивнул.

— Иди. Вечером поговорим. Сегодня ты свободен от всех обязанностей и выговоров.

Дар поклонился делегатам Рады, прибывшим на хутор для посвящения его в мастера жизни, и вышел из приказни отца.

На улице было тепло и солнечно. Дул приятный свежий ветерок, принося запахи луга.

Борята, поджидавший друга у своего дома, встрепенулся и помахал рукой. Дар подошел.

— Все обошлось? Грапль не отобрали?

— Пойдем в шатер, — сказал чистодей. — Посидим полчасика и пойдем собирать гостей. В шесть мама стол накроет.

— С удовольствием! — Борята вразвалку зашагал рядом. — Я тебе подарок приготовил, хочешь, зайдем?

— Он такой большой?

Борята засмеялся.

— Это оберег. Ладно, я сам принесу. А тебе, мне показалось, та зеленоглазая приглянулась. Нет? Удивительно, что у вас имена совпали, правда?

— Угу, — промычал Дар. Смуглолицая зеленоглазая

незнакомка ему действительно понравилась, но обсуждать эту тему с приятелем не хотелось.

На крыльцо терема вышла мать Дара.

— Сынок, сходил бы в лес, набрать ягод, а то я не успею морс сварить.

— Хорошо, мамуля, — согласился он, не показывая виду, что в лес ему идти неохота.

Веселина улыбнулась, прекрасно разбираясь в чувствах сына, протянула ивовое лукошко.

— Не заблудись. Много не надо, на донышке.

Дар засмеялся. Мать всегда находила слово, снимающее возникшее напряжение, улучшающее плохое настроение и разряжающее любой назревающий конфликт. Ему до нее было еще далеко.

— Я с тобой, — быстро сказал Борята, — если не возражаешь.

— Конечно, не возражаю, вдвоем быстрее наберем.

— Только чур — я поведу. Я место знаю, недалеко, на болоте, там морошка крупная, с кулак, и куманики много.

Дар молча направился за околицу. Он тоже знал ягодные места в окрестностях хутора, где за полчаса можно было набрать целое лукошко.

Хутор Жуковец был опутан сетью тропинок, уходящих в леса и к реке, где его жители собирали грибы, ягоды, орехи, коренья и полезные травы, ловили рыбу. То есть пользовались природной кладовой. Но не охотились на зверей. Охота была возведена в ранг табу, так как убивать животных без нужды, ради забавы, считалось преступлением. Все необходимые для жизни продукты питания хуторяне получали в городах, где до сих пор работали продовольственные комбинаты. К тому же каждая семья имела кухонный комбайн типа «СС-20», называемый в просторечии скатертью-самобранкой. Эти комбайны были созданы сотни лет назад, но продолжали работать как ни в чем не бывало, используя высокие технологии, разработанные человеческим гением прошлых эпох.

В лес вошли по одной из тропинок. Как правило, все тропинки никуда не вели, постепенно растворяясь в лесу. Самая длинная из них бежала к реке и вдоль нее, растягиваясь на полтора десятка километров. Остальные были короче. Хуторянам не нужны были дороги для связи с соседними селениями, для этого существовал воздушный транспорт. Хотя кое-кто специально ловил и объезжал диких лошадей — для приятного общения с умным животным и для всяческих игр.

Тропинка привела молодых людей к краю ближайшего Скрабовского болота, соединявшегося на севере с Дебрянским и Вщижским болотами. Здесь было тепло, парко, сумеречно. Лучи солнца не пробивали лесные заросли, поэтому казалось, что наступил ранний вечер. Цветочно-лесные запахи уступили место запахам сырой местности, не просыхающей даже в самые засушливые годы.

Из низинок поднялась туча комаров, почуяв п и щ у, но приближаться не стала, кружась на расстоянии двух-трех метров от собирателей ягод. Оба знали приемы отпугивания кровососущих тварей и близко их к себе не подпускали.

Лукошко набрали быстро, ягод действительно было много. Полакомились сами.

— Сладкая! — зажмурился Борята, жуя голубику.

Дар тоже высыпал в рот горсть крупных черных, с синеватым отливом, ягод, отмечая их вкус и сладость, и вдруг почуял взгляд. Потом движение. Мгновенно собрался, ощупывая болото и лес вокруг лучом внутреннего зрения.

— Что? — насторожился Борята, заметив, как приятель застыл на месте. — Медведь? Лось?

Дар ответил не сразу, расслабился.

— Лягуны...

— Ну, лягуны нам не страшны.

— Странно... похоже, они направляются прямо к нам.

— Что это на них нашло? — удивился Борята. — Они же с нами не контачат.

— Тихо, не двигайся, а то испугаешь... Если уж лягуны решили подойти, это неспроста.

В десяти шагах от молодых людей зашевелилась осока, между кочками мелькнула зеленая спина болотного существа. За ней другая, третья. Лягуны, двигаясь почти бесшумно, выбрались из трясины на мшистый пригорочек, остановились, разглядывая людей огромными глазищами. Один из них двинулся к людям, припадая на левый бок. Левая лапа у него была прибинтована к телу какой-то блестящей лентой, в правой он держал нечто похожее на моток водорослей.

— Святой наставник! — прошептал Дар. — Это же тот самый лягун, которого я спас от черных бродяг!

— Ты уверен? — усомнился Борята.

— Я помню его пси-запах.

— Чего ему надо?

— Сейчас узнаем. — Дар шагнул навстречу попятившемуся лягуну, присел перед ним на корточки. — Не бойся, не обижу. Не узнал меня? Или наоборот — узнал?

Лягун тихонько квакнул, словно кашлянул, робко приблизился, протянул сгусток водорослей. Еще раз квакнул.

— Это мне?

Лягун кивнул почти по-человечески, положил ком водорослей на кочку, попятился, не спуская глаз с человека.

Дар потянул за прядь водорослей.

— Сумка!

— Правда? — подался вперед Борята; лягуны, сопровождавшие раненого собрата, нырнули в болото, но сам он остался. — Посмотри, что в ней!

Дар запустил руку в своеобразную сумку, сплетенную из водорослей, нащупал какой-то скользкий, холодный, упруго-податливый шар величиной с два кулака. Опасности шар — по ощущениям — не представлял, но был очень н е о б ы ч е н. Что-то в нем было странное, живое и неживое одновременно, естественное и искусственное.

— Не дается...

Дар вытряхнул шар из сумки на мох, уставился на него, не понимая, почему «заворчал» внутренний сторож организма. Потом понял: подарок лягуна имел источник энергии.

Шар представлял собой по сути сгусток прозрачно-зеленоватого тумана, внутри него вспыхивали и гасли золотистые искорки. Иногда искорки загорались ярче, и тогда он еле заметно вздрагивал. Мало того, Дару показалось, что шар с м о т р и т на него, внимательно и строго.

— Святой наставник!

— Не трогай его! — посоветовал возбужденный Борята. — Вдруг это бомба? Или ядовитый глаз упыря?

— Ядовитые упыри — миф. Эта штука похожа на аккумулятор, в ней бездна энергии.

Дар сосредоточился, включая гиперзрение, и перед ним действительно раскрылась б е з д н а! Колоссальный провал в космическое пространство, ринувшийся навстречу!

Он отшатнулся.

Бездна превратилась в глубокий колодец с зыбкими стенами, который, в свою очередь, стянулся в точку внутри шара. Искры перестали кружиться вихрем, успокоились. Но бездна продолжала оставаться в шаре и звать к себе.

Дар выдохнул сквозь зубы, покачал головой. Никогда прежде он не встречал такой интересной вещи, хотя в походах по черноболям находил немало удивительных изделий рук человеческих.

— Ладно, потом разберемся. — Он с трудом поймал шар — тот был легким и скользким и в руки не давался, — поместил в сумку из водорослей. — Спасибо, дружище. Интересно, где ты нашел это чудо?

Лягун квакнул дважды, меняя интонацию, ткнул здоровой лапой себе за спину. Судя по всему, он вполне понимал человеческую речь.

— В болоте? — поднял брови Дар. — Откуда на болоте такие изделия? Не растут же они как грибы? Или ты нашел сферу... в глубине болота?

Лягун квакнул, кивнул, часто-часто задышал.

— Совсем интересно! Где именно?

Долгое квакание в ответ, волнообразные движения лапой. Лягун пытался втолковать человеку, где он нашел подарок.

— Ты понял? — потянул Дара за рукав Борята.

— Не совсем. Где-то на севере, в центре Вщижского болота.

— Далеко, однако, к вечеру не вернемся. Хотя можно было бы взять летак...

— Нет, сегодня никуда не пойдем. Попробую договориться с ним на завтра. — Дар подсел ближе к обитателю болот, попытался напрямую передать ему свою мысль. — Ты можешь прийти завтра утром? Покажешь, где нашел шар.

Лягун закивал, показал лапой на небо, на болото, снова заквакал.

— Много говоришь, — усмехнулся Дар. — Приходи утром, когда солнце встанет. Согласен?

Кивок, тихое ворчание, чем-то похожее на осмысленную речь. Затем лягун отполз назад, на спуская глаз с человека, и исчез в густых зарослях водяных лилий.

— Вот это да! — хлопнул себя по бедрам Борята. — Тебя даже лягуны поздравляют с днем рождения! Если бы мне рассказал кто об этом — не поверил бы!

Дар улыбнулся, поднимаясь.

— Просто он меня поблагодарил за спасение. Хотя все равно удивительная вещь, ты прав. Ведь надо было найти меня, километров двадцать отмахать по топям и буеракам. Идем, отнесем ягоды.

Борята засеменил следом, оглядываясь.

— Ты меня с собой возьмешь?

— Куда ж я без тебя?

Они вернулись на хутор. Борята побежал переодеваться, Дар отдал маме лукошко с ягодами и тоже переоделся в праздничное: белая рубаха с вышивкой, белые штаны, красный витой поясок с кистями, красная лента через лоб.

Вскоре начали прибывать гости, первым — Борята. Подарил другу мастерски изготовленный из распиленного пластинками дубового капа, специально обработанного, браслет-оберег. Семья Боряты — отец, мама, дедушка и бабушка — были целителями и ведунами, их изделия, поднимающие тонус, излечивающие, поддерживающие силы, ценились высоко. Да и сам он иногда создавал такие удивительно красивые э н е р г е т и ч е с к и е вещи, что диву давались.

Собралось всего тридцать человек, вся молодежь хутора и кое-кто из взрослых. Надарили всякой всячины, в основном — сделанное своими руками. Пили хмельной мед, пели, плясали. Девушки водили хороводы, затормошили именинника, зацеловали, вскружили голову. Дар нравился многим, а белолицая Слава смотрела на него матовыми влюбленными глазами, вся в этом взгляде — летящая к нему, обещавшая быть с ним везде и всегда. Но перед мысленным взором молодого чистодея стояло лицо Дарьи с удивительного рисунка губами и огромными зелеными глазами, хотелось увидеться с ней, пригласить к себе домой, поговорить и вообще смотреть на нее, и... дальше фантазии молодого чистодея не хватало. Душа целомудренно прикрывалась веером смущения.

Поздно вечером, когда гости разошлись, а Дар разбирал подарки, в спальню заглянул отец. Осмотрел деревянные часы, подаренные Скибой, полюбовался картиной, нарисованной Славой: изумительной красоты неземной пейзаж с летящими ангелами, повертел в руках меч, скованный кузнецом хутора Корнеем. Дар наблюдал за ним, успокаивая разгоряченное сердце и унимая гул крови в голове. Отца он любил, уважал и побаивался. В оценках событий князь общины иногда был резок, хотя и справедлив.

— Садись, поговорим.

— Я только переоденусь и приму душ, па.

— Хорошо, подожду.

Дар быстро искупался, переоделся в домашнее, сел напротив отца в уютное кресло. Его спальня одновременно являлась и рабочим кабинетом, где стояли конформные кресла, столик и вириал инка. Стены спальни — из деревянных планок с красивым, специально подобранным рисунком волокон болотного явора, были покрыты особым лаком и буквально светились изнутри.

Князь кивнул на браслет на руке сына:

— Борята Лютый подарил?

— Сказал, что оберег очень сильный, от всех злых сил защитит, — улыбнулся Дар.

Старший Железвич кивнул:

— Да, я чувствую, он з а р я ж е н. Родовая линия Лютых славится мастерами прави. Дед Боряты может излечить любого одним прикосновением.

— Борята говорил, что их род идет от колдуна-ясновидящего, которому были ведомы тайны земли и воды, огня и леса. Он мог отвести грозу, умел превращаться в животных, мог спасти человека от беды или, наоборот, лишить его разума и жизни.

— Это правда. К сожалению, род Лютых угасает. Но их предки действительно знали и умели многое.

— Ну, мы тоже не лыком шиты, — проворчал Дар. Щелкнул пальцами, с них сорвались длинные розовые искры, собрались шаром и превратились в горящую свечу.

Князь накрыл ее своей большой ладонью, свеча исчезла.

— Баловство это. Тем, кто занимается сознательной эволюцией, как твой наставник называет интегральный путь духовного совершенствования, ни к чему демонстрировать свою силу. Дешевые эффекты — для дураков.

Дар сконфузился.

— Я просто так... пошутил... прости, отец.

— Это я говорю к тому, чтобы ты сочетал силу и дух в гармоничной пропорции. Но иногда сила твоя опирается на желания, а это уже не совсем здорово.

— Я... я стараюсь, пап...

— Знаю и потому мягок сегодня. Мы — аутотропные люди, сын, мы способны получать энергию из пространства и ассимилировать ее на клеточном уровне, мы владеем вибрационными процессами обмена веществ, и так далее, и так далее, но это н е г л а в н о е. Понимаешь?

— Понимаю...

— Один из забытых Учителей человечества говорил: «Способность думать — это замечательный дар, но способность не думать — дар еще больший». К сожалению, смысл сказанного им был извращен, и человечество перестало думать вообще. А ведь он имел в виду другое — способность подсоединять к сфере сознания огромный «айсберг» подсознания.

— Я понимаю, пап...

— Ты практически закончил обучение в универсалии и можешь заниматься чем угодно. Но помни, ты не только чистодей, мастер жизни, но защитник и н о с и т е л ь Рода. И твоя главная задача — поиск будущего устроения бытия Рода, поиск продолжения Руси. Человечество уходит, но Русь вечна! И ты должен послужить ей, дать н о в у ю жизнь, новое пространство и новое время. Это очень большая ответственность, сынок.

Дар сглотнул ком в горле.

— Я... один... не смогу...

Князь засмеялся:

— Конечно, одному решить такую задачу не под силу. Но ты и не будешь один. Настройся на максимум, постарайся реализовать все, что в тебе заложено сотнями поколений, и этого будет достаточно.

— Постараюсь...

— Я видел, как ты сдерживал себя при гостях, это порадовало. Однако надо уметь отдыхать, с друзьями или без них, иначе быстро сгоришь. Но и отдыхать надо с умом. Состояние удовольствия не должно захватывать тебя целиком... кроме отдельных случаев.

— Каких? — вопросительно изогнул бровь Дар.

Бояр усмехнулся:

— Влюбишься — поймешь. Человеку надо, чтобы чего-то всегда не хватало или чтобы состояние удовлетворения быстро проходило, в противном случае — падение, тупик, смерть личности. И еще: мастер жизни должен владеть собой и обходить конфликты, тебе этого еще не хватает. Умение органично и толерантно решать все жизненные ситуации выше боевого мастерства.

Дар виновато отвел глаза:

— Отеллоиды напали первыми...

— Я не их имел в виду. Почему Слава ушла в слезах?

Дар покраснел:

— Не знаю... я ее не обижал...

— Ты ее любишь?

Дар смешался, не зная, что ответить. Девушка ему нравилась, но связывать свою жизнь с ней он бы не хотел. В памяти снова всплыл образ смуглянки с зелеными глазами.

— Н-нет...

— А если нет — не давай надежду. Девке замуж пора, а ты ее держишь.

— Не держу...

— Ладно, думай, чистодей. Не хочу, чтобы о моем сыне говорили, что он н е с о з р е л для семейной жизни, погулял и бросил.

— Ну что ты, пап...

— Или у тебя есть кто на примете, о ком я не знаю?

Дар опустил голову.

— Нет...

— Хорошо, закрыли тему. Понадобится совет — обращайся. Послезавтра тебе предстоит пройти дополнительное Испытание — поединок. Противник будет очень серьезный, Рада остановилась на Вольге. Сдюжишь?

Дар вскинул голову.

— Наставник?!

— Что всполошился, не готов? Он мне говорил, ты на голову выше всех его учеников.

— Я просто не ожидал... — пробормотал Дар, смущенный похвалой.

— Надеюсь, мне не придется краснеть за тебя.

— Мужчины, вы скоро? — послышался голос Веселины. — Я приготовила вечерний чай.

— Сейчас идем, — отозвался князь, ощупал лицо сына проницательными глазами. — Вопросы есть?

Дар покачал головой, размышляя о предстоящем поединке с наставником. Потом спохватился:

— Отец, я не понимаю... может быть, пропустил важное свидетельство... что произошло? Почему так быстро свернулась цивилизация? Всего за каких-то три с лишним тысячи лет... Ведь люди уже начали пользоваться безграничными ресурсами космоса, вышли за границы Галактики...

Бояр нахмурился.

— Ты должен был изучать Хроники Упадка.

— Я изучал... но что-то упустил...

— После прихода к власти адептов «абсолютной свободы личности» на Земле был реализован так называемый сценарий «тотализатора смерти», планета превратилась в государство без правительства. Неужели не помнишь?

— Смутно... «Тотализатор» был связан с рейтингом непопулярности чиновников...

— Верно. Идею разработал американец Джи-Ди Белл, за что его в те времена даже упекли в тюрьму на десять лет. Идея была похоронена на целых три с лишним столетия, а потом вдруг возродилась из пепла. Ее запустили в Сеть, и начался самый настоящий отстрел не понравившихся народу — по опросам в Сети — политических и прочих деятелей.

— Да, теперь припоминаю... использовались анонимные римейлеры, системы шифрования с открытыми ключами... и все равно не понимаю, каким образом это сработало.

— Идея оказалась бомбой замедленного действия. Когда наши предки спохватились, было уже поздно что-либо менять. Старая государственная машина не смогла противопоставить новой концепции власти ничего столь же революционного. Политика исчезла как феномен социогенеза. Не стало правительств. Не стало армий. Не стало полиции и вообще института контроля преступности. К тому же в те же времена началась открытая «сетевая охота» на интрасенсов. Им тоже пришлось воевать и защищаться.

— Смутные времена Ветхой Эры...

— Так их и назвали впоследствии хранители Хроник.

— Но как же справились с преступностью? Без полиции?

— Вместо полиции, милиции, агентств криминальных

расследований и спецслужб появился более надежный и неподкупный механизм общественного саморегулирования. Дело в том, что львиную долю преступлений во все времена совершают две категории преступников — наркоманы, которым необходимо любой ценой достать средства на наркотики, и профессионалы, для которых их деятельность — генетически обусловленный образ жизни. Наркоманы ушли первыми.

— Это же хорошо.

— А никто и не спорит, что плохо. Если не считать последствий. Когда исчезли правительства, не стало и запрета на наркотики, проблема из социальной плавно перешла в медицинскую. Наркобизнес перестал быть сверхприбыльным, фармацевтические корпорации заполнили рынок дешевой и качественной наркопродукцией, героин и «белое золото» стали стоить, как таблетки от головной боли. Наркоманы, продолжительность жизни которых невелика, просто вымерли. Исчезли наркобароны и правоохранительная мафия, кровно заинтересованная в том, чтобы наркотики были всегда.

— Как все просто!..

— Еще проще общество справилось с профессиональными преступниками. Страховые компании стали финансировать действительно эффективные службы выявления и перехвата преступников, а выявленных отщепенцев стали немедленно «заказывать» через тот же «сетевой тотализатор смерти», щедро оплачивая ликвидацию каждого.

Дар озадаченно потер пальцем бровь.

— Но ведь и это хорошо...

— В определенном смысле, — усмехнулся князь. — К сожалению, на этом Белл-социум не остановился. Сначала по Сети объявили охоту на интрасенсов, свалив на них все грехи мира. К еще большему сожалению, к этой охоте подключились и некоторые интрасенсы-изгои.

— Не может быть!

— Увы, так случилось. Но главный удар цивилизация получила в результате тотальной цепной реакции массовых расправ над инакомыслящими, плюс выпущенные на свободу маньяками «абсолютной свободы» вирусы. Хватило пятисот лет, чтобы человечество практически сошло со сцены истории. Остались островки среди безжизненных технологических просторов с их квазиживыми саморегулирующимися структурами.

— Города...

— Города, технические сооружения, черноболи. Ты удовлетворен ответом? Если да, то пошли пить чай.

Железвич-старший поднялся, критически оглядел фигуру сына.

— Сдается мне, ты хотел задать другой вопрос. Нашу историю ты должен знать и без моих лекций.

Дар действительно хотел спросить, что их ждет в будущем, но постеснялся. Вопрос был по-детски прост, а выглядеть ребенком в глазах отца не хотелось. Через несколько минут они втроем пили чай в светлице, и, глядя на родителей, подшучивающих друг над другом, понимающих друг друга с полуслова, любящих и счастливых, Дар на мгновение ощутил зависть... и гордость, что он их сын... и уверенность, что завтрашний день не несет тревог и волнений.

Глава 5

Лягун ждал людей там, где они расстались вчера.

Дар вспомнил о подарке, забытом в суматохе дня рождения, с раскаянием подумал, что надо было показать странный шар отцу. И забыл об этом.

Лягун — уже без бинта на передней лапе — поманил друзей за собой.

— Он что же, предлагает нам лезть по болотным топям? — проворчал Борята.

— Других путей он не знает, — философски пожал плечами Дар. — Подожди здесь, я попробую с ним объясниться.

Он медленно, чтобы не пугать пучеглазое болотное существо, приблизился к нему, присел на корточки.

— Далеко идти до того места, где ты нашел шар?

Лягун проквакал дважды, ткнул за спину лапой, еще раз квакнул.

— Если далеко, мы не дойдем. Ты здесь хозяин и можешь перебираться через трясины, а мы живем на суше и по болотам ходить не приучены.

Лягун, не сводя прозрачно-желтых глаз с человека, отполз, поквакал, еще чуть отполз, оглядываясь, поманил Дара, ткнул лапой вперед, нырнул и тут же появился снова.

— Понимаю, — задумчиво кивнул Дар, — другого пути нет. — Поднялся, посмотрел на приятеля. — Что будем делать? Я-то смогу пройти, а ты?

— Что я тебе, болотный уж, что ли? — огрызнулся грузный Борята. — Спроси, может, мы подскочим туда на летаке? Возьмем его с собой...

— Вряд ли он полезет в летак. Но идея хорошая.

Дар повернулся к терпеливо ждущему их лягуну.

— Предлагаем прокатиться к твоему схрону на машине, по воздуху, понимаешь? — Он передал мысленный образ летака, нарисовал, как в него садятся люди и лягун. — Так мы доберемся гораздо быстрее и без усилий.

Лягун забулькал водой, нырнул, вылез на кочку, квакнул отчетливо, будто сказал «нет», слабо пошевелил лапой. Он явно не хотел лететь.

— Тогда мы сделаем так: ты показываешь дорогу, мы летим за тобой на машине. Согласен?

— Квагг — кварр... квава — мла — ква...

— Разговорился, — хихикнул Борята.

— Беги за летаком, я подожду, побеседую с ним.

— А мне дадут?

— Скажешь Малху, что летак нужен мне.

Борята помчался выполнять распоряжение друга, одетый по-походному в блестящий уник, к которому не прилипала грязь и который защищал хозяина от укусов любых летающих и ползающих тварей. Дар и сам надел такой же костюм, понимая, что в нем лазать по болотам сподручнее.

Борята вернулся на куттере через двадцать минут, довольный тем, что ему удалось самостоятельно уговорить сторожа дать летак.

— Ну что, не убедил зеленого лететь с нами?

— Садись рядом, я поведу.

Дар забрался в куттер на место пилота, махнул рукой лягуну:

— Веди, мы за тобой.

Болотный житель плюхнулся с кочки в коричнево-зеленую жижу, поросшую ряской и водорослями, исчез.

— Вот урод! — хлопнул себя по колену Борята. — Как же мы за ним полетим, ежели он будет плыть под водой?

— Ничего, не потеряемся.

Дар сосредоточился на фиксации колебаний пси-поля и уверенно повел летак над болотом, обходя редкие деревца, кочки, островерхие пни.

Лягун передвигался на удивление быстро. Болото было его стихией, родным домом, каким для человека стал лес, и он чувствовал себя здесь вольно, как рыба в воде, хотя, по ощущениям Дара, еще не оправился полностью после полученных от черного отеллоида ран.

Большую часть пути — около двадцати километров — лягун прошел под поверхностью трясин, изредка всплывая, чтобы убедиться, что его спутники не отстали. По суше он продвигался намного медленнее, хотя «сушей» болотные пригорки и поднятия назвать было трудно. Попадались и сухие холмы, совсем голые, почти без растений, и холмы, густо заросшие голоствольным сосняком. Лягун эти препятствия обходил стороной.

Иногда на его пути встречались другие лягуны, плыли какое-то время рядом, переквакиваясь, потом возвращались к своим занятиям.

Весь путь от границы болота рядом с хутором до границы черноболи, которую открыл Дар прошлой ночью, занял полтора часа.

Лягун бесшумно вынырнул посреди черного омута с редкими листьями кувшинок и россыпью желтеньких звездочек пузырчатки, помахал лапой.

— Приехали, — с облегчением сказал заскучавший Борята, озираясь.

По-видимому, это был самый центр Вщижского болота, окруженный стеной осоки, кустистой крапивы, шапками гигантского плавающего мха и черно-зелеными стрелами камыша. Коричневое месиво с круглыми пятнами бледной зелени, с зеркалами черной воды. Трясина. Топь глубиной около двадцати пяти метров.

Лягун ткнул лапой вниз, как бы приглашая людей следовать за ним.

— Он что, сдурел? — хмыкнул Борята. — Вряд ли летак настолько герметичен, чтобы на нем можно было плавать под водой.

Лягун нырнул, вынырнул, снова сделал жест лапой, смысл которого был абсолютно прозрачен.

— Не вздумай... — начал Борята.

— Жди здесь, — перебил его Дар, отбросив колебания. — Я нырну за ним, один.

— С ума сошел!

— Посмотрю, что там, на дне, и через минут пятнадцать вернусь.

— Захлебнешься! Это же трясина!

Дар похлопал приятеля по плечу, плотнее соединил ворот уника на шее, на запястьях рук, на лодыжках.

— В случае чего я подам знак, вызовешь дружину по рации. Но я думаю, все обойдется.

Он подмигнул Боряте и перекинулся через борт куттера. Вошел в воду почти без плеска.

Потемнело. Вода была коричневого цвета и почти не пропускала солнечных лучей. Ее температура держалась на уровне пятнадцати градусов выше нуля; не слишком холодно, но и не очень приятно, хотя Дар мог долго находиться и в ледяной воде.

Включилось гиперзрение.

Горизонт видения плавно расширился.

В болотной мути проступили очертания обитателей болот: ленточных червей, тритонов, пиявок, головастиков, личинок разных насекомых. Лягун висел рядом стеклянно-блестящей торпедой, наблюдая за человеком. Дар помахал ему рукой, увидел ответный зовущий жест.

Они поплыли один за другим, постепенно погружаясь.

Плыть было нелегко, болотная вода имела большую плотность, чем речная, и по мере погружения эта плотность возрастала соответственно давлению, превращалась в илистое месиво. На глубине пятнадцати метров Дар почувствовал, что долго плыть не сможет, несмотря на весь свой физический потенциал. Он мог не дышать воздухом больше часа, поглощая кислород из воды кожей тела, однако в глубине болота кислорода как раз было мало, а перестраивать метаболизм на иную энергетическую основу — метановую, не хотелось. На это ушло бы слишком много времени.

Словно почуяв состояние спутника, лягун остановился, поднял обе лапы, соединив их в круг, ткнул лапой вниз. Видимо, пункт назначения находился уже недалеко.

Дно болота — слой плотной жижи — приблизилось. В одном месте из этого слоя выпирал округлый бугор, похожий на стеклянный волдырь. Дар не сразу сообразил, что это на самом деле не стекло, а пленка силового поля.

Сердце заработало чаще, требуя кислорода.

«Не успею, — мелькнула сожалеющая мысль, — придется подниматься на поверхность».

Лягун, прекрасно ориентирующийся в полной темноте, подплыл ближе, дотронулся до плеча Дара и нырнул в слой мути.

«Утону, как котенок», — подумал молодой человек, устремляясь за ним.

Пять метров до дна, четыре, три... дно! Где же проводник?

Сознание начало туманиться, меркнуть, в ушах поплыл комариный звон, руки и ноги сделались ватными...

Кто-то потянул его за руку.

Дар судорожно трепыхнулся, сунулся головой вперед, в надвинувшуюся скользкую и холодную стену. Голова почувствовала упругое сопротивление, мышцы лица свело, как от легкого электрического разряда. Еще одно усилие — и он вывалился на мокрый от пролившейся жижи пол какого-то строения. Вскрикнул от боли в ушах: от резкой смены давления едва не лопнули перепонки.

Сознание окончательно померкло... и восстановилось через недолгое время. Организм успешно справился с изменением окружающей обстановки, переключив физиологический комплекс с экстремального на нормальный процесс энерго- и воздухообмена.

Дар сел, таращась в темноту. Открылось гиперзрение.

Темнота послушно отступила, показывая внутренности воздушного объема, в котором оказался ныряльщик.

Лягун тоже был здесь. Сидел смирно рядом, выставив коленки в разные стороны и терпеливо ожидая, когда человек придет в себя.

— Привет, Сусанин... ты куда меня завел?

Болотный житель проквакал целую речь, раздувая шейный мешок, дернул верхней лапой, как бы прощаясь, и нырнул в бликующую стену за спиной. Продавил ее (силовое поле все же), исчез. Он сделал свое дело.

— Спасибо, — пробормотал Дар ему вслед.

Итак, что же прячется на дне болота, под двадцатиметровым слоем жижи и силовым колпаком? Что за сооружение? Чье оно? И сколько ему лет?

Он поднялся на ноги, ощущая покалывание в ушах и нехватку кислорода. Атмосфера здесь имела ощутимо большую плотность, чем на поверхности болота, и давно не обновлялась, судя по запахам сырости, плесени, гниения и разложения. Хотя, с другой стороны, это могли быть и запахи жижи, просочившейся сюда во время прорыва поля.

Дар ладонями счистил грязь с лица и волос, сделал два шага вперед по ровной и твердой поверхности. Заскрипело. Он нагнулся: мелкие камешки, песок... На искусственное покрытие похоже мало. И что это за громада впереди?

Он напрягся, р а з д в и г а я диапазон видения, и обомлел.

Перед ним высился... самый настоящий двухэтажный деревянный терем с тремя коньками, с красивыми витринными окнами, с резными наличниками, балясинами и перилами. Терем стоял прочно и основательно, как будто не прятался в глубине болотной топи под защитной завесой, а гордо высился среди таких же теремов где-нибудь на хуторе Жуковец или Смолены.

— Святой наставник! — прошептал Дар. — Это же чье-то поместье! Здесь раньше находился хутор Вщиж... легенды правду отражали... Хутор действительно ушел под болото... Чье же это владение?

Он двинулся вокруг терема, простоявшего под куполом не меньше нескольких сотен, а то и тысяч лет! Кто же накрыл его силовым полем, желая сохранить дом? И зачем это сделано?..

Вот крыльцо, ступеньки скрипят, рассохлись от старости. Дверь отсутствует. Понятно, терем только маскируется под «естественное происхождение», материал его стен — вовсе не стволы деревьев, а двери были сделаны, как и в городских зданиях, из особого порошка с подпиткой силовым полем. Податель энергии отключился, двери рассыпались. Но поскольку защитный купол все еще стоит, значит, генератор работает, есть возможность включить свет и побеседовать с компьютером.

Дар настроился на поиск электромагнитных полей и почти сразу же обнаружил источник слабых колебаний. Ничем иным, кроме как вириалом инка, источник быть не мог. Давай-ка познакомимся, приятель. Меня зовут Дар, а тебя как?

В голове вспыхнуло колечко эфемерного света, тихо прозвучал тоненький звоночек. Затем раздался ровный, лишенный интонаций мыслеголос:

«Вы нарушили периметр частного владения».

«Прошу прощения, я не знал, что это частное владение. Могу я спросить, кому оно принадлежит?»

Тихое шуршание мыслефона.

«Я не получил конкретных указаний насчет информационного обмена с незваными гостями. Вынужден применить...»

Послышался отчетливый треск, в темноте дверного проема вспыхнул клубочек электрических молний, и голос инка прервался. Пульсация его энергосферы медленно угасла.

— Дьявол! — облился холодным потом Дар, ожидая,

что сейчас защитное поле исчезнет и на него рухнет вся толща болота. Но все обошлось. Энергопитание домового инка отключилось по причине спонтанного короткого замыкания в сети, но генератор поля, к счастью, продолжал работать.

Что ж, придется обходиться без света и без проводника.

Дар поднялся на крыльцо, шагнул в проем двери.

Тотчас же под потолком помещения разгорелся оранжевый уголек. Включилось аварийное освещение.

Странно... здесь несколько управляющих систем... впрочем, это совсем даже неплохо, легче будет искать... что искать, в самом деле? И где лягун обнаружил здесь тот волшебный шар?

Дар огляделся.

Небольшой холл со старинными ликонами на стенах, написанными маслом. Вероятно, портреты предков неведомых хозяев дома. Детская коляска в углу, игрушки... Везде толстый слой слежалой пыли... следы... Ага, это следы лягуна, а рядом?

Дар нагнулся, разглядывая четкие рубчатые следы человеческих ног, точнее, сапог. Здесь не так давно побывал человек! И назад, судя по всему, он не выходил!

Дыхание скачком участилось. Включился сторож организма, поле зрения снова расширилось. Дар застыл, сканируя помещения терема «щупальцами» пси-поля.

Тишина, мертвый покой, запахи безнадеги и старости... Нигде никого... только в двух местах сонно помаргивают электрические сгустки, следствие работы каких-то приборов. Странно... где же тот, что оставил следы? Куда он запропастился?..

Дар бесшумно двинулся вперед. Вспомнил о Боряте, задержался на миг, чтобы передать ему успокаивающий импульс, зашагал дальше.

Три двери в разные по объему помещения, лестница на второй этаж. Следы ведут туда. Пойдем и мы в этом направлении.

Еще один холл с красивыми деревянными идолами, книжный шкаф, груды стекла и книг на полу. Пыль. Две двери. Одна молочно-белая, матовая, с рисунком трещин и наплывов, не поймешь, из какого материала, вторая — металлическая, сверкающая, н о в а я, словно недавно поставленная, — чуть приоткрыта. И вела она в помещение, которого Дар н е в и д е л, несмотря на свой достаточно мощный «пси-прожектор». Комната была заэкранирована!

«Вот он где прячется! — сказал мысленно сам себе молодой человек. — Вошел и затаился! Кого он ждет? Меня?»

Он постучал в дверь костяшками пальцев:

— Разрешите войти?

Молчание в ответ, пустой шелест мыслефона, пульсация крови в голове, тишина.

— Есть здесь кто-нибудь?

Снова молчание.

Дар толкнул дверь — тяжелую, массивную, как в старинных сейфах, шагнул вперед.

Комната была небольшой — четыре на пять метров. Стены ее серебрились инеем и были металлическими на вид, с решетками сложного рисунка по всей площади. Такими же были потолок и пол. В комнате стоял стол из прозрачного материала зеленоватого цвета, необычной формы шкаф из такого же материала, с какими-то предметами на полках, кокон-кресло операционной системы неизвестного назначения, кресло обыкновенное и сумка с «молниями», брошенная в кресло. Кроме того, на стене напротив двери висели две картины, светящиеся так, будто они были окнами в красочные, полные жизни и необычных природных форм миры. Картины манили, притягивали взор, волновали, будоражили воображение, и Дар не сразу смог оторвать от них взгляд. Вспомнил о человеке, след которого привел его сюда, вздрогнул, озираясь, ожидая, что тот сейчас выберется из какой-либо замаскированной двери. Однако шли минуты, а никто не объявлялся, комната была пуста, кокон-кресло не прятало внутри себя оператора. Человек, зашедший сюда, таинственным образом исчез. Лишь запах его остался, наряду с болотными запахами — лягун тоже побывал здесь, — тонкий, будоражащий, ощутимо чуждой этому дому и одновременно знакомый, шевелящий память. Дар напрягся и вспомнил: такой запах издавал наставник во время занятий, не запах пота и кожи, а скорее «запах силы».

Куда же ты делся, милый друг? Назад не выходил, это точно, там только следы лягуна, но и здесь тебя нет... Магия? Или сверхтехнология? В Хрониках сказано, что люди владели системой мгновенного транспорта — метро. Но оно заблокировано и не работает уже бог весть сколько лет. Неужели ты владеешь секретом включать его в нужный момент в любой точке пространства?..

Кто-то посмотрел на гостя.

Дар вздрогнул, ища источник угрозы. Потом понял: это на него «посмотрели» картины. Заинтересовался, подошел ближе, разглядывая висящие в воздухе без каких-либо креплений и приспособлений, не имеющие рамок прямоугольники. Одна была побольше — метр по длине и сантиметров восемьдесят в высоту, другая чуть поменьше. Но самой удивительной особенностью картин оказалась толщина: Дар едва не порезался, дотронувшись до края картины, настолько она была тонкой, буквально — сотые доли миллиметра, если не тысячные.

— Мамма миа! — прошептал Дар, вглядываясь в творения неизвестного мастера, больше похожие на цветные фотографии, нежели на картины.

На первой был изображен инопланетный пейзаж: странное дерево слева с темно-зеленым кружевным стволом, состоящим из жил, дырчатых древесных наплывов и пленок, опирающееся на растяжки ходульных корней. На концах его сросшихся в арки и паруса ветвей — шапки крупнозернистой желтой пены. Холмистая оранжево-сиреневая равнина, заросшая белым бамбуком с вершинами, расходящимися дымными султанами, опускается к подножию горной страны дикой красоты. На фоне гор — спиралевидные, металлические на вид постройки со шпилями, вонзавшимися в розово-жемчужное небо. На переднем плане рядом с деревом — громадный зверь с туловищем динозавра в ромбовидной, блистающей изумрудной зеленью броне и с головой зубастой черепахи. Он поднял четырехпалую когтистую лапу и чуть повернул голову, глядя куда-то в угол картины, где виднелся крупный коричневый валун, пробитый насквозь круглой дырой.

Вторая картина представляла собой исполинский кратер, накрытый алым куполом неба, со слоистыми стенами, сложенными из сверкающих кристаллических пород. В центре кратера повис гигантской запятой огненный фонтан, окруженный кольцом сизого дыма. Перед фонтаном виднеется ртутно-блестящий бок какого-то аппарата, а рядом с ним высится мрачная черная фигура, карикатурно напоминающая человеческую; намеки на руки, бугор головы, выпуклый зад. От фигуры исходит волна угрозы и силы, будто она живая. И еще Дар заметил чуть в стороне, на фоне скал, некий туманно-стеклянный блик, напоминающий просверк крыла птицы в полете.

Он покачал головой, понимая, что видит нечто совершенно необычное, неординарное, с виду только прячущееся под знакомыми предметами, в данном случае — картинами. На самом деле эти «картины» представляли собой некие артефакты, являющие иной смысл. И они для хозяина явно имели немалую ценность, раз он поместил их в экранированную комнату, а потом еще накрыл весь дом силовым пузырем.

Какое-то беспокойство зародилось в груди Дара, не выходя на уровень ощущений. Тем не менее он очнулся, с сожалением оторвался от созерцания картин, прислушался к себе. Что-то изменилось на поверхности болота, и это изменение было негативным. Настала пора возвращаться.

Он шагнул к порогу и задержался у шкафа с открытыми дверцами. Бегло оглядел покоившиеся на полках предметы.

На самой верхней лежал изумительной красоты кинжал с рукоятью, перетекающей в двухстороннее лезвие. По рукояти струился выдавленный узор — петлистая нить с более глубокими, но маленькими — с булавочное острие — отверстиями. Выглядел он как-то странно, необычно, не как оружие, а как замаскированный под кинжал более массивный и г л у б о к и й объект.

Чуть ниже располагался самый настоящий круглый стакан, сотканный из переливающихся на свету золотых паутинок. Дар невольно дотронулся до него, снял с полки, любуясь узором, похожим на звездное скопление. Стакан был почти невесом, но тоже казался массивным и г л у б о к и м, как бездонный колодец.

Камешек величиной с ладошку ребенка, толщиной в палец, из серого, с черными прожилками, зернистого материала, с виду обыкновенный округлый речной окатыш, если бы не мигающая желтая искра на одной из сторон. Дар взвесил его, ощущая необычную легкость окатыша, перевернул... и вздрогнул, открыв рот. Камень исчез!

Святой наставник! Куда он подевался?!

Дар посмотрел под ноги, сомневаясь в своей трезвости, но камня не нашел. И не мог найти. Он его не ронял! «Окатыш» исчез сам, будто мгновенно испарился.

Лучше здесь ничего не трогать, рассудительно проговорил внутренний голос. Эти экспонаты не зря охранялись столь надежно. Они только похожи на знакомые вещи, а внутри могут быть совсем не тем, чем кажутся.

На нижних полках стояли и лежали еще три интересных предмета: витая свеча с наплывами стеарина, верх которой подрагивал как желе и испускал почти прозрачную струйку дыма, чаша из черного металла, изукрашенная письменами, и большой фолиант с массивной кожаной обложкой и бронзовыми застежками. Эти предметы Дар щупать не стал.

«Я еще вернусь», — пообещал он сам себе, заинтригованный открытием странного музея. Его и в самом деле заинтересовало и озадачило исчезновение хозяина, вошедшего в тщательно заблокированное помещение, оставившего следы и затем испарившегося как дым. Да и экспонаты «музея» стоили того, чтобы осмотреть их более тщательно и разобраться с тайной происхождения в более спокойной обстановке. Все они казались более сложными и массивными, чем можно было предположить, и роднила их некая метафизическая г л у б и н а и скрытая неведомая сила.

Не оставалось сомнений и в том, что лягун именно здесь нашел магическую сферу (с тем же потенциалом) и подарил человеку в знак благодарности за спасение. Как он догадался о существовании под силовым пузырем древнего строения, каким образом проник под оболочку (наткнулся на специальное окно?), оставалось загадкой. Но факт оставался фактом: Вщижское болото скрывало в своих глубинах тысячелетний артефакт, сохранившийся до нынешних дней. Теперь Дар уже сомневался, что его встреча с отеллоидом и спасение лягуна были случайными. Как и координаты Испытания. Чернобóль, которую он разминировал благодаря вмешательству тех же отеллоидов, граничила с болотом, а черные люди искали именно Вщиж, древний хутор, располагавшийся в этих местах тысячи лет назад. Уж не является ли терем на дне болота одним из строений хутора? И не этот ли терем искали отеллоиды?..

Что-то сверкнуло на полке в шкафу.

Дар вытаращил глаза.

Исчезнувший камень-окатыш возник на прежнем месте, словно выпрыгнул из воздуха, мигая покрасневшей искрой.

Чудеса в решете! Ведь его же не было! Что это за голыш такой, отвергающий законы физики? Или он подчиняется законам д р у г о й физики, не земной?..

Дар преодолел соблазн перевернуть камень еще раз, двинулся к выходу. Дверь оставил открытой, собираясь на самом деле вернуться сюда в ближайшее время, но уже более подготовленным к изучению свойств коллекции. Оглянулся, отзываясь на ощущение взгляда: висевшие в воздухе без опоры картины снова «посмотрели» на человека оценивающе и с надеждой, будто ждали от него какого-то действия.

— До встречи, — сказал им молодой человек. — Я вернусь.

Он спустился на первый этаж терема, поколебался немного, но все же толкнул одну из дверей, ведущую в большую — судя по пси-эху — комнату. Дверь задрожала и рассыпалась на струйки серой пыли.

Вероятно, комната раньше служила спальней. У стены виднелся ровный продолговатый холмик пыли — все, что осталось от кровати. Другая стена представляла собой пересечение гнутых матовых поверхностей и стоек с пятнами серебристого налета. Три самые настоящие «сосульки» свисали с потолка — то ли система освещения, то ли какие-то технические устройства. Еще два этажерчатых холма пыли — стол и кресло. Несколько молочно-белых обручей на стене слева, внутри одного из них — объемная фотография мужчины в расцвете лет и красивой девушки. Еще одна фотография: тот же мужчина, суроволицый, сероглазый, с твердым волевым подбородком, и еще двое мужчин рядом — смуглый, с характерным разрезом глаз и высокими скулами, и гигант с очень знакомым лицом... очень знакомым...

Дар почувствовал, как забилось сердце и горло сжал спазм. На фотографии был его отец, князь Светоруси Бояр Железвич!

— Не может быть!..

Дар шагнул в комнату, поднимая облачка пыли, подошел ближе.

Нет, это был не отец. Но человек на фотографии был так похож на него, что не приходилось сомневаться в их родственной связи. В голове поднялся тарарам, на сознание обрушился град вопросов: как, откуда, почему, кто изображен, где снимались, каким образом родич Железвичей оказался в этой компании?.. Потом Дар опомнился, привел мысли в порядок, снял со стены фотографию (как живые!) и спрятал на груди, под уник. Ссыпался по лестнице на песчаную площадку перед теремом, безошибочно определил проход в силовом пузыре — по ритмичной пульсации видимой в радиодиапазоне окружности. Автоматика защитного купола еще работала и без особого сопротивления пропустила гостя за пределы охраняемой территории, хотя потребовалось значительное усилие, чтобы преодолеть давление массы болотной жижи, стремящейся затолкать человека обратно.

Через несколько минут Дар вынырнул на поверхность

трясины; для этого ему пришлось вдесятеро уменьшить вес тела, иначе выплыть из густого, вязкого месива не удалось бы.

Интуиция не подвела.

Обстановка на болоте изменилась, пока он отсутствовал.

Летак Боряты обнаружился в сотне метров от того места, где его оставил Дар, в тени гигантской красной ели. Как только Дар поднял руку, летак сорвался с места, метнулся к нему.

— Наконец-то! — выдохнул Борята, помогая другу забраться в кабину. — Я уже беспокоиться начал. Тут недалеко еще два летака крутятся, вынюхивают что-то, следят друг за другом. Мне это показалось подозрительным, и я...

— Где они? — перебил словоохотливого приятеля Дар.

— Здесь с полкилометра на юг есть еще одна топь, не меньше этой, из нее речка вытекает, вот там они и кружат. Ну что, помчались домой? Да, ты хоть что-нибудь интересное нашел?

— Потом расскажу.

Дар сел на место пилота, поднял куттер повыше и вскоре заметил в коричнево-зеленом растительном пространстве просиявшую золотом точку. Это действительно был летак, небольшой, поменьше куттера, и что-то в его обводах показалось Дару знакомым. Он напряг зрение и отчетливо увидел под стеклянным колпаком аппарата — двухместный пинасс — две женские головки, светлую и темную.

— Дарья!

— Что? — не понял Борята.

— Это те самые девушки, Дарья и Аума, с которыми мы познакомились в Брянске.

— Не может быть! Что они здесь потеряли, на болоте?

Дар сосредоточился на п о л е в о м зрении и ощутил-увидел еще один летак, прятавшийся в густых зарослях папоротника на краю топи. Судя по поведению его пассажиров, они с живым интересом следили за аппаратом девушек, который то ходил кругами над топью, то зависал на одном месте, то опускался к самой поверхности болотного пространства.

— Что они делают? — прошептал Борята.

— Ищут, где можно искупаться, — буркнул Дар. Интуиция подсказывала, что их новая встреча с девицами тоже не случайна. Незнакомки явно что-то искали — там, в городе, и здесь, на болоте, и возможно, это был тот самый терем, в котором только что побывал чистодей.

— Давай подъедем, — предложил Борята.

Ответить Дар не успел.

Прятавшийся в зарослях летак вдруг метнулся к аппарату с девушками. Сверкнули две извилистые голубоватые молнии, неяркие в свете дня. Одна прошла мимо, вторая вонзилась в корму пинасса. Сверкнула тусклая вспышка. Аппарат развернуло, и он стал косо падать в болото, оставляя за кормой дымный хвост.

— Что они делают?! — воскликнул Борята.

Дар не ответил, уже мчась к месту неожиданного боя, выжимая из куттера все, на что тот был способен.

На преодоление дистанции, отделяющей их от места развернувшихся событий, потребовалось всего десять секунд.

Пассажирки пинасса пытались остановить падение, и это им удалось. Но хищно кинувшийся за ними серый летак — шестиместный скоростной флайт — вновь метнул молнии, и пинасс, получивший два попадания подряд, рухнул вниз, разваливаясь на куски.

В этот момент к нему на помощь и подоспел куттер хуторян. Оружия у них не было, отобранный у отеллоидов разрядник остался у отца Дара, и он сделал единственное, что мог в этой ситуации. Догнал флайт с неизвестными стрелками и ударил его дном сверху, всей массой машины, помноженной на скорость.

Колпак флайта разлетелся стеклянными брызгами. Сам аппарат спикировал вниз, коснулся поверхности болота, едва не перевернулся. С трудом вылез из густого месива, потянул к лесу. Дар не стал его преследовать, хотя и увидел в кабине две черные фигуры. Это были отеллоиды. Но появились дела поважнее.

Летак от удара почти не пострадал. Развернувшись, прыгнул к сыпавшейся в болото струе обломков пинасса.

Зашлось от страха сердце: неужели погибли?!

Однако два наиболее крупных обломка вдруг притормозили падение и оказались его пассажирками, обтянутыми зеркально-защитными комбинезонами. Зависли в двух метрах от черных пятен, пробитых обломками летака в сплошной зелено-желто-коричневой массе водорослей. Дар подвел куттер поближе, сдвинул блистер, сказал вежливо:

— Добрый день. Помощь нужна?

— Благодарю, — ответила светловолосая смуглянка с зелеными глазами, Дарья. — Вы, как всегда, вовремя. Интересно, что вы делали на болоте?

— Орехи собирали, а вы? — сказал Борята.

— Может быть, они за нами следили? — заговорила спутница Дарьи.

— За вами следили те люди, что стреляли, черные, наши их зовут отеллоидами, — качнул головой Дар. — А мы увидели вас случайно. Хотите, подбросим до города? Отеллоиды могут вернуться.

Девушки переглянулись. Никаких видимых приспособлений для полета у них не было, но в воздухе они держались так, будто стояли на земле. Видимо, в их необычного кроя комбинезоны были встроены антигравы. Из Хроник

Дар знал, что в прежние времена такие антигравы использовались широко.

— Нет, спасибо, — отвергла предложение Дарья. — У нас тут еще есть... дела. Не волнуйтесь, мы сможем постоять за себя.

— Как знаете. Если понадобится помощь — назовите мое имя, я услышу.

— Это как? — сморщила носик черноволосая смуглянка.

— Я поняла, — прищурилась Дарья, и в голове Дара вдруг возникло призрачное видение — две тянувшихся навстречу руки. — Непременно позовем.

Дар кивнул, круто вонзил летак в небо.

Оставшиеся девушки посмотрели ему вслед.

— Что ты поняла? — спросила Аума.

— Он не просто симпатичный мальчик, местный супермен, он интрасенс. А вообще странно...

— Что странно?

— Дважды случайно такие люди не встречаются... Однако за дело, отеллоиды действительно могут вернуться, а мы еще не проверили и половины территории.

Две сверкающие фигурки нырнули в болото...

— Надо было попросить у них позывные для связи, — сказал Борята, оглядываясь. — Или договориться о встрече.

Дар и сам подумал о том же, но, во-первых, было уже поздно, а во-вторых, у него и без того появился шанс отыскать незнакомку с зелеными глазами. Потому что она была не из обычных горожан, населявших дома-ульи и дома-муравейники, она и в самом деле была интрасенсом.

Глава 6

Отец отсутствовал, а мама не знала, куда он полетел. Сказала лишь, что у него дела в Смоленах.

Разочарованный, Дар поплелся приводить себя в порядок, помылся, переоделся, пообедал с матерью, не пытавшейся разговорить сына и выяснить, где он был: захочет — сам расскажет. А он о своих приключениях на Вщижском болоте говорить не стал. Только признался, что нашел старинный терем и познакомился с девушками.

— Нашенскими? — понимающе улыбнулась Веселина. — Или дальними?

Дар порозовел. Он не знал, где живет Дарья, хотя считал ее скорее жительницей города, нежели хуторянкой.

— С дальними. Одну зовут Аума, а вторую Дарья.

Брови матери взлетели на лоб.

— Любопытное совпадение. Горожанка, надо полагать?

— Наверно... я не узнавал... но она еще к тому же сенс...

В глазах матери отразилось сомнение.

— Среди городских сенсов нет.

Дар доел творог, запил молоком, торопливо поднялся.

— Пойду готовиться, у меня сегодня еще одно Испытание.

Веселина поняла его настроение, мягко улыбнулась.

— Разумеется, сынок. Потом как-нибудь поговорим на эту тему. В наше время сенсы — редкое явление, а тем более среди женщин. Она красивая?

— Очень! — вырвалось у Дара.

— Тем более. Тебе повезло. Ну иди, не переживай, все будет хорошо.

Дар с облегчением вышел из столовой, поднялся к себе в спальню. Вопросы матери всколыхнули память, перед глазами снова проявилось лицо зеленоглазой, и он некоторое время вспоминал ее речь, глаза, жесты, пока не опомнился и не заставил себя заниматься другими делами.

Вытряхнул из травяной сумки подаренную лягуном невесомо-эфемерную, как мыльный пузырь, скользкую сферу, с трудом поймал ее и установил на столе. Теперь, при дневном свете, она выглядела иначе. Размером с голову ребенка, легкая, как тополиный пух, и неуловимая, она казалась сгустком опалесцирующего тумана, не ограниченного никакой твердой оболочкой. Внутри нее то и дело вспыхивали искорки, складываясь в настоящие звездные россыпи, которые вдруг расплывались черным дымком, исчезали, чтобы через некоторое время засиять вновь.

Дар присмотрелся к ним, напрягая зрение, и словно провалился в глубокий колодец, на дне которого зыбко колыхалась россыпь золотых шариков... не шариков, конечно, но и не звезд. Планет? Тоже не очень-то похоже.

В ушах вдруг раздался удивительно мягкий раскатистый баритон:

— Иригути кэнкон. Предупреждаю: переход фиксирован. К сожалению, система масс-переноса вырождается, связи рвутся, многие зависимые финиш-терминалы системы вышли из строя, будьте осторожны. Предельная масса перехода — сто восемьдесят — двести. Ближайший фиксированный узел — система Лем-одиннадцать, сорок шесть световых лет.

Ошеломленный Дар перевел взгляд на один из золотых шариков, тот вспыхнул ярче, пространство спальни шатнулось, так что желудок прыгнул к горлу, как при падении с высоты. Спохватившись, Дар вышел из колодца, с облегчением узнал обстановку спальни, однако голова прояснилась не сразу, пребывая в состоянии необычной эйфорической расслабленности.

Пресвятая мать! Сфера-то далеко не простая вещь! И не игрушка! Иригути кэнкон... что это означает? А главное, что за голос родился в «колодце» и почему он предупреждал об опасности, советовал быть осторожнее? Может быть, сфера — узел какой-то машины с «фиксированным переходом»? Рация? Или передатчик материи?..

Стараясь не дышать, Дар отодвинулся от стола, с удивлением и опаской глядя на сферу, и подумал, что она сродни тем таинственным предметам, которые он видел в заэкранированной комнате под толщей болотных вод. Они тоже создавали впечатление невероятной г л у б и н ы.

«Ладно, потом поэкспериментируем, сейчас мне некогда. Полежи пока в сумке».

Он осторожно коснулся сферы пальцами, но, каким легким ни было касание, ему показалось, что туман внутри сферы «посмотрел» на него строго и недовольно. Мало того, в момент касания стены комнаты, стол, кровать и другие твердые вещи на мгновение завибрировали, расплылись, как расплывается гитарная струна, если ударить по ней пальцем.

Дар вспотел, заставил себя успокоиться, уложил сферу в сумку. Посидел немного, отдыхая. Потом достал фотографию трех мужчин, один из которых был похож на отца как две капли воды, утвердил ее на столе. Снова в голове вихрем заклубились вопросы, не имеющие ответов, пришлось усилием воли загнать их поглубже и сосредоточиться на расслаблении. Добившись состояния полной «немысли», Дар ушел в созерцание работы всех по очереди органов тела, пока не настроился на Испытание. После этого встал, натянул свободную белую рубаху, такие же штаны, перехватил волосы алой лентой, чтобы не мешали, и мысленно позвал наставника: я готов!

«Мы ждем тебя», — прилетел не слышимый никем, кроме Дара, ответ.

* * *

Суть любой высокой боевой системы заключается не в количестве освоенных приемов, а в психофизической готовности бойца жить среди людей без напряжения, но в то же время постоянно контролируя ситуацию. Настоящее боевое искусство — это стопроцентное владение физикой, физиологией и энергетикой организма, умение оценить обстановку и адекватно отреагировать на ее изменение. Специалист, свободно владеющий системой целостного движения, способен, не задумываясь, сплести «силовую паутину» любых возможных траекторий ударов и ответов, поскольку для него это — как способность дышать или ходить.

Но эти двое, замершие друг против друга в свободных позах, не спешили проявить все свои возможности и знания. Со стороны казалось, что они просто стоят и молчат, изредка делая мелкие шажки из стороны в сторону, мелкие жесты, неспешные движения. На самом деле это был б о й , состязание двух стратегий, двух тактик, двух отражений мира, очень близких по духу, но разных в силу возраста и опыта.

Вольга был старше Дара на тридцать девять лет, хотя на вид ему нельзя было дать больше сорока, и занимался с учеником более пятнадцати лет, вложив в него все, что знал и умел сам. Испытание боем должно было дать оценку готовности ученика идти дальше самостоятельно.

Старший сделал шаг в сторону и будто растворился в воздухе, исчез.

Младший ответил тем же.

Они встретились в определенной точке пространства — бой происходил на лесной поляне, усыпанной валунами, — рассчитанной обоими, но с разных сторон и разными п о д х о д а м и. Вихрь невидимых глазу обычного человека движений, полууклонов, полунырков, полупрыжков, многоуровневое оперирование всеми органами тел, энергетические всплески, потоки н а м е р е н и й и ответов на них, стремительное перемещение по «рингу» — никто не споткнулся, не пошатнулся, не задел камень, не раздавил сухую веточку — и выход на г л а в н ы й удар...

Они угадывали п о т е н ц и а л ы атаки, опасность маневра, возможные уходы и угрозы, прогнозируемые и вероятностные ответы и отвечали такой же блестящей виртуально-реальной защитой, не доводя ситуацию до контакта.

Потом тот, что был старше, вдруг сделал отскок назад, еще один, чуть не упал и выставил вперед ладонь.

— Остановись!

Дар замер, прекратил двоиться и троиться, в ы п а л из пространства боя, опустил руки, с которых сорвались на землю и погасли струйки розоватого свечения.

— Я горжусь тобой, — продолжил наставник. — Ты превзошел все мои ожидания. — Он поклонился. — Спасибо, чистодей! Теперь я спокоен за тебя.

Дар очнулся, порозовел, ответно поклонился.

— Благодарю тебя, учитель! За терпение. За строгость. За все!

Вольга глубоко вздохнул, гася огонь в глазах.

— Да, ты превзошел меня. Т а к я не двигался даже в молодости. Живи долго! Но запомни, сынок: реализация резервных возможностей организма — не главное. Тебе еще надо научиться не доводить н а м е т и в ш и й с я конфликт до боя. Бой надо выигрывать до его реализации.

— Я понимаю, — тихо сказал Дар.

— Буду горд убедиться, что это так. Ты научился воздействовать на любые биосистемы, попадающие в сферу досягаемости, однако постарайся отличать д е й с т в и т е л ь н о опасные физические биосистемы от п о т е н ц и а л ь н о опасных. Не навреди!

— Я постараюсь.

Вольга улыбнулся, обнял ученика за плечи.

— Поздравляю, сынок. Ты прошел Испытание. Теперь я могу спокойно вернуться в свой скит.

Из-за кустов лещины вышли двое: Боригор и старейшина общины Голован.

— Давай теперь со мной, — пошутил главный витязь общины. — Не терпится получить по сопатке.

— Уж лучше я потревожу медведя в берлоге, — ответил шуткой Дар, пожимая твердую руку воина.

— Ты заслуживаешь п р а в и л а, — прищурился Голован, очень старый, больше века прожил на земле, но оставшийся стройным, прямым и бодрым; длинные седые волосы были пышными, а глаза сияли м о л о д ы м голубым огнем. — Живи по закону, имя которого — совесть! И тогда тебе станет доступен высший уровень *живы* — устроение п о в е л е в а н и я.

Дар молча поклонился, посмотрел на Боригора.

— А вообще-то лучше с тобой не связываться, — сделал тот озабоченное лицо. — Да и времени нет.

Голован усмехнулся, Вольга хмыкнул:

— Это уж точно. Потеряем защитника.

Дар усилием воли сдержал довольную улыбку. Боригор заметил его мимику, захохотал, обнял за талию.

— Рад за тебя! Вижу, что у меня есть достойная замена. Ну что, други, отметим это дело хмелем?

— Невозбранимо, — согласился Голован. — Право имеем.

На хутор возвращались в приподнятом настроении, веселые и довольные. Душа Дара пела, он был счастлив. Вольга посматривал на него понимающе, пряча усмешку, а Голован — с одобрением и скрытой печалью. Он з н а л, каким непростым будет путь молодого чистодея в будущем.

Борята, переживающий за друга, встретил делегацию за околицей хутора, понял по лицам мужчин, что все с л а д и л о с ь, и порывисто сжал локоть Дара.

— Я знал, что ты пройдешь Испытание! — На миг его лицо отразило сожаление. — Теперь ты сможешь выбирать дело самолично... — Он вздохнул.

Дар его понял. Борята был на год моложе, не закончил универсалий и не мог решать свою судьбу без одобрения старших. Ему еще предстояло пройти Испытание и доказать свое право на самостоятельную реализацию возможностей.

Все участники события сели за накрытый стол в тереме Железвичей, Веселина поставила праздничный пирог, разлила в кружки горячий облепиховый взвар, и началось веселье. Через полчаса заявился князь, обнял сына, шепнул на ухо: молодец, мальчик! — присоединился к пирующим. Дар захмелел слегка, с удивлением прислушиваясь к своим ощущениям — до этого он ни разу не пробовал хмельных напитков, — заметил испытующий взгляд Голована и вдруг сообразил, что застолье — тоже часть Испытания, быть может, не менее важная, чем боевая. Старшие наблюдали за ним исподтишка, чтобы проверить его реакцию на психотропную зависимость, на разрешенное расслабление, дающее легкое удовольствие.

Усилием воли он задавил приятное эйфорическое головокружение, отставил кружку.

— Еще, сынок? — с готовностью поднесла кувшин мама.

— Нет, не хочу, — с достоинством ответил он.

Голован встал; глаза его смеялись. Поклонился.

— Прошу прощения, князь, мне пора. Можешь гордиться, у тебя есть опора и надежа.

Засобирался и Вольга.

— Пожалуй, засиделись мы тут. Пусть молодежь еще посидит, пошумит, а нам действительно пора.

— Пойдемте, други, побеседуем, — поднялся Бояр. — Есть о чем.

— Ты послал дружину?

— Об этом и речь.

Взрослые поднялись на второй этаж хоромины, голоса их стихли.

Дар и Борята остались доедать пирог и пить чай. Потом пошли в спальню Железвича-младшего.

— Ты мне так толком и не рассказал, что обнаружил в болоте, — заявил Борята.

— Терем, — ответил Дар, сбрасывая б р а н н у ю одежду для боевого Испытания и оставаясь в чем мать родила.

— Ты мне это уже говорил, — возмутился приятель, взирая на него с восхищением и завистью: Дар был прекрасно сложен и ощутимо энергичен, сила переливалась по его жилам, как жидкий огонь.

— После обеда слетаем туда еще раз.

Глаза Боряты загорелись.

— Правда? Не шутишь? Здорово! Только чур — я тоже нырну в болото!

— Посмотрим.

Дар накинул рубаху, достал из сундука травяную сумку с магической сферой. Борята с любопытством придвинулся к нему.

— Что ты хочешь делать?

— Руками не трогай, это не простой шарик.

— А какой?

— Внутри него спит не наша жизнь.

— Шутишь?

Дар вытряхнул туманно-текучую сферу на стол, уже не обращая внимания на шаткое с о т р я с е н и е всего объема комнаты. Внимательно вгляделся в мерцающие искры в центре сферы. Снова проявился тот же эффект, что и вчера, когда он начал изучать подарок лягуна, пытаясь понять его назначение.

Сфера как бы протаяла в глубину, мягко качнув пространство дома, превратилась в колодец с зыбкими стенами, искры выросли в размерах до золотых вибрирующих д ы ш а щ и х кругляшей.

— Что это?! — прошептал потрясенный Борята, затаив дыхание.

«Иригути кэнкон, — прозвучал в головах молодых людей мягкий бархатный баритон. — Переход фиксирован...»

«Кто ты?» — мысленно перебил Дар обладателя голоса.

Короткая пауза.

«Я независимый оператор перехода интергалактической системы связи на местную линию метро».

«Что такое метро?.. Постойте, но ведь метро — это система массперсноса... транспортная система...»

«Абсолютно верно».

«Но метро не работает уже много лет!»

«Земная сеть просто заблокирована, сеть Солнечной системы и межгалактическая сеть работают в аварийном режиме».

«Почему?»

«На этот вопрос у меня нет ответа».

Сбитый с толку Дар не сразу пришел в себя, помедлил, формулируя более корректный вопрос:

«Вы... ваш комплекс работает?»

Неизвестный оператор «перехода интергалактической системы связи» не потерял ни грана вежливости, он был очень терпелив:

«Я еще работаю, хотя велика вероятность сбоя программ из-за износа интерфейса».

«А система... тоже работает?»

«В относительно стабильном режиме».

«И метро?»

«На тридцать три процента».

«Что это значит?»

«Многие станции вышли из строя и не подлежат восстановлению».

«А ты можешь перенести меня в сеть? На одну из работающих станций? Или они все заблокированы?»

«Вы, наверное, не расслышали: я независимый оператор».

«То есть можешь?»

«В пределах функционирующих систем».

«Тогда перенеси меня... на ближайшую станцию... погоди! Я смогу вернуться?»

«К сожалению, выходы метро тоже фиксированы, а у вас нет второго открытого трансфера».

«Где я окажусь, если придется вернуться?»

«На вашей планете остались незаблокированные узлы перехода, в том числе — в пятидесяти восьми километрах от этого места».

«В городе? Ближайшая станция метро — в Брянске».

«Я не знаю названий ваших городов, возможно, это действительно Брянск».

«Тогда включай линию!»

«Назовите точные координаты».

«Желательно попасть на Меркурий».

«Ближайший узел выхода на Меркурии — станция Джи-Ар сто два».

Борята, не принимавший участия в мысленной беседе друга с автоматом переноса и не успевающий следить за нитью беседы, шумно вздохнул:

— Что он говорит?!

— Когда я исчезну, возьми у старшины летак и дуй к Брянску, будешь ждать меня у главного городского терминала метро.

— Ты уходишь?! Без меня?!

— Я только взгляну одним глазом на Меркурий и вернусь. — Дар перешел на мыслеконтакт с оператором устройства переноса: «Поехали!»

Эфемерно-зыбкий «колодец», на дне которого сияли золотые шарики неведомых звезд и планет, скачком обнял Дара, превратился в несущийся навстречу с огромной скоростью тоннель, сжался в тончайшую «струну». Сознание померкло... и прояснилось через несколько мгновений. Чувствуя неприятное шевеление желудка, Дар сглотнул слюну, сделал шаг вперед на ватных ногах... и едва не стукнулся лбом о стену! Замер, ощупывая помещение «сканером» третьего глаза.

Оно было тесным — всего на четыре-пять человек — и абсолютно голым.

«Кабина метро!» — пришла догадка. Ну, конечно, это финиш-камера на Меркурии, судя по слабой силе тяжести. Только дышать нечем.

Воздуха в кабине действительно было очень мало, а это говорило о том, что системы обслуживания данного объекта давно отключились. Не застрять бы!

Дар пощупал шершавую стену кабины перед собой.

Сзади что-то скрипнуло, в кабину упал сноп слабого оранжевого света. Это открылась дверь.

Дар шагнул в коридор, тускло освещенный пунктирчиком аварийной сети, вспомнил о своем «транспорте» и оглянулся как ужаленный.

Туманно-прозрачная сфера кэнкона, в которую свернулся тоннель перехода, лежала в углу кабины, помаргивая оранжевыми искорками.

Дар с облегчением перевел дух, вдруг сообразив, что если «струна» связи с земным миром оборвется, вернуться домой будет очень трудно, если вообще возможно. Осторожно поймал сферу, засунул под рубашку на груди, чтобы не потерять ненароком.

Отсутствие воздуха напрягало, но Дар не собирался задерживаться в этом странном месте надолго, снедаемый любопытством. Он хотел лишь убедиться в действенности случайно открытого способа путешествовать по недоступным ранее мирам.

Коридор с морщинисто-пористыми гнутыми стенами, три светлых прямоугольника один за другим — двери, наверное, и еще один — с паутинками света внутри, в торце коридора. Захотелось посмотреть, куда ведет эта дверь.

Дар подошел к прямоугольнику, не обнаружил на нем и возле него никаких кнопок или указателей, шлепнул ладонью по световому узору. Прямоугольник выгнулся пузырем и рассыпался дымными струйками, открывая вход в помещение. Дар вошел.

Он оказался под невысоким куполом с черно-коричневыми панелями, вделанными в стены купола. Цвет пола непонятен, так как пол покрыт толстым слоем пыли. Два холма рыжей пыли и каких-то обломков посредине, блестящее яйцо в дырчато-кожистой оболочке у стены. Жарко, воздух практически отсутствует. Интересно, что здесь было? И когда, сколько лет назад? Ни одного намека, ничего такого, что дало бы возможность оценить возраст сооружения. Однако должен же здесь существовать некий механизм управления встроенной техникой? А также справочно-информационный комплекс, которыми снабжались в прошлые времена все постройки людей?

— Есть кто живой? — проговорил Дар, не слыша своего голоса: слабые следы атмосферы в помещении звук не проводили.

Повторил ту же фразу мысленно.

Никто не ответил. Хотя через мгновение что-то дрогнуло в стенах купола, по давно не работающим контурам пробежала почти неощутимая струйка энергии.

«Управляющий?»

Еще одна эфемерная судорога — и тишина в ответ.

«Ты меня слышишь?»

Бесшумная молния электрического разряда. Если автоматика и слышала человека, отвечать не спешила. Или не могла.

«Хорошо, включи хотя бы систему обзора».

Две тихие молнии одна за другой, и тотчас же в куполе стали образовываться — будто лед таял — отдельные прозрачно-мутноватые окна. Сквозь них внутрь помещения хлынул горячий световой поток, ощутимо плотный и густой, как кисель. Дар прищурился, регулируя остроту зрения, и, словно почувствовав его напряжение, окна системы обзора, так и не соединившиеся в общее поле, притушили интенсивность потока световых лучей. Стала видна исполинская алая полусфера с волокнами и фонтанами протуберанцев — солнце, наполовину прятавшееся за краем Меркурия. Очевидно, станция с башней обзора располагалась в данный момент на краю дневной стороны планеты, и был виден лишь край светила, похожий на жидко-огненную гору.

Дар нашел черную дыру в этом стоячем пламени, поежился невольно. Из Хроник он знал, что этот странный объект, поглощавший свет и плазму верхних слоев солнца, некогда располагался на поверхности Меркурия, но потом в результате какого-то эксперимента был сброшен на солнце и остался там. Назывался этот объект эйнсоф.

Голова закружилась: мозг требовал кислорода. Дар мог бы перейти на голотропное дыхание, но использование аутотропных техник изменяет биохимический баланс организма, и наставник учил без нужды не вмешиваться в его энергетику.

Бросив взгляд на черную щербину эйнсофа — самая настоящая дыра в преисподнюю! — он поспешил обратно к кабине метро. Лишь оказавшись в тесной неуютной каморке, вспомнил, что мог бы воспользоваться магической сферой и под куполом зала обзора. Вынул из-за пазухи сферу, проник в ее глубину мысленным взором. Вокруг соткался из ничего зыбкий струящийся колодец.

«Домой!» — приказал Дар оператору сферы.

И через минуту вывалился, бездыханный, в кабину метро Брянского терминала.

Борята ждал его у выхода, в пустом зале, где располагались около сотни кабин. Никого в этот час в зале не было, терминал давно не работал.

Еще через минуту они мчались на летаке в сторону хутора Жуковец.

Глава 7

Если бы отец был дома, Дар тут же рассказал бы ему о своем экспериментальном походе в заблокированную невесть когда и неизвестно почему сеть метро. Но князь убыл по делам с дружиной, возможно, охотиться на черных бродяг-отеллоидов, и Дар отложил объяснение с отцом на вечер.

До обеда он приходил в себя, неохотно отвечая на расспросы приятеля, и когда обидевшийся Борята ушел, дав слово ни с кем не делиться тайной сферы, решил повторить путешествие. Жутко захотелось побывать на других планетах Солнечной системы, а также на планетах других звезд, где люди оставили свои поселения.

Молодой человек заперся в спальне, радуясь, что мама тоже куда-то ушла, надел уник — для путешествия по иным пространствам защитный костюм годился больше, чем повседневное платье, — и установил сферу кэнкона на столе. Пристально заглянул в ее глубины. И «провалился» в знакомый «колодец» с туманно-зыбкими стенами.

«Иригути кэнкон, — отозвался оператор системы. —

Переход фиксирован, однако предупреждаю: многие финиш-терминалы вышли из строя...»

«Я знаю, — мысленно перебил его Дар. — Открой мне выход в сеть метро».

Короткое молчание.

«Какой уровень требуется?»

«Не понял. Ты же только что перенес меня на Меркурий...»

«Сеть метро имеет три уровня: планетарный, уровень Солнечной системы и межзвездный. Вы просили отправить вас на фиксированный узел Меркурия...»

«Хорошо, я понял. Перенеси меня... скажем... на Марс!»

«Координаты точки выхода?»

«Мне все равно, просто на Марс, в любую точку».

«Сохранился фиксированный узел в районе Долины Маринеров».

«Отправляй!»

«Колодец» скачком протаял в глубину, всосал в себя человека, сжал в элементарную частицу и развернул в подобие тонкой струны, протянувшейся в бесконечность. Свет в глазах померк, затем вспыхнул вновь — тусклый, серый, безжизненный.

Знакомая тесная каморка с темно-зелеными пористыми стенами, прямые углы, черные кляксы на полу — финиш-камера сети метро местного терминала. Неуютно, холодно, сыро. Воздух имеется, но давление вдесятеро меньше необходимого, и очень мало кислорода. Плюс небольшая сила тяжести, в три-четыре раза меньше земной. Да, это, очевидно, Марс. Странно, что люди делали финиш-камеры метро такими маленькими, тесными и скучными. В то время как большинство старых сооружений имеет вполне законченный, гармоничный, эстетически выверенный вид. Может быть, существует какое-то объяснение этому пренебрежению к внутреннему убранству сугубо технических объектов?

— Оператор? — позвал Дар по наитию. — Ты живой?

— Слушаю вас, — отозвался шелестяще-свистящий — аж скулы сводит! — голос.

— Еще дышишь? — обрадовался Дар. — Отлично! Включи технологическое оснащение объекта.

Тотчас же все вокруг волшебно переменилось.

Стены каморки налились жемчужным свечением, приобрели вид красивых панелей из перламутровых чешуй и зерен. Спрятанные в стенах светильники изменили спектр, подстраиваясь под солнечный свет. Потолок превратился в голубое небо с барашками облаков, а пол — в песчаный пляж. Казалось, кабина метро даже увеличилась в объеме, хотя это был всего лишь хорошо срежиссированный эффект.

Однако длилась метаморфоза недолго.

Что-то хрустнуло, по стенам пронесся световой ураган, стирая рисунок чешуй, и они погасли. Волшебство кончилось.

— Сбой в программе, — сухо доложил инк, управляющий техникой узла метро.

— Выпусти меня, — приказал Дар.

В стене слева возник прямоугольный световой контур, мигнули светильники, и дверь расползлась вихриками дыма.

Коридор без каких-либо намеков на двери, люки и вентиляционные отверстия. Дыра в стене. Прямоугольный проем в торце коридора — выход в соседнее помещение. Следы в толстом слое пыли на полу! И слабый запах чужого присутствия. Кто-то был здесь, совсем недавно, оставил следы — словно слон прошелся — и исчез.

Дар уложил сферу — гарант его свободы — в сетку, затаив дыхание, скользнул в проем так и не восстановившейся двери.

Темное до этого мгновения помещение в форме купола осветилось тремя оранжевыми пунктирами.

Знакомая картина: морщинистые стены из какого-то коричневого мутно-стеклянного материала, холмы пыли и обломков аппаратуры на полу, из которых торчат остатки непонятных устройств, и следы человеческих ног в пыли. Холодно, душно, неуютно.

— Включи обзор! — скомандовал Дар, не надеясь, что голос его оживит систему обслуживания помещения. Однако подействовало.

В сплошной массе коричневых стен появились прозрачные окна, соединились в подобие мозаичного экрана, хотя должен был стать прозрачным весь купол. Тем не менее сквозь эти окна стал виден пейзаж Марса с высоты двух сотен метров. Зал обзора, очевидно, венчал высокую башню, все еще гордо подпиравшую розоватое небо планеты.

Дар увидел необычайной красоты систему каньонов, прорезавшую горные породы Марса, на дне которых сверкали наледи и замерзшие цепочки озер — все, что осталось от рек, некогда текущих по каньонам после того, как люди растопили снежно-ледяные полярные шапки для изменения климата Марса и подготовили его к заселению. Но и здесь давно уже никто не контролировал работу климатических установок, и брошенный на произвол судьбы Марс быстро вернулся в лоно первозданного хаоса, теряя остатки тепла, воздуха и влаги. Температура на его поверхности даже в экваториальных областях редко поднималась до плюс двадцати градусов по Цельсию. В горах же она падала до минус тридцати днем и минус шестидесяти градусов ночью.

Откуда-то из глубин сооружения в зал прилетел тихий шелест и треск. Окна в куполе башни стали мутнеть одно за другим. Пейзаж Марса спрятался за потерявшей прозрачность стеной. Последний красновато-сиреневый луч погас в толще купола, наступила темнота.

— Что случилось? — позвал местного инка Дар.

Никто ему не ответил.

Техника сооружения подошла к пределу своего функционирования, и ее системы начали отказывать одна за другой.

«Интересно, — подумал молодой человек как о чем-то несущественном, — что, если отключится станция метро? Я здесь навсегда останусь?..»

Кстати, надо было взять фонарь, пришла другая мысль, более практичная. А за ней третья: кто побывал здесь совсем недавно, оставив следы? Такой же путешественник, кто-то из городских, местные жители? А может быть, это был черный бродяга-отеллоид?..

Из коридора донесся еще один треск, словно лопнуло стекло. Застоялый воздух помещения всколыхнула струя слабого ветерка. Возможно, это попыталась включиться система вентиляции здания, а возможно, и в самом деле треснула стена. Башня могла рухнуть в любой момент.

Дар вздрогнул, поспешил к кабине метро, потом вспомнил о сфере: она могла переносить владельца в сеть мгновенного перемещения из любой точки пространства.

Так и случилось. Сфера послушно развернула «колодец» перехода, ее управляющий вежливо запросил инструкции, и Дар скомандовал перебросить его на один из спутников Юпитера. Через несколько секунд он очутился внутри очередной кабины метро, освещенной аварийными индикаторами.

Сила тяжести здесь соответствовала земной. Воздух был плотен и насыщен кислородом, хотя в нем и присутствовали некие примеси и запахи, подсказывающие, что объект не принадлежит земным сооружениям.

— Где я? — вслух полюбопытствовал Дар.

— На станции «Абрамс» южной зоны, — ответил приятный женский голос на английском языке. — Станция принадлежит Союзу Одиноких Сердец американского экономиала. В настоящий момент заселена на ноль целых девять сотых процента. На ее территории располагаются клубы «Голубая орхидея», «Свободная любовь», «Океан страсти», «Хочу жить», «Создай себе рай», «Умри, если хочешь».

— Спасибо, — перебил собеседницу заинтригованный Дар, — клубы мне без надобности. («Умри, если хочешь», м-да!..) Где находится ваша станция? Я просил дать выход на спутники Юпитера.

— Вы находитесь на Гавиале.

— Разве есть такой спутник?

— У Юпитера более ста спутников. Гавиал — один из них, открыт в две тысячи пятом году.

— Понятно. Каковы его размеры?

— Диаметр — два километра триста шесть метров.

— Блудный астероид...

Голос поперхнулся, инк переваривал слово «блудный». Но вежливости не потерял:

— Что вас еще интересует?

— Значит, ваша станция еще способна содержать живущих?

— «Абрамс» имеет автономную систему жизнеобеспечения с полным циклом утилизации отходов. Она может обеспечить всем необходимым четыреста тридцать человек. В настоящее время на ее территории проживают четверо.

— Станция имеет зону отдыха и обзора?

— Разумеется, и не одну. На станции имеются два общих визинг-зала, один из которых разрушен и заблокирован, а также двенадцать малых башен наблюдения.

— Как пройти в уцелевший визинг-зал?

— Я провожу вас.

Одна из стен кабины растаяла. Дар вышел в коридор и едва сдержал восклицание: пол коридора вдруг поплыл вперед, набирая скорость. Побежали мимо стены коридора, он изогнулся — раз, другой, третий — и вынес невольного пассажира в большое помещение с прозрачной куполовидной крышей. По-видимому, это и была зона отдыха, одновременно служащая залом визинга, то есть залом обзора и наблюдения. Зал представлял собой нечто вроде луга, заросшего травой и цветами, по которому бежали десятки пересекающихся тропинок. Имелись также несколько открытых веранд и беседок, пустующих в данный момент.

Прозрачная крыша зала была поделена на две части — черную, с россыпью звезд, и зеленовато-палевую, с пятнами и струями белого, серого и голубоватого цвета. Дар не сразу сообразил, что эта похожая на пухлое облако стена на самом деле является Юпитером. Точнее — только краем гигантской планеты, освещенным солнцем.

— Святой наставник! — прошептал Дар, завороженный зрелищем. Конечно, в гимнасии и потом, в универсалии, он изучал астрономию и видел панорамы планет Солнечной системы, но одно дело — смотреть учебный фильм, другое — наблюдать грандиозное прохождение Юпитера с расстояния всего в двадцать три тысячи километров.

Гавиал — трехосный каменный эллипсоид, приспособленный для обитания людей, — слегка повернулся, Юпитер полностью закрыл «небо» планетки, и на его пушистом фоне просияли голубым огнем еще два спутника, побольше и поменьше.

— Проводник, — позвал Дар.

— Весь внимание, — отозвался невидимый гид станции тем же грудным контральто.

— Что это за спутники?

— О каких спутниках идет речь?

— Я вижу две голубых звезды на фоне Юпитера.

— Это Кармен и Сюита.

— Астероиды?

— Их размеры...

— Не надо. Они заселены?

— Не имею сведений.

— А какие ближайшие спутники заселены людьми?

— На Каллисто располагается база спасательного флота. На Европе — только научно-исследовательские центры и станции.

— Сколько лет?

— Не понял.

— Человек обжил Солнечную систему еще в двадцать четвертом веке, а на Европе до сих пор находятся исследовательские станции? Что они там изучают?

— Европа заселена.

— Кем? — теперь уже не понял Дар.

— У меня нет полного интенсионала по данной теме, однако, насколько мне известно, в глубинах подледного океана Европы существует жизнь.

Дар вспомнил, что в Хрониках упоминалась Европа, один из Галилеевых[1] спутников Юпитера, в связи с открытием на ее поверхности неких следов высокотехнологической цивилизации, существовавшей задолго до появления человечества. Но о жизни, а тем более о разумной жизни, Хроники ничего не говорили. Впрочем, вполне возможно, Дар просто не учил эту область космической истории человечества. Случалось и ему пропускать занятия в гимназии.

---

[1] Открыты Галилеем в 1610 году.

— Что еще ты знаешь о жизни на Европе?

— Ничего, — лаконично ответил гид.

— Что ж, и на том спасибо. Мне пора.

Дар кинул последний взгляд на громаду Юпитера, нависшую над планеткой, которая принадлежала Союзу Одиноких Сердец, и вынул из сетки сферу кэнкона. Он уже почти освоился с этой удивительной машиной, способной перемещать в пространстве живых людей и «внедрять» их в сеть действующих линий метро. Еще более удивительным казалось то обстоятельство, что люди, владевшие технологиями изготовления подобных машин (а это были технологии класса «Джинн» и «Аладдин», как говорил наставник), не смогли сохранить свою популяцию и ушли со сцены истории, оставив самостоятельно думающими и работающими в течение сотен и тысяч лет многие технические сооружения.

«Колодец» с пушистыми зыбкими стенами, далекие звездочки и шарики планет, повисшие в бездне. Мягкий голос оператора:

«Переход открыт. Назовите координаты конечного портала».

Дар хотел было сказать: «Неси меня домой», — но вместо этого у него вырвалось:

— Ты можешь переключаться на межзвездный уровень?

— Без проблем.

— Где находится ближайшая станция метро этого уровня?

— В моем реестре всего два миллиарда звездных объектов, имеющих станции метро. Более половины из них давно отключены, в том числе — ближайшие к Солнцу: системы Сириуса, Спики, Ван Маанена и другие. Ближайший работающий терминал метро располагается на поверхности коричневого карлика Шив Кумар, в сорока световых годах от Солнца.

— Что такое коричневый карлик?

— Звезда массой от одной сотой до одной десятой массы Солнца, с температурой поверхности менее двух тысяч градусов. Такие звезды испускают преимущественно инфракрасное излучение.

— Это уже и не звезда вовсе, — пробормотал заинтересованный Дар, — а большая планета. Хотя все равно находиться на ее поверхности неуютно. Или там тоже есть жизнь?

Оператор кэнкона вежливо промолчал.

— Ясно, — взбодрился чистодей, — этого ты не знаешь. У меня есть возможность побывать на этом карлике?

— Разумеется.

— Поехали!

Свет в «колодце» померк, сознание сжалось в линию, в точку, в ничто и возродилось вновь, как воздушный шарик в толще воды.

Дар ожидал, что увидит стены тесной кабины метро, одинаковой для всех терминалов сети мгновенного транспорта, но вместо этого обнаружил обширное пространство, ограниченное конусовидной поверхностью. Стоило ему появиться внутри конуса — диаметр основания около пятидесяти метров, высота — метров двадцать, — как сработали светильники и помещение залил неяркий приятный свет сродни солнечному.

Он стоял в центре металлического круга, отливающего синевой. Материал пола за кругом напоминал коричневый туф. Стены конуса серебрились сеточкой инея, похожие на толстый слой льда или стекла. Температура внутри помещения держалась на уровне минус десяти градусов по Цельсию, а сила тяжести не превышала земной. Воздух же вполне годился для дыхания.

— Коричневый карлик, — хмыкнул Дар. — Ну и где же тут инфракрасное излучение? Температура в две тысячи градусов? Бешеная гравитация?

— Прошу прощения, — раздался ниоткуда, такое впечатление — со всех сторон, басовитый мужской голос. — Я не понял вопроса.

— Кто ты? — оглянулся Дар.

— Джил, инк контроля станции «Джей-Джей Шепли».

— Привет, Джил. Кто-нибудь из живых людей есть на борту станции?

— Последний человек умер сто шестнадцать лет назад. Утилизирован. С тех пор никто не посещал станцию, вы первый.

Дар почувствовал озноб. Известие о смерти последнего обитателя сего приюта нельзя было назвать приятным.

— Для чего предназначалась станция?

— Для запуска глубинных зондов в недра «тлеющей» звезды. Станция работала более четырехсот лет, исследователи успели запустить две с половиной тысячи автоматических зондов и десять подземоходов с экипажами. — Инк помолчал и добавил: — Вернулись восемь.

Дар поежился.

— Риск был оправдан?

— Я не рассчитан отвечать на вопросы психологического характера, извините. Известно лишь, что на Шив Кумаре был найден объект, установленный здесь миллионы лет назад орилоунами.

— Кем?!

— Разумными существами с планеты Орилоух. Они были негуманоидами, насколько я знаю. Объект сначала держался на поверхности звезды, затем утонул и теперь находится на глубине восьмисот километров под поверхностью, постепенно приближаясь к ядру.

— Чем он так заинтересовал ученых?

— Внутри него находится некое разумное существо, подающее слабые признаки жизни. Считается, что это один из уцелевших черных людей, жителей планеты Маат.

Дар вспомнил встречу с отеллоидами на болоте, которые тоже походили на черных людей. Неужели это они? Или речь идет о явлениях разного порядка?

— Чем знамениты маатане?

— У меня нет информации по данному вопросу, извините.

— Жаль, я ничего не слышал о маатанах.

— Ничем не могу помочь, извините.

— Хорошо, покажи мне окрестности станции.

Тотчас же кажущиеся твердыми и плотными стены помещения превратились в пленку воды и растаяли. Свет в нем погас. Дар оказался в темноте, которая спустя несколько мгновений сменилась багрово-коричневой мглой, медленно отступавшей в глубину. Стали видны странной формы гладкие барханы, похожие на интерференционную рябь волн на поверхности воды. Вершины барханов были фиолетовыми, а провалы между ними испускали коричневый свет, кое-где увеличивающий яркость до багрового и вишневого.

К горизонту барханная рябь сглаживалась мглой — атмосферой планеты-звезды — и становилась настоящим морем, хотя скорее всего волны этого «моря» были металлическими. Кроме волн, ничего более выдающегося на поверхности коричневого карлика Шив Кумар видно не было. Пейзаж был однообразен и скучен. Люди, построившие здесь исследовательскую станцию, вряд ли любовались однообразными ландшафтами необычной «тлеющей» звезды. Их интересовали ее внутренности, глубины, происходящие внутри процессы, а не красоты сглаженной гравитацией поверхности.

— Как были открыты такие звезды? — поинтересовался Дар; до появления на коричневом карлике он даже не догадывался о существовании подобного рода звездных объектов. — Ведь они практически не видны издали.

— У меня нет достоверной информации по этому вопросу, извините. Могу лишь поделиться сведениями, которые я почерпнул из разговоров моих хозяев. Впервые о коричневых карликах упомянул в своей работе ученый Ефремов[1], назвав их «железными звездами». Затем они были открыты в конце девяностых годов двадцатого века по их гравитационному воздействию на пространство. Это все, что я знаю.

— Благодарю, Джил. Как долго ты способен поддерживать станцию в рабочем состоянии?

— Станция является энергетически независимой самоподдерживающейся системой. Срок ее службы неограничен.

— И тебе не скучно... одному?

— Я не знаю, что такое «скучно». — Инк помолчал. — Я работаю, принимаю информацию от уцелевших зондов и датчиков, анализирую, размышляю. — Он еще немного помолчал. — Хотя никто не интересуется мной и моей работой. Это неправильно.

— Неправильно, — согласился Дар, пожалев обреченный на долгое одиночество автомат. — Прощай.

— Заходите в гости, — вежливо предложил Джил. — Буду рад побеседовать.

Дар активизировал кэнкон, собираясь отправиться домой, в Брянск, но в последнюю секунду передумал.

— Что ты знаешь о Маате? — спросил он оператора сферы.

---

[1] И. А. Е ф р е м о в. «Туманность Андромеды».

— В двадцать четвертом веке у звезды 102 Щита класса F0 была открыта планета Маат, имеющая цивилизацию так называемых черных людей. Затем планета упала на центральную звезду системы, в результате чего образовалась сверхновая звезда, а потом черная дыра. Термины понятны?

— Черная дыра — это массивный объект, гравитация которого не выпускает даже свет...

— Совершенно верно.

— Что же там произошло? Цивилизация маатан погибла?

— Точных данных не имею. Запросите информарий Сети.

— Спасибо, чуть позже. Перенеси меня на ближайшую звезду... вернее, к звезде, где имеются поселения людей.

— Я понял. Ближайший терминал находится на астероиде Гудрайк, который вращается вокруг звезды Шелиак — бэты Лиры. Расстояние от данного узла до Шелиака — восемьсот светолет.

— Почему терминал на астероиде?

— Шелиак — двойная звезда, не имеющая планетной системы из-за динамической неустойчивости орбит. Она окружена вихревым поясом астероидов и погружена в газовый диск.

— Отправляй!

Сознание Дара померкло, растворилось в «струне» связи, соединившей станции межзвездного метро. Миг — и он очутился уже в ином мире, преодолев космическую бездну как световой луч, только гораздо быстрее.

Знакомая каморка с белыми гладкими стенами, красный пунктир аварийного освещения, воздух разряжен, но еще годен для дыхания, холодно, сила тяжести — как на Меркурии. Не очень-то здесь комфортно, прямо скажем. Глянем одним глазком на астероид Гудрайк — и домой.

— Оператор?

Нет ответа.

— Кто-нибудь меня слышит?

Ни звука, ни шороха, ни мысленного шепота — полная тишина.

— Откройте выход, пожалуйста.

Молчание. Неподвижность. То ли инк станции не слышит гостя, то ли вообще не функциклирует. Неужели все так запущено?

Дар включил «третий глаз», определил местонахождение двери, шлепнул по ней ладонью.

— Откройся!

По стенам кабины метнулись бесшумные электрические импульсы, оживили механизм отпирания двери. Она медленно, неохотно свернулась валиком, открывая проход. Дар шагнул в проем, держа наготове сферу.

Не коридор, а нечто вроде приплюснутого стеклянного пузыря. Лифт или какое-то иное транспортное средство для передвижения по станции. Это нам знакомо. Лишь бы не вышвырнуло в космос.

— Оператор?

Никто не ответил, но в толще стекла над головой зажглось желтое окошко.

— Мне надо попасть в зал визинга. Есть здесь такой зал?

Окошко изменило цвет на зеленый.

Воздух в пузыре загустел, сдавил тело. Дар почувствовал движение, хотя мимо не бежали стены тоннеля и на тело не давила инерция. Секунда, другая, третья... Воздух отпустил пассажира, окошко снова стало желтым.

— Приехали? Я могу выйти?

Молчание. Только окошко на мгновение изменило цвет на зеленый. Техника станции не отличалась разговорчивостью. «Ну и ладно, — подумал Дар, — пусть она немая, зато не глухая, все слышит».

Он продавил телом прозрачную стенку пузыря и оказался в небольшом тамбуре с дырой выхода. Шагнул дальше, в темноту. Тотчас же в помещении вспыхнул неяркий лиловый свет, реагируя на появление посетителя.

Стандартный купол из темно-серого материала с бархатным блеском, ромбовидно-выпуклое рифление, круглые белые щиты с алыми огнями. Черный пол с легким налетом пыли. Три яйцевидных кресла, два раскрыты, в третьем, закрытом полупрозрачными лепестками, виднеется темная фигура.

Дар напрягся, не ожидая встретить здесь людей. Потом всмотрелся, и сердце дало сбой: в кресле сидел скелет! Череп с остатками волос, провалы глазниц, оскал челюстей...

Святой наставник! Сколько же лет сидит здесь этот обитатель станции?! Сто, двести, тысячу?..

Дару расхотелось любоваться пейзажами астероида и панорамой космоса вблизи звезды Шелиак. Однако он превозмог брезгливость, отвернулся от скелета в кокон-кресле. Позвал:

— Оператор!

«Немая» автоматика станции не ответила и на сей раз.

— Черт с тобой, молчи, только дай обзор.

В спинке одного из кресел мигнула голубая звездочка. Гостя приглашали сесть в кресло.

— Я вас правильно понял? — Дар осторожно залез внутрь кокона, стараясь не глядеть на скалящегося соседа.

Включилась аппаратура кресла. Его лепестки поднялись, охватили тело чистодея. В голове раздалось шипение, пощелкивание, посвистывание.

— Прошу включить обзор.

Свет в помещении погас. Затем крыло света смахнуло тьму, и Дар оказался висящим над серебристой глыбой камня со множеством кратеров, дыр и трещин. Очевидно, это и был астероид, на котором или внутри которого располагалась станция наблюдения. А над близким горизонтом небольшой — и не круглой — планетки сияло, затмевая звезды Млечного Пути, небывалой красоты двойное светило.

Звезды, одна зеленоватая, другая голубоватая, находились так близко друг от друга, что потеряли привычную для них сферическую форму и стали похожи на две дыни, почти соприкасающиеся острыми концами. Было видно, что они вращаются относительно общего центра тяжести, заметно изменяя положение, и обмениваются вихрями светящейся плазмы.

— Как же красиво!.. — невольно прошептал Дар, прежде никогда не наблюдавший подобного.

Что-то тихо треснуло под ногами.

Картина перед глазами потеряла цвет, потом и вовсе пропала. Проявились стены зала, неровно мигающие светильниками. Станция, очевидно, доживала последние дни, и ее оборудование начинало давать сбои. Надо было бежать отсюда, пока автоматика окончательно не вышла из строя.

Дар с трудом освободился от неподатливых лепестков кресла, достал сферу, сосредоточился на искорках внутри.

— Иригути кэнкон, — отозвался оператор стартового комплекса.

— Домой, — лаконично потребовал чистодей.

— Конкретнее, пожалуйста.

Дар не сразу сообразил, что на Земле не одна станция метро.

— Мне поближе к дому... к хутору Жуковец...

— Малые поселения не входят в сеть функционирующих станций метро.

— А Брянск?

— Брянск входит. Точных данных о количестве работающих терминалов у меня нет...

— Тот же терминал, куда я выходил прошлый раз.

— Запускаю.

— Минуту, ответь на один вопрос… Если станции земной сети метро заблокированы, то как тебе удается подключаться к ним?

— Это вопрос технологии, а не психологии. Существуют способы нейтрализации любого формализуемого запрета.

— Понял, спасибо. Отправляй.

На голову упала темнота. Еще через неощутимо короткий промежуток времени Дар вышел из кабины метро в большом зале, где стояли две дюжины таких же кабин. Здесь же располагался и финиш-створ такси и разного рода летательных аппаратов. С облегчением вздохнув, молодой чистодей выбрал двухместный летак с желтыми шашечками и взлетел. Автоматика здания выпустила аппарат беспрепятственно.

Он поднялся повыше, узнал восточную часть Брянска — Бежицу, где располагались наиболее роскошные жилые комплексы и виллы. Здесь же неподалеку высилось и здание-гриб, в котором произошло знакомство хуторян с Дарьей и Аумой. Где они живут на самом деле? Может быть, совсем близко?

Дар оглядел распахнувшийся горизонт, не увидел ничего и никого, кроме птичьих стай, и направил летак на север, к Дебрянским болотам. Через полчаса он посадил аппарат на окраине хутора, у транспортного лабаза.

Глава 8

Отец все еще пребывал вне дома и хутора, а маме рассказать о своем космическом путешествии Дар не решился. Начались бы переживания, расспросы, пришлось бы рассказывать всю историю встречи с лягуном и нырянием в болото, обманывать же и отмалчиваться не хотелось. Поэтому после возвращения Дар сказался усталым и уединился в спальне. Его так заинтересовало упоминание о маатанах — черных людях, что забыть о нем он не мог. Включил собственный инк, вышел в Сеть, все еще действующую, несмотря на почти полное исчезновение юзеров.

Однако поиск информации о маатанах занял больше времени, чем ожидалось. Доступные научные серверы не хранили сведений о черных людях, равно как и банки данных исследовательских центров. Ничего не нашел Дар и в базах памяти Всемирного исторического герметиума: в ней содержались сведения лишь о событиях двухтысячелетней давности, информация же об эпохе Ветхой Эры почему-то оказалась уничтоженной, стертой. Лишь в архивах давно исчезнувшей Службы общественной безопасности — для проникновения в нее пришлось ломать защиту системы, — удалось кое-что выяснить.

Оказалось, что цивилизация маатан была открыта в начале двадцать четвертого века, за полвека до Смуты, с которой и началась ксеносоциореволюция, запустившая процесс упадка культуры. Маатане каким-то образом вышли на Солнечную систему, подключились к тогдашней Сети и начали скачивать информацию, не заботясь о последствиях такого деяния, ведущего к уничтожению банков данных. Их проникновение было замечено, спецслужбы вычислили взломщиков, и маатане ушли из Солнечной системы. Черными людьми их назвали не столько за внешний облик — они походили на карикатурные скульптуры человека с намеками на голову и плечи, — сколько за подчеркнутое нежелание вести диалог и явное пренебрежение к деятельности землян, к их культуре и чувствам.

Это странное состояние «ни войны, ни мира» длилось чуть больше десяти лет. Затем случился некий конфликт —

Дар не понял, что произошло, в досье на маатан было полно лакун, — и черные люди стали покидать свою планету на так называемых «проникателях» — космических кораблях, использующих «струнные» технологии.

Потом оказалось, что они — искусственно выращенные существа, обладающие интеллектом, но предназначенные для накопления энергии — преимущественно и информации — в качестве добавочной функции. Тело маатанина представляло собой поликристалл с несоразмерно модулированными структурами и «запрещенной» законами кристаллографии осью пятого порядка. Ученые, изучавшие черных людей, сходились во мнении, что маатане были созданы в мире с нецелочисленным количеством измерений. Что это означало, Дар представить не мог. Зато понял, что случайно наткнулся на артефакт — если верить инку исследовательской станции «Джей-Джей Шепли», утверждавшему, что внутри коричневого карлика Шив Кумар обитает еще подающий признаки жизни черный человек.

«Вот было бы здорово познакомиться с ним! — подумал чистодей. — Он должен знать все, что происходило в те времена, тысячи лет назад. Только вот как это сделать? Разве что нырнуть в «тлеющую» звезду на подземоходе? Если таковой найдется...»

Дар свернул операционный объем инка, посидел немного в позе лотоса, медитируя с открытыми глазами. Потом побежал на кухню, за айраном. Мама отлично умела готовить этот кисломолочный газированный, чуть солоноватый напиток, утоляющий жажду и способствующий пищеварению.

В этот момент пришел Борята, завел разговор о путешествии, горя желанием не только услышать подробности, но и самому испытать то же самое. Дар остудил его азарт, нарисовав жуткую картину опасностей, подстерега-

ющих путешественника по давно забытой современниками системе метро, и Борята немного поостыл.

— Хотя бы расскажи, что видел.

Они уединились в спальне чистодея, Дар красочно расписал увиденные им неземные пейзажи, и молодой целитель снова загорелся желанием немедленно испытать магическую сферу — кэнкон, по сути — стартовый терминал, — на себе. Однако у Дара были другие планы.

— Поможешь мне нырнуть в болото, — сказал он. — Один я не справлюсь.

— Зачем тебе в болото? — не сразу сообразил Борята. — А-а... забрать те штуковины? Конечно, я тебе помогу. Только на этот раз нырну вместе с тобой.

— Если бы ты мог обходиться без воздуха хотя бы полчаса, я бы тебя взял. Но лучше, если ты останешься наверху. Могут появиться отеллоиды, и тогда мне несдобровать. Ты меня предупредишь и прикроешь, хорошо?

Борята, открывший рот, чтобы возразить, тут же его и закрыл. Он любил приключения, мог рискнуть при случае, но если имелась возможность обойтись без этого, на рожон не лез.

— Естественно, я тебя прикрою.

— Тогда беги, собирайся, выходим через полчаса.

— На чем полетим?

— Видел новый летак? Я пригнал из Брянска. На нем и рванем.

Борята умчался, обрадованный и возбужденный. Вместе с другом он был готов лететь хоть к черту на кулички, прекрасно зная, что сын князя посвящен в мастера жизни и с ним всегда безопасно.

Дар натянул полноформатный уник — с комплектом инструмента и программой функционального преобразования: такие костюмы назывались когда-то кокосами (ком-

пенсационными костюмами спасателя), они превращались в герметичные скафандры и защищали владельца от
многих бед. Поколебавшись немного, прицепил к поясу
оружие: нож в чехле и грапль, звуковой пистолет, найденный
в пустующем жилом блоке Брянска. Отец, уходя из дома,
пистолет не взял, а в походе по болоту он мог пригодиться.

Прибежал Борята, в таком же унике. Хуторяне практически все имели подобные костюмы, взятые со складов действующих до сих пор бытовых комбинатов, хотя предпочитали в повседневной жизни носить самошивы, костюмы,
изготовленные мастерицами общины.

— Куда это вы, заговорщики? — вышла на крыльцо мать
Дара с полотенцем через плечо.

Он смутился, искоса глянув на Боряту.

— Хотим посмотреть на разминированную черноболь, —
нашелся тот. — Интересно, что там прятали под колпаком
наши предки.

— Дождались бы отца.

— Мы ненадолго, — сказал Дар. — Посмотрим и вернемся.

— Не рискуйте понапрасну, мало ли кто встретится.
Отец не зря дружину в леса послал.

— Все будет хорошо, мам.

Веселина махнула рукой, ушла.

Друзья выбрались на околицу хутора, вошли в ворота
транспортного лабаза. Возившийся возле старого флайта
Малх только покосился в их сторону.

Сели в новый летак, взлетели.

Горизонт раздвинулся, открылись сине-зеленые просторы дебрянской тайги, уступавшие кое-где место сочно-
зеленым лугам и коричнево-зеленым мшаникам, окаймляющим болота. Дар мимолетно подумал, что родная планета
по красоте пейзажей не уступает иным мирам, в том числе
тем, где он уже побывал.

Слева метнулся солнечный блик — отражение от корпуса какого-то летака, идущего параллельным курсом. Но аппарат, словно учуяв взгляды приятелей, круто пошел вниз, скрылся за вершинами деревьев.

До центра Вщижского болота долетели за четверть часа. Нашли топь, в глубине которой прятался накрытый защитным полем терем. Дар тщательно просканировал окрестности на предмет выявления скрытых наблюдателей, никого не обнаружил, не считая птиц и мелких зверюшек, и подвесил летак в метре от поверхности болота.

— Жди здесь и будь внимателен, следи за лесом и небом. Появится кто — дай знать.

— Как? По дереву постучать? — Борята стукнул пальцем по лбу.

— Просто мысленно позови: «Дар, у нас гости!» Я услышу.

— Ладно. — Борята пожал плечами. — Позову. Но лучше бы я пошел с тобой. Почему ты не взял оружие посерьезней? Вдруг появятся эти черные, отеллоиды?

Дар нахмурился.

— С ними лучше не связываться. Увидишь их — мчись домой как птица.

— А ты?

— Я соображу, что делать.

— Хорошо.

Дар накинул капюшон с прозрачной лицевой пластиной, проверил герметичность уника, шлепнул приятеля по плечу и прыгнул в окно черной воды посреди топи. Жижа сомкнулась над головой, стало темно. Фонарь не помогал, и Дар перешел на гиперзрение, сразу раздвинувшее границы сферы видимости. А чтобы ускорить погружение, он увеличил вес тела.

Спуск на дно топи продолжался несколько минут.

Мелькнули и пропали в месиве водорослей ленточные

черви, метнулись в сторону стайки головастиков, появились лягуны, но подплывать близко не рискнули.

Тьма под ногами сгустилась холодным скользким бугром. Это стал виден купол силового поля, защищавшего терем. Дар отыскал электрический контур прохода в поле, продавил упругую пленку и вышел под купол, почти чистый, лишь со следами грязи на унике. Откинул капюшон. Включил фонарь.

На первый взгляд здесь ничего не изменилось со времени первого посещения. Затем Дар увидел цепочку подсохших следов и привел себя в активное состояние. В тереме находились гости! Двое! Причем следы принадлежали подросткам либо людям небольших габаритов и роста, судя по размерам следов и ширине шага, либо женщинам.

Ёкнуло сердце. Откуда-то пришла уверенность, что гостями стали новые знакомые чистодея, с которыми он встречался дважды: Дарья и ее подруга Аума.

— Эй, есть кто дома? — позвал Дар.

Тишина в ответ.

Молодой человек поднялся по ступенькам в терем, прислушиваясь к тишине, пересек холл, ворочая лучом фонаря. Следы вели наверх, на второй этаж строения. И, судя по их расположению, гости назад не выходили.

— Эй, кто-нибудь, отзовитесь!

Тишина. Неподвижность. Ни шороха, ни скрипа, ни тени мысли.

Чувствуя, как колотится сердце, Дар поднялся на второй этаж, ожидая, что его сейчас окликнут или прикажут остановиться.

Странно... и здесь никого...

Он шагнул в проем двери, ведущей в заэкранированную комнату с коллекцией раритетов. Луч фонаря выхватил из полумрака стеклянный шкаф, пупырчатый выпуклый щит на полу, фиолетовую сумку с «молниями», в которой виднелось нечто вроде металлической руки, и открытый черный кейс, пустой, если не считать специальных зажимов.

Дар застыл, прокачивая через нервную систему местные электромагнитные и пси-поля. Показалось, кто-то дышит в затылок, смотрит в спину, внимательно и недобро. Но это был лишь эффект интерференции двух концентраций энергии, сосредоточенной в висящих на стене картинах. В самом помещении никого не было. Откуда же взялись эти вещи — сумка, кейс, щит? Где их владельцы?..

— Свет! — проговорил Дар.

По углам комнаты разгорелись неяркие светильники.

Все на местах. Раритеты не тронуты, хотя дверцы шкафа открыты. А ведь он их закрыл, уходя. Значит, гости все-таки побывали здесь, оставили свои вещи и ушли. Куда? И как? Обратных следов нет. Хотя, если они пробыли здесь долго, обувь их могла высохнуть, и они действительно убрались из дома. Тогда почему интуиция подсказывает, что они еще з д е с ь?

Дар прислушался к себе.

Этот взгляд... раньше картины т а к не смотрели... В чем дело? Почему в самом деле сердце вещует, что неведомые путешественники где-то рядом?

Картины... яркие, светящиеся, живые... те же пейзажи, то же впечатление глубины, ничего не изменилось... стоп!

Что-то здесь не так! Он точно помнил расположение деревьев, скал, строений и живых существ на картинах. На одной из них — с дырчатым деревом на ходульных корнях, с белым бамбуком и спиралевидными постройками на фоне гор, со зверем в ромбовидной сверкающей броне — появились две фигурки в блестящих комбинезонах. Раньше их не было!

— Дарья! — прошептал молодой человек, холодея.

Картина вспыхнула ярче, шевельнулась как живая, буквально прыгнула навстречу, словно собираясь засосать созерцателя.

Дар отшатнулся.

Картина «вернулась на место», успокоилась.

Но уверенность парня лишь укрепилась. Дарья и ее спутница каким-то образом в о ш л и в картину и остались там! Теперь надо было поразмыслить над вопросами: как это произошло и почему они не вернулись?

Дар зажмурился, помотал головой, открыл глаза. Фигурки не исчезли. Светловолосая и темноволосая. И появиться ниоткуда они не могли. В картину можно в о й т и! И нельзя выйти! Скорее всего это и не картины вовсе, а какие-то свернутые в двухмерный лист объемы пространства. Не их ли искали Дарья и Аума, а также отеллоиды? Недаром же и те и другие кружили вокруг болот, охотились за лягунами, пробрались на закрытую территорию черноболи, интересовались, где находится древний хутор Вщиж.

Дар обошел помещение, поглядывая на картины, в свою очередь «наблюдавшие» за ним. Подсел к сумке, вынул из нее предмет, похожий на искусственную руку или скорее на протез руки. «Протез» был легким, но ощутимо функциональным, насыщенным энергией. Интересно, для чего он предназначен?

Молодой человек сунул руку внутрь «протеза» и стиснул зубы, чтобы не вскрикнуть и не дергаться зря. Металлические чешуи и жилы «протеза» обхватили руку, сжали, пальцы его расправились, силой раскрыв ладонь Дара. Посидев несколько мгновений неподвижно, ожидая новых действий механизма, он сжал пальцы в кулак.

«Протез» повиновался, не препятствуя владельцу. Он вообще перестал ощущаться инородным телом, разве что удлинил руку и сделал ее грозным оружием.

— Ясно, — пробормотал Дар. — Усилитель мышц руки. Зачем он им понадобился?

Попробовал снять. После второго рывка что-то щелкнуло, металлические «кости» и «жилы» «протеза» раскрылись.

Дар вытащил руку, положил удивительное устройство на пол. Пошарил в сумке и вытащил две продолговатые коробки с закругленными углами. На торцах коробок мигали зеленые огоньки, а на вогнутых боковинах отсвечивали перламутром буквы НЗ и чуть ниже цифры 2341. Год изготовления? А НЗ — неприкосновенный запас? Интересно, этим комплектам действительно больше трех тысяч лет, если верить цифрам? Или цифры вовсе не являются датой их изготовления?..

Дар понюхал коробки: пахнут духами. А главное, точно такой же тонкий запах сопровождал и Дарью. Определенно, это ее вещи.

Кроме коробок, в сумке обнаружилось оружие — два хищно красивых «хардсана» с полным боезарядом (ух ты, мощные штучки!), прозрачная коробочка с какими-то тюбиками, палочками, брошками и кисточками, два матово-белых стержня с рукоятями, а также изящной формы медицинская аптечка с зеленой искрой ждущего режима и циферками 2340. Нет, определенно, это дата изготовления комплекта, что здесь, что на коробках НЗ. Возможно, владельцы-горожане отыскали эти вещи на каком-нибудь древнем складе, сохранившем содержимое с тех времен.

Дар сложил вещи обратно в сумку, склонился над раскрытым кейсом весьма вычурной формы, с приспособлениями для переноски неких цилиндрических предметов. Интересно, что хотели унести непрошеные гости? Явно не картины и не предметы из коллекции. Хотя... если картины свернуть...

Он подошел к светящимся прямоугольникам, готовый отразить их «нападение». Когда до них остался метр с небольшим, проявился тот же потрясающий эффект раскрывающейся глубины.

Картина как бы распахнулась, увеличилась в размерах,

превратилась в дверь, в реально существующий проход в иной мир! Еще шаг — и можно войти в нее, как в чужой дом...

Дар попятился, успев заметить некое д в и ж е н и е в глубине картины. Бронированный зверь ш е в е л ь н у л с я! И еще оттуда прилетел какой-то... звук — не звук, а скорее пси-зов, слабенькая тень мысли...

По спине протекла струйка пота. Дар, не дыша, отошел еще дальше, понимая, что был на грани гибели. Или пусть не гибели, но исчезновения. Войди он в картину — и Борята никому не смог бы объяснить, куда он девался.

Дьявольщина! Как же выколупнуть оттуда тех двоих, Дарью с подругой?..

В голове подул ветерок беспокойства.

Дар напрягся, отыскивая «третьим глазом» мыслесферу Боряты.

Обстановка наверху изменилась. Хуторянина охватила тревога, и он пытался сообщить об этом приятелю. Дар наконец-то нащупал канал контакта, и в сознание ворвался мыслешепот Боряты: «Дар, всплывай, здесь отеллоиды! Трое нырнули в болото, двое гонятся за мной на летаке!»

«Уходи к хутору! — передал свою мысль Дар. — Не пытайся воевать с ними, показывать высший пилотаж! Собьют! Вызови дружину, она где-то недалеко!»

«Понял! — прилетела «мыслерадость» Боряты. — А ты как же?»

«Я выкручусь».

Он переключил диапазоны гиперзрения и через несколько мгновений увидел-ощутил три энергетических всплеска, приближавшихся к закрытому полем терему. Это плыли нырнувшие в болото черные *тени*, отеллоиды.

«Придется уходить», — с сожалением подумал Дар. Двинулся было к выходу, но остановился, оглядываясь на сияющие картины. Решение созрело исподволь, оттолкнувшись от эмоций, а не от интеллектуального расчета.

Он метнулся к шкафу, достал с полок лежащие там предметы, побросал в сумку. Голыш с мигающей желтой искрой при этом снова исчез, но Дар не стал его искать, вспоминая об удивительных свойствах камешка. Теперь надо было каким-то образом свернуть картины и уложить в кейс. Что для этого нужно? Ведь если девицы пришли сюда за ними, они должны были захватить с собой необходимый инструмент?

Взгляд упал на «протез».

Точно! Это именно то, что надо!

Сознание, подстегнутое состоянием высокого напряжения физических и психических сил, вырвалось на просторы о з а р е н и я и оценило ситуацию. Действуя по наитию, руководствуясь больше не мыслью, а интуицией и чувствами, Дар схватил «протез», натянул на руку мгновенным движением. Подскочил к картинам, но вспомнил о содержимом сумки и вернулся, достал украшенные насечкой стержни. Метнулся обратно к картинам, зашел сбоку, чтобы не попасть в фокус их воздействия. «В прошлый раз они не были так активны, — мелькнула мысль. — Кто-то их активировал... Однако не время думать об этом!» — вмешался рассудок.

Дар отбросил посторонние «мыслешумы», сосредоточился на главном.

Стержень... как его приладить?.. по центру?.. с краю?.. наверное, лучше у обреза картины...

Дар прикоснулся стержнем к острому как бритва краю висящего в воздухе прямоугольного листа, стараясь не дергать рукой.

Так, что дальше? Стукнуть по другому краю? Попытаться согнуть?..

Он осторожно обхватил пальцами «протеза» уголок картины, нажал, чувствуя упругое сопротивление плоскости.

Нет, так не пойдет. Если стержень служит осью свертки, то сгибать надо ближний край и наматывать...

Он поменял руки местами, прижал стержень к поверхности картины, ухватил пальцами манипулятора ребро листа, согнул... и едва не выронил стержень! С тихим металлическим стоном картина обвилась вокруг стержня, начала наматываться на него, выворачивая пальцы руки, держащей стержень. Дар был вынужден перехватить рукоять стержня, чтобы не выпустить его, и следовать за сворачивающимся рулоном, вращая стержень до тех пор, пока вся картина не оказалась свернутой в блестящий металлический с виду цилиндр.

Щелчок! Руку свело как от электрического разряда.

Невесомая до этого момента картина вдруг обрела вес, и Дар чуть не выронил цилиндр второй раз, не ожидая подобной метаморфозы.

— Ох ты!..

Подхватив рулон «протезом», он уложил его в кейс, укрепил зажимами.

Теперь вторую.

На этот раз он действовал быстрее и правильнее. Картина свернулась в рулон, обрела вес — около двадцати килограммов! — послушно улеглась в кейс рядом с соседкой.

Все!

Дар сунул кейс в сумку, туда же свалил «протез», задернул все «молнии», превращавшие сумку в герметичный контейнер.

Теперь можно уходить! Где там черные *тени*? Уже близко, ищут проход. Желательно с ними не пересекаться.

Дар метнулся к выходу, услышал-почувствовал спиной электрический всполох, оглянулся.

В потолке помещения загорелся пульсирующий красный глаз, по стенам побежали алые ручейки света, сложились в слова: «Несанкционированное проникновение! Включена система самоликвидации! Даю отсчет!»

В комнате послышался звук метронома, в толще стены, возле которой висели картины, замелькали оранжевые цифры: 30... 29... 28... 27...

Дар перешел в режим сверхскорости и бросился по лестнице вниз, считая секунды.

На счете «двадцать шесть» он выскочил из терема.

«Двадцать пять» — продавил пленку защитного поля.

«Двадцать три» — заметил погоню: один из отеллоидов последовал за ним.

«Двадцать один» — вынырнул. В десяти метрах от него выплеснулась по пояс черная фигура, абсолютно чистая, без каких-либо следов болотной жижи. Отеллоид!

«Двадцать» — без боя не обойтись! Успеть бы уйти до взрыва!

Дар погрузился обратно в жижу, уменьшил вес тела и рывком выскочил на поверхность болота, больше чем по пояс. Рука сама нашла рукоять грапля. Где же ты, нелюдь?

Голова отеллоида появилась в двух метрах от хуторянина.

Получай!

Звуковая «пуля» — мощность на максимум! — вонзилась в голову противника, разнесла ее на черные брызги и струи. Туловище отеллоида без плеска ушло в трясину, исчезло.

Восемнадцать... семнадцать...

Черт, с сумкой далеко не уплывешь!

Дар заработал ногами, пытаясь плыть, но в плотной взбаламученной жиже это получалось плохо.

Шестнадцать... пятнадцать... четырнадцать...

Два метра, пять метров, десять...

Не успею! А на легкоступ нет сил...

Свист над головой... Что это?!

Дар глянул вверх: дно спускавшегося летака, лицо Боряты над краем кабины... вернулся все-таки!

— Цепляйся! — Борята подал руку.

— Возьми сумку!

Дар одним движением выдернул себя из трясины, перевалился через борт, сел, тяжело дыша.

— Гони что есть мочи!

Хуторянин свечой вонзил аппарат в небо.

Двенадцать... одиннадцать...

— Где твои преследователи?

— Отстали, — ухмыльнулся довольный собой Борята. — Я нырнул в распадок, спрятался. Там такие заросли чертополоха, год искать будешь, никого не найдешь. Подождал немного, высунулся — никого! Ну я и обратно.

Восемь... семь... шесть...

— Спасибо, я твой должник.

— Чего там, все нормально, — махнул рукой целитель.

— Остановись.

— Зачем?

— Сейчас увидишь.

Летак затормозил, повернулся носом к топи в центре Вщижского болота. С высоты двух километров она была видна почти целиком.

Три... два... один...

Над топью вдруг вздулся черный волдырь, лопнул, разлетаясь черно-коричневыми и желтыми клочьями, превратился в столб водяной пыли, грязи и пара. По оси этого столба просверкнула зеленая молния, лопнула ручьями яркого радужного огня!

— Боже ты мой! — ахнул Борята.

Дар круто бросил летак вверх, но не успел, ударная волна догнала аппарат, ударила в корму как молотом, завертела, понесла пушинкой. Когда пилоту удалось выровнять летак, в двадцати с лишним километрах от места взрыва, позади уже ничего не было видно, кроме быстро редеющей над лесом тучи пара.

Подводный терем со всем его содержимым, равно как и топь со всеми ее обитателями, перестали существовать.

Глава 9

— Будь осторожен, сынок, — сказала Веселина, уходя. — Вернется из похода отец, тогда и начнете изучать находки.

— Хорошо, мама, — согласился Дар. Он понимал, что матерью руководит беспокойство за жизнь сына, и был рад, что она выслушала его рассказ о подарке лягуна и о том, что случилось после, но не собирался сидеть сложа руки и ждать отца. Жутко тянуло раскрыть картины и вытащить оттуда заблудившихся подруг. А уж потом можно было поделиться своими успехами и с отцом.

— Чаю принести? — оглянулась Веселина за порогом спальни.

— Придет Борята, мы сами спустимся через полчасика, — пообещал Дар.

Мать послала ему мысленный образ — прозрачная улыбка, грозящий палец, песочные часы, фигура отца — и вышла. Дар послал ей в ответ поцелуй, ощущение свежести, образ спокойной воды и сосредоточился на своих трофеях.

Прежде всего разложил их на столе, стараясь делать это плавно, медленно, без резких движений. Мать инстинктивно определила их глубинную суть, не зная настоящих масштабов, поэтому и советовала быть осторожнее. Если бы она поняла значение находок, вряд ли разрешила бы сыну оставить их у себя, а уж тем более заниматься изучением.

Дар полюбовался на свечу, испускавшую в пси-диапазоне тоненькое всхлипывание, будто ребенок плакал. Потрогал кинжал, производивший впечатление таящейся мощи.

Взвесил в руке и поставил на место невесомый стакан, стенки которого напоминали галактический звездный узор. Потом не удержался и перевернул тяжеленький голыш с мигающей звездочкой. Дождался, когда тот появится снова на прежнем месте — чудеса, да и только! — вспомнил о фотографии, которую успел прихватить с собой, поставил ее на стол. Пожалел, что не показал ее матери. Она сразу бы определила, отец это на фотографии в компании незнакомых людей или нет. Все-таки что-то было в нем не от князя Бояра Железвича, в осанке, повороте головы, в прическе. Интересно, не брат ли это отца? Или, может, дед?

Дар понял, что тянет время, не решаясь подступиться к главной добыче, рассердился на себя и раскрыл кейс.

Картины, свернутые в металлические на вид рулоны, смирно лежали в зажимах, излучая будоражащее тепло. Объяснить их функциональное предназначение Дар не мог, но, будучи неплохим специалистом по физике — в рамках изучения предмета в универсалии, — знал о существовании многомерных пространств, экзотических форм материи и полевых конфигураций. Картины являли собой некие пространственные объемы, свернутые в двумерные поверхности, и этого пока было достаточно для их созерцания. Что же касалось тайн их создания и воздействия на психику человека, на реальную жизнь, вплоть до «заглатывания» людей, над ними стоило поразмышлять в компании более компетентных специалистов.

— Без меня решил открыть?! — раздался сзади возмущенный голос Боряты. — Я так и знал!

Дар досадливо поморщился.

— Успокойся, ничего я еще не открыл. И вообще эти вещи опасны, так что не трогай их и не подходи близко, особенно к картинам.

— Что в них опасного? — удивился Борята.

— Меня чуть не затянуло в одну из них. Так что сядь в кресло и не вмешивайся, а то выгоню.

— Хорошо, хорошо, — торопливо сказал Борята, знавший крутой нрав приятеля, — не буду. А ты уверен, что девчата и в самом деле там, в картинах?

Не отвечая на вопрос, Дар натянул на руку «протез»-манипулятор, вынул из кейса один из рулонов — тот, в котором находились незнакомки и динозавр. Подумав, отошел к стене комнаты, на которой висел вышитый мамой рушник. Что делать дальше, он не знал, поэтому медлил, прикидывая варианты дальнейших действий.

— Давай разворачивай, — не выдержал Борята, — чего медлишь? Может, помочь чем?

— Сиди! — Дар взялся за теплую, даже горячую ручку стержня, вокруг которого был намотан «холст» картины, повернул вправо, влево, снова вправо, преодолевая сопротивление рулона.

Знакомый щелчок — будто тетива лука ударила в щиток на руке!

Рулон внезапно потерял вес, начал разматываться сам собой с тихим «подземным» гулом.

Дар выпустил его, попятился.

Рулон остался висеть в воздухе, развернулся, и взорам молодых людей предстала изумительно яркая, испускающая в н у т р е н н и й свет картина чужого мира: оранжево-сиреневая равнина, заросшая белым бамбуком, дырчато-ходульное дерево, горы с шапками голубого снега, динозавр в ромбовидной броне и две фигурки у камня в блистающих костюмах.

— Ух ты, красота какая! — выдохнул Борята, привставая.

Дар очнулся, сделал два шага назад, толкнул его в грудь, принуждая сесть.

— Не смотри долго! Картина от этого оживает!

— Я только секундочку!.. Это они?

— Они.

— Мама родная! Как они туда попали?!

— Если долго смотреть, картина превращается в окно, в своеобразный портал. В нее можно войти, как в другую комнату.

— Как интересно! А что будет, если туда действительно войти?

— Не знаю, не пробовал. Но поскольку наши знакомые не вернулись, то и мы можем не вернуться.

— Почему?!

— Все дело в свойствах картин, связанных с иномерными пространствами и временем. Возможно, время внутри них течет гораздо медленнее. — Дар подумал. — Или вообще остановилось. Вот девушки и остались.

— Зачем они вообще туда сунулись?

— Это ты у них спросишь, когда они выйдут.

«Е с л и выйдут», — добавил Дар про себя.

— Разворачивать вторую картину будешь?

— Нет смысла. Сначала надо решить проблему, как вытащить из картины Дарью... и Ауму. Думай, голова, шапку подарю.

— Ну-у... — Борята почесал затылок, бросая косые взгляды на висевшую в воздухе у стены без всякой опоры картину. — Высунуть туда голову, позвать... они сами прибегут.

Дар постучал пальцем по лбу, тоже косясь на картину. Она з в а л а его, разговаривала с ним, с м о т р е л а на него, но не так активно, как три часа назад, в тереме. Очевидно, свертка подействовала на нее успокаивающе, сняла какие-то потенциалы, усилила экранирование. В этом состоянии картина была явно менее опасна, чем раньше. И все же рисковать не стоило.

— Нет, можно выпасть туда... и остаться.

— Я тебя удержу.

— Лучше не... — Дар замер, глядя перед собой остановившимися глазами. — Погоди... ты гений, целитель! Что, если обвязать себя веревкой? Тогда можно будет вернуться, держась за нее. В крайнем случае ты меня вытащишь.

— Конечно, я гений, — расплылся в самодовольной улыбке Борята. — Кто бы сомневался? А может, лучше я туда пойду?

Дар сделал круг по комнате, предаваясь размышлениям.

— Нет, пойду я, тебе они могут не поверить. Жди здесь, я принесу веревку. И не вздумай приближаться к ней! Не то и тебя придется вытаскивать!

— Никогда! — торжественно поклялся молодой целитель.

Дар сбегал в погребню, вернулся с тонкой, но очень прочной бечевой; отец называл ее репшнуром; использовался такой репшнур для альпинистских вылазок и для связки древесных стволов в штабеля.

Борята стоял сбоку от картины и, вытянув шею, заглядывал в нее. Увидев входящего приятеля, кинулся к креслу, покраснел, виновато шмыгнул носом.

— Я только посмотрел... осторожненько...

— Вот и положись на тебя, — поморщился Дар. — Наверное, придется еще кого-нибудь звать, Скибу или Сердягу.

— Не надо никого звать! — испугался Борята. — Клянусь, я все сделаю!

Дар и сам не хотел впутывать в это дело посторонних людей. Был бы отец дома, они справились бы с операцией возвращения девушек вдвоем. Теперь же можно было опереться только на друга детства, еще не достигшего возраста ответственности.

— Ладно, поверю. Если не вернусь сам — выдернешь меня

за шнур. Только ни в коем случае не подходи к картине близко! Даже если я застряну! Дождись отца.

— Я понял.

— В таком случае начали.

Дар обвязал себя бечевой, отмерил два десятка метров и привязал второй конец к ножке кровати. Отвел приятеля в угол, сунул петлю в руки.

— Будешь стоять здесь. Увидишь, что я остановился, подождешь пару минут и дернешь за веревку. Запомнил?

Борята утвердительно покивал.

— Отлично. Я пошел.

Дар приблизился к картине, настраиваясь на мощную энергоотдачу. Тело ответило в х о ж д е н и е м в процесс в л а д е н и я, уровень за уровнем: мышцы, сердце, кровеносная система, физиологические процессы, психика, сознание. Заработала интуиция, предсказывающая некое нелинейное о с л о ж н е н и е ситуации в ближайшее время.

Двум смертям не бывать, оптимистично провозгласило второе «я» парня, а одной не миновать! Не трусь, чистодей!

Дар вытянул руку, коснулся поверхности картины.

Пальцы свело легким электрическим уколом. Они почувствовали упругое сопротивление и тепло, будто уперлись в горячую полиэтиленовую пленку. По срезу картины побежала волна, как от брошенного в воду камня. В следующий миг рука продавила невидимую преграду, возникший поток воздуха подтолкнул Дара, и он шагнул вперед, в распахнувшееся навстречу сияющее пространство.

Ощущение раскрывающейся бездны!

Динозавр слева, деревья, горы вдали, две фигурки в скафандрах — скачком выросли в размерах. В ноздри проник незнакомый аромат, аромат неведомого мира. Динозавр повернул морду, глянул кровавым глазом... не смотреть на него, не отвлекаться! Шаг, еще один... вот они, беглянки, почти рядом, можно дотянуться... ну же, оглянитесь!

Чувствуя чудовищное сопротивление Среды — не только воздуха, но всего ландшафта, в который он влип, как муравей в смолу, напрягаясь до боли в суставах, до потери сознания, Дар вытянул руку, дотронулся до локтя ближайшей фигурки...

Борята, почти не дыша, смотрел за действиями друга, в х о д я щ е г о в картину. Спина взмокла, между лопатками протекла струйка пота, сердце готово было выпрыгнуть из грудной клетки, но он ничем не мог помочь Дару, кроме того, чтобы свято следовать полученным указаниям.

Дар дотронулся рукой до листа картины.

Она засветилась ярче, заволновалась, как вода в кадке, если по ней ударить кулаком. Затем что-то произошло — Борята не успел понять что, моргнул, и Дар вдруг оказался внутри картины, сразу сделавшись вдесятеро меньше ростом!

Борята стиснул зубы, не решаясь смахнуть пот со лба. Руки задрожали, и он потратил какое-то время на их успокоение.

Между тем ничего особенного более не происходило, если не считать того, что веревка натянулась струной, пытаясь увлечь за собой Боряту, и приходилось напрягать силы, чтобы оставаться на месте.

Дар не отзывался, не оглядывался, стоял на месте, чуть наклонившись вперед, вытянув руки, будто собираясь нырять. Казалось, он вот-вот дотянется до блистающих ртутью фигурок, уцепится за них и скажет: «Вот вы где! А ну, повернитесь, пойдем обратно!»

Однако шли секунды, складывались в минуты, а незавершенное движение так и оставалось незаконченным, полным внутреннего напряжения и драматизма. Лишь сосредоточившись на этом моменте, Борята почувствовал, что процесс продолжается, только очень медленно, очень медленно, буквально по микрону в минуту. Душа рвалась броситься на выручку к другу, но он заставил себя не слушать ее голос, не обращать внимания на панические мысли, стоять и ждать, пока ситуация не определится. И он дождался!

Дотянулся ли Дар до девушек, Борята не увидел, но по какому-то сверхтонкому сигналу — словно невидимая птица взмахнула крылами — судорожно рванул веревку на себя!

И получил такой же рывок в ответ!

С трудом удержался на ногах. В голове зашумело, будто сквозь нее понесся ручей муравьев, руки ослабели. Глаза застлала пелена слез.

Борята вскрикнул, напрягаясь изо всех сил, потянул веревку, не быстро, стараясь не дергать ее, и вытащил-таки на пару сантиметров. Впечатление было такое, будто к другому концу был привязан буйвол или носорог, упиравшийся в землю всеми четырьмя ногами.

— Все равно вытащу! — прохрипел молодой человек, ничего не видя из-за слез. — Лишь бы шнур не лопнул!..

Напрягаясь так, что застонали готовые разорваться мышцы, он миллиметр за миллиметром стал вытаскивать веревку и пропустил момент, когда из картины в спальню вывалился Дар, а за ним две фигуры в отливающих металлом комбинезонах.

Последнее усилие доконало его. Борята выронил веревку и осел на пол, ничего не видя, слыша лишь гул крови в ушах и бешеный стук сердца. По-видимому, он даже потерял сознание на какое-то время, потому что, открыв глаза, увидел, что сидит в кресле, а над ним склонилась прелестная женская головка.

— Очнулся! — сообщила она радостно.

Над Борятой склонились еще двое: Дар и зеленоглазая девушка.

— Я вас все-таки вытащил... — прошептал Борята, пытаясь улыбнуться.

— Молодчина, — сказал Дар одобрительно, потрепав его по щеке. — Я бы засчитал это Испытанием.

— Правда?!

— Честно.

— Спасибо вам, — сказала зеленоглазая. — Если бы не вы и ваш друг, мы бы застряли в хронике навечно.

— Где?

Девушка махнула рукой в сторону явно потускневшей картины.

— Это не картина и не витейр... э-э, не объемное фото. Это хроносрез, объем многомерного континуума, «упакованный» законами нашей Вселенной до размера двумерного листа. Время на срезе континуума для внешнего наблюдателя остановилось.

— Зачем же вы полезли в этот хроник?

Девушки переглянулись. В глазах Дара мелькнули веселые искры. Видимо, он уже задавал этот вопрос.

— Так получилось, — коротко ответила Дарья, не вдаваясь в подробности. — Мы не рассчитали активизации хроников и... и оказались внутри.

— Значит, на болоте вы появились не случайно? — догадался Борята. — Искали картины? Откуда же вы узнали, что они там?

Девушки вновь переглянулись.

— Потом поговорим, — вмешался Дар. — Пусть в себя придут.

За дверью спальни послышался голос Веселины:

— Борьбу, что ли, вы там устроили, мужчины? Весь дом зашатался! С кем вы разговариваете? Я могу войти?

— Конечно, мам, — после паузы ответил смущенный Дар.

Мать вошла.

— Здравствуйте, — дружно поклонились гостьи.

Образовалась немая сцена. Молодые люди и девушки смотрели на Веселину, она разглядывала девушек, подняв брови. Перевела взгляд на сына:

— Странно, я не заметила, как они вошли... Познакомь меня с ними.

— Это Дарья, — пробормотал Дар; зеленоглазая кивнула, с любопытством разглядывая мать чистодея. — Это Аума.

Спутница Дарьи улыбнулась.

— Они из города... случайно зашли... вот...

— Что ж, мы всегда рады добрым гостям. Я накрою стол, приходите обедать.

Мать вышла.

Все четверо обменялись взглядами.

— Пожалуй, я домой пойду, — поднялся Борята, чувствуя себя разбитым. — Искупаюсь и потом присоединюсь к вам.

— Давай, — кивнул Дар. Догнал приятеля у порога, взял за локоть, понизил голос: — Спасибо за помощь! Если бы не ты, я тоже остался бы там!

— Я рад, — слабо улыбнулся молодой целитель, еще не до конца пришедший в себя, подмигнул. — Надеюсь, ты их не отпустишь, не узнав адреса? — Вышел.

Дар посмотрел на девушек, осматривающих спальню.

— Вам что-нибудь нужно?

— У вас есть туалетная комната? — спросила Аума.

— Внизу, на первом этаже.

— Разрешите, мы ее займем на короткое время?

— Разумеется.

Дар проводил обеих в умывальню, большую, светлую, удобную, с зеркалами и приспособлениями для ухода за телом; туалетная комната ничем не уступала городским, так как была доставлена на хутор из города. Позвал мать, которая предложила гостьям чистые рушники и халаты, и вернулся в спальню.

Картина все так же висела у стены, гораздо менее яркая, чем раньше. Было видно, что динозавр изменил позу и смотрит теперь в угол картины, где недавно виднелись две фигурки. Вряд ли он успел понять, что произошло.

Хроносрез...

Дар покачал головой, вдруг осознав, какой опасности избежал. Он ощущал глубину и мощь картины, но не представлял, насколько она опасна. Может быть, и остальные вещи, найденные в подводном тереме, так же непредсказуемо опасны?..

Он выдвинул ящик стола, где на мягкой подстилке лежали кинжал, исчезающий голыш, стакан, свеча, чаша и книга. Чем же они являются на самом деле? Кто это знает? У кого спросить? Может быть, у Дарьи? И кстати, что она с подругой искала в картине?

Внизу послышались голоса: мама предлагала гостьям свои услуги, спрашивала, что им надо. Вскоре на лестнице раздались шаги. Дар задвинул ящик.

Вопреки ожиданиям, девушки после купания надели свои блестящие, обтягивающие фигуру комбинезоны. То ли постеснялись взять предложенные халаты, то ли по другим причинам. Обе выглядели довольными жизнью. Но Дар чувствовал, что их гложет нетерпение и любопытство.

— Спасибо за приют, — сказала Дарья, оценивающе глянув на стол хозяина. — Вы нас здорово выручили. Однако позвольте вопрос: каким образом хроник оказался у вас?

Дар остался невозмутим.

— Если у вас есть время, я расскажу.

— Время — понятие относительное, — проговорила малоразговорчивая Аума.

— У нас есть время, — сказала Дарья.

Глава 10

Рассказ Дара длился недолго. Он сообщил слушательницам только самое главное, упустив многие подробности своего похода в черноболь. Но этого им оказалось достаточно, чтобы понять, как они оказались на хуторе Жуковец, в доме князя, главы общины Светорусь.

— Значит, терема дедушки уже нет... — задумчиво и с грустью сказала Дарья, когда рассказ закончился. — Жаль.

— Какого дедушки? — с удивлением посмотрел на нее Дар.

— Ее дедушки, — хмыкнула Аума.

Дар посмотрел на зеленоглазую. Дарья очнулась от печальных воспоминаний.

— На хуторе Вщиж жил мой дедушка Макар Мальгин, я его внучка. Мы искали отца... кстати, наша сумка и вещи остались в его доме.

Дар молча вытащил из настенного шкафа очищенную от грязи сумку, найденную в тереме под болотом.

— Ваша?

— Ой, наша! — обрадовалась Аума.

Дарья снова оценивающе глянула на стол чистодея, быстро расстегнула «молнии», вытащила закрытый кейс, отложила в сторону, достала коробки НЗ, излучатель с ребристым дулом, «протез», с радостным возгласом вытащила не замеченный Даром черный пакет. — Слава богу, он цел!

— Что это? — полюбопытствовал молодой человек.

Дарья открыла пакет и вытряхнула на кровать точно такую же туманно-прозрачную сферу с искрами внутри, какая была и у чистодея. Кэнкон! Однако Дар постарался скрыть свое замешательство, повторил вопрос:

— Что это?

Девушки переглянулись.

— Это трансфер... сетевой транслятор... специальное устройство с выходом на...

— Метро, — подсказал он.

Девушки уставились на него, одинаково пораженные, переглянулись. Похоже было, они понимали друг дружку с полувзгляда.

— Откуда вы знаете?

На Дара вдруг снизошло озарение:

— Хотите, скажу, откуда вы?

— Откуда? — скептически поджала губы Аума.

Он поднял коробку с буквами НЗ, ткнул пальцем в цифры 2341.

— Это год изготовления. Вы из прошлого, из две тысячи триста сорок первого года.

— Триста сорок второго, — машинально поправила Дарья. — Как вы догадались?

— Так он же интрасенс, — хмыкнула Аума. — Сама говорила.

Дарья остро заглянула в глаза Дара, и на голову ему свалился ком сложных ощущений, от изумления и любопытства до властной неласковости, сопровождаемый букетом видений: ущелье в горах, обрыв, камнепад, снежная метель, птица, летящая к солнцу сквозь метель.

Он ответил посылом своего мироощущения: море волнующихся под ветром трав, лес, река, синее небо и летящий ангел с лицом Дарьи.

Глаза девушки расширились.

— Я еще в прошлую встречу почувствовала... но не поверила... вы действительно интрасенс!

— Вы тоже.

— Да что я, — отмахнулась она, — я дочь мага... то есть интрасенса... гены, знаете ли.

— Разве вы не встречались с другими сенсами?

— В вашем времени вы первый.

— Скажите, пожалуйста, а почему вы так удивились в городе, когда мы встретились в первый раз?

— Вы очень похожи на одного нашего знакомого, прямо копия. Мы даже подумали, что вы его сын.

— Кто он?

— Это неважно.

— Значит, я прав? — с улыбкой сказал Дар. — Вы и в самом деле из прошлого?

Дарья прикусила губу, свела тонкие длинные брови в одну линию, потом тоже улыбнулась.

— Вы правы. Я уже говорила, мы ищем моего отца, Клима Мальгина. Два года назад он улетел куда-то по своим делам, никому ничего не сказав, и не вернулся. Мама переживает, и я решила...

— Вы говорите, два года назад?

— Я имела в виду н а ш е время. Он ушел в триста сороковом, накануне Поворота...

— Какого поворота?

— На Земле сменилась форма власти... и это не очень интересно. После Поворота началась охота за интрасенсами...

— Даш! — дернула подругу за локоть Аума.

Дарья отмахнулась.

— Ничего страшного, если он узнает. Глядишь, поможет искать отца.

— Помогу, разумеется, — кивнул Дар. — Только не понимаю, почему вы ищете его у нас, то есть в будущем, да еще таком далеком. Ведь с тех пор прошло больше трех тысяч лет. Почему он ушел, с чем это связано...

Аума засмеялась.

— Аппетиты у вас, однако.

— Я расскажу, — согласилась Дарья, дотрагиваясь пальцем до сферы кэнкона, которую она называла трансфером; внутри сферы ярче засияли звездочки. — Откуда вы знаете, что это такое?

— У меня есть точно такой же шар.

— У тебя?! — вырвалось у Дарьи, но она тут же поправилась: — У вас?! Откуда у вас трансфер?!

— Лягун подарил. — Дар поведал историю знакомства с болотным созданием. — А он, очевидно, достал в тереме, на дне Вщижского болота.

— Боже мой! — прошептала девушка. — Если бы я знала, что у отца есть некодированный трансфер... Покажи...те!

Дар выдвинул ящик стола, ловко — уже привык — подхватил его, поддержал второй ладонью.

— Да, это он. — Дарья с новым интересом посмотрела на собеседника. — И вы знаете, как им пользоваться?

— Я был на Меркурии, — с деланым безразличием сказал Дар. — На спутнике Юпитера и на коричневой звезде.

— Какой звезде?

— На коричневом карлике Шив Кумар, — поправился он. — Там стоит древняя исследовательская станция... без людей.

Дарья завороженно покачала головой, встретила красноречивый взгляд подруги.

— Никогда не знаешь, где найдешь, где потеряешь. Расскажите об отеллоидах подробнее.

— Вы обещали рассказать о себе.

— Да, я помню. Дело в том, что в наше время тоже существовали черные люди, но другие.

— Маатане.

— Вы и об этом знаете?!

Дар пожал плечами.

— Совсем мало, в пределах школьного курса истории. Кстати, по словам инка станции на Шив Кумаре, один из маатан находится внутри коричневого карлика.

Дарья озабоченно хрустнула сплетенными пальцами, глянула на подругу, ответившую ей недоумевающим взглядом.

— Не может быть. Все маатане ушли в «серую дыру» или в другие миры еще в наше время.

— Что услышал, то и передал.

— Интересно было бы проверить, — сказала Аума.

— Нет времени... да, так вот... собственно, с чего начать? Мы действительно живем в двадцать четвертом веке. Аума на год моложе меня, учится в Интехе, ее отец Джума Хан, эксперт Службы безопасности по психопатологии преступников, мать — нейрохимик Карой Чокой. Моя мама Купава... — Дарья замялась. — Ну, она, в общем, социально защищенная, работает консультантом по картрузингу, ткет гобелены. Папа — Клим Мальгин, бывший нейрохирург... его мы и пытаемся найти.

— Почему же именно в будущем? И как это вообще возможно — путешествовать во времени? Теория универсальных взаимодействий это запрещает.

— Вы же говорите, что знаете, как пользоваться трансфером.

Дар машинально кивнул, хотя ответа не понял.

— Знаю.

— Ну вот. Что же касается поисков отца в будущем, то он оставил кое-какие следы в орилоунской Сверхсети. Оператор трансфера запустил его в Сеть, имеющую положительный вектор, то есть в будущее. Он тоже что-то или кого-то ищет, уже много лет.

— Даниила Шаламова, — вставила Аума.

— Да, своего друга Даниила Шаламова, который, по косвенным данным, после освобождения сбежал в будущее. Или в прошлое, не знаю точно. Вот поэтому мы здесь.

— Не лучше ли начать с самого начала? — вежливо попросил Дар.

Дарья поколебалась немного, снова нервно хрустнула пальцами. Ее что-то беспокоило, хотя она и пыталась это скрыть.

— Хорошо, слушайте...

Рассказ о событиях трехтысячелетней давности, когда люди впервые столкнулись с маатанами, назвав их впоследствии черными людьми, занял полчаса.

Мама позвала молодых людей обедать, они отказались.

Пришел Борята, тихонько пристроился за креслом Дара, выслушал историю, шумно вздохнул:

— Колоссально!

— Это все, — закончила Дарья. — Что вас еще интересует?

— А давайте на «ты», — предложил Борята. — А то сидим как чужие. У нас на хуторе как-то не принято выкать.

— Давайте, — улыбнулась девушка.

Дар, ошеломленный рассказом, попытался сделать вид, что ничего особенного не услышал.

— В общем, все понятно... действительно, интересная история. Может, пойдем теперь пообедаем?

— Если у вас... у тебя нет вопросов, то есть у нас. Вы видели артефакты в бункере дедушки?

— Вот эти? — Дар снова выдвинул ящик стола — нижний, показал взятые в тереме вещи: свечу, исчезающий голыш, кинжал, книгу, чашу и стакан.

— Я давно почуяла, что они здесь, и спросила для...

— Проверки, — закончил Борята понимающе.

Девушка покраснела.

— Нет, я хотела... сказать спасибо. Это вещи отца, а ему их подарил Шаламов. Они очень необычны и даже опасны. Отец ими очень дорожил.

— Забирайте, — великодушно сказал Дар, хотя и с большим сожалением. — Они не мои.

— Да ты что, Дарий! — воскликнул Борята. — Это же мы их нашли, они теперь наши!

— Вы действительно имеете на них право, — подтвердила Аума.

— Я сказал — они ваши.

— Что ж, примите нашу благодарность. — Дарья прижала руку к груди. — Мы заберем их, но не сейчас, в другой раз, если позволите. Пусть они пока побудут у вас.

— Это пожалуйста. Приходите за ними в любое время.

— Вот теперь можно и пообедать.

— Подождите. — Дар достал из стола объемное фото с тремя мужчинами, показал гостье. — Вы случайно не знаете, кто это? Я взял эту фотографию там же, где и вещи вашего отца, в тереме.

Глаза Дарьи расширились. Она взяла в руки прямоугольник фотографии с эффектом объема, кажущийся отверстием в комнату, где стояли, обняв друг друга за плечи, мужчины, и среди них, по оценке Дара, его отец.

— Папа! Аристарх! И твой отец! — Она передала фото Ауме.

— Точно, это они, только молодые.

Обе девушки посмотрели на Дара. Тот сдвинул брови.

— Значит, это не мой отец. Я думал...

— Вы нашли очень старый витейр, ему лет двадцать. Вот это мой папа, в центре. — Дарья показала пальцем. — Это ее отец, Джума. А это Аристарх Железовский, друг отца.

Вот почему мы удивились, когда встретили тебя в городе. Ты жутко похож на Аристарха в молодости! Вы случайно не родственники?

Дар вместо ответа достал из стенного шкафа банкетку, вытащил оттуда плоскую цветную фотографию, протянул девушке. Дарья изогнула бровь:

— Аристарх?

— Мой отец, Бояр Железвич.

— Точно, родичи, — заявила Аума. — Твоя фамилия Железвич?

— Да.

В спальне стало тихо. Потом Борята от избытка чувств хлопнул себя по колену.

— Предок нашелся! Ну и ну! Три с половиной тысячи лет! Вот бы и мне своего найти!

Все посмотрели на него.

— А твоя фамилия случайно не Лютый?

Борята вытаращил глаза. Голос его стал хриплым.

— Лютый...

— Таких совпадений не бывает, — покачала головой Аума.

— Ты тоже похож, — сказала Дарья, прислушиваясь к чему-то с внутренней тревогой, которая передалась и Дару: он почувствовал, как по спине протек холодный ручеек озноба.

— У папы был знакомый, начальник оперативного бюро Ксеноцентра Калина Лютый, ты немного похож на него, вот я и спросила. Очевидно, вы действительно родичи.

— Почему — был?

— Я давно его не видела. Наверное, он...

— Минуту, — прервал Дар девушку, подняв кверху палец. Все замолчали.

Дарья, прищурясь, посмотрела на него.

— Ты что-то у с л ы ш а л?

— В е т е р, — односложно ответил чистодей, прислушиваясь к своим ощущениям.

Дарья поняла, кивнула, хрустнула пальцами.

— Ваш хутор охраняется?

— Дружина ушла в леса... остались только старики и дети, да старшина Малх. Ну и мы с Борятой.

— Как бы к вам не нагрянули незваные гости.

— Ничего, отобьемся, не впервой.

— Тогда мы уходим. Вот, возьмите «хардсаны». — Дарья вытащила из сумки оружие. — Это, конечно, не аннигиляторы и не «глюки», но против отеллоидов сгодятся.

— Мы редко применяем оружие, — с сомнением сказал Дар.

— Как же вы отбиваетесь от нехороших парней?

Дар пожал плечами.

— Как правило, хочушники и беривсеи не выдерживают отпора, воспрепятственного п о в е л е в а н и я, до прямого нападения не доходит. Другое дело — банды лядов. С ними приходится воевать.

— Что еще за ляды?

Дар слабо улыбнулся, пошевелил пальцами, подыскивая синоним:

— Ну-у... это кочевники. Они на слова не реагируют, никого не боятся...

— Отморозки, одним словом.

Дар кивнул, хотя и не понял смысл слова.

— А что такое воспрепятственное п о в е л е в а н и е? — поинтересовалась Аума.

— Это, наверное, пси-отпор, — предположила Дарья.

— Верно, — согласился он.

— Вы уверены, что справитесь с отеллоидами, если они здесь появятся?

— Не сомневайтесь, — важно надул щеки Борята. — К тому же им у нас делать нечего.

— В таком случае мы оставим все наши вещи у вас. Сохраните их, ладно? Не показывайте никому. Мы вернемся за ними, как только сможем. А витейр заберем, я маме его покажу.

Дар поколебался немного, но решил не возражать.

— Хорошо, забирайте. Когда вас ждать?

Девушки посмотрели друг на друга.

— Как только решим кое-какие дела, дня через два. К сожалению, нам приходится секретничать, скрывать свои намерения, семьи интрасенсов теперь находятся под контролем спецслужб.

— В общем, весело живем, — прищурилась Аума.

— До встречи, — подала руку Дарья.

Дар осторожно пожал прохладную ладошку, чувствуя, как через нее вливается в руку струйка приятного тепла. Захотелось сказать что-либо особенное, умное, значительное, заверить, что он будет ждать, но слов не понадобилось. Дарья передала ему сложный мыслеобраз: грозовая туча, сверкание молний, снежный вихрь, проглядывающее сквозь них солнце, запахи свежести, трав, цветов, абрис женского лица, улыбка, — он ответил примерно тем же, и тонкий мысленно-чувственный контакт прервался. Оба отчего-то смутились, хотя ничего особенного сказано-передано не было.

Дарья вынула из сумки пакет с трансфером, подбросила в воздух:

— Развернись!

Туманный шар с искрами внутри расползся прозрачно-световым облачком, обнял девушек. Миг — и их не стало!

Дар несколько мгновений смотрел на то место, где они стояли, очнулся, встретил взгляд приятеля, порозовел. Показалось, тот прочитал его мысли и эмоции.

— Как ты думаешь, они... — Борята не договорил.

За стенами терема раздался тонкий вскрик горна.

— Тревога! — подскочил Борята, кинулся к двери. — Я к старшине! Наверно, это все-таки банда беривсеев. — Оглянулся на пороге. — Ты идешь?

— Что за вопрос.

Дар тоже метнулся к выходу, но вернулся, подхватил подаренный девушками «хардсан», сунул под ремень на спине. Через несколько секунд он выскочил на крыльцо.

В конце улицы, выходящей к лесу, показалась немногочисленная шеренга хуторян, отступавшая к центральной площади хутора. А на них надвигалась группа черных людей, целеустремленно и зловеще. Веяло от этой группы ветром угрюмой сосредоточенности, непреодолимой силы и ч у - ж е р о д н о с т и.

В цепи хуторян, помимо старших — Малха, Кременя, Виктория Лютого, Скибы, находились и одногодки Дара — Бус Кресень, Михайла Шкурин, Слава Терех, Олег Новик, и совсем юные сородичи — пятнадцатилетний Андрюша Косый и четырнадцатилетний Ваня Рожнов.

Борята, успевший натянуть уник, отступал вместе со всеми, то и дело оглядываясь. Заметив Дара, он крикнул:

— Они Вагу убили! Что делать?!

Дар почувствовал вышедшую вслед за ним мать.

— Дружину вызвали?

— Боригор будет здесь минут через пятнадцать, — ответила Веселина. — Будь осторожен, сынок, не лезь на рожон, дождись витязей.

— Они Вагу убили! — Дар скрипнул зубами, перепрыгнул через перила, направился к своим.

Хуторяне раздвинулись, пропуская его. Он сделал два шага навстречу молчаливой массе черных *теней*, поднял руку.

— Остановитесь!

Двигавшаяся «утюгом» группа черных людей остановилась.

— Что вам нужно?

Возглавлявший отряд отеллоид — бликующий черным лаком комбинезон, черные руки, черная голова, лицо человеческое, хотя и грубоватое, с черными губами и белыми глазами без зрачков — ткнул в его сторону рукой:

— Ты взять... отдать... не твой... — Говорил отеллоид не то чтобы с акцентом, но как машина, глухим ровным голосом, без интонаций и ударений.

— Если я что и взял, оно принадлежит людям. Не вам. Убирайтесь отсюда подобру-поздорову! Зачем вы убили Вагу?

— Детеныш мешание... отдать... мы взять сами... убьем много...

Дар погасил закипающий в душе гнев.

— Немедленно покиньте территорию хутора! Иначе будете уничтожены! Это говорю вам я, чистодей, прошедший Испытание, посвященный в мастера жизни!

Отеллоид повернул голову к своим спутникам — на сто восемьдесят градусов! — что-то сказал в пси-диапазоне (Дар почуял всплеск ментального поля), снова посмотрел на молодого человека:

— Мы взять... ты нет остановить... давать минуту на размышлен... ность...

— Дар, — окликнул чистодея Скиба, — у меня есть «универсал».

— Малх может открыть оружейню и взять излучатели, — добавил Борята.

Дар представил бой с применением огнестрельного оружия и покачал головой. Вероятность появления новых жертв была слишком высокой.

— Все отойдите назад. Я попытаюсь задержать их. — Дар не стал заканчивать: «до прихода дружины». Повернулся к угрюмой команде черных людей: — Предлагаю честный поединок — один на один. Если победу одержите вы, я отдам вам свои трофеи, если одолею я — вы уберетесь отсюда.

Пауза, безмолвное совещание отеллоидов.

— Можете сражаться вдвоем против меня одного, — великодушно добавил Дар. — С оружием или без, мне все равно.

Еще одна пауза, более длинная.

— Мы согласие, — объявил наконец вожак отряда. — Мы два есть... нет оружие... ты один...

— Дар, давай лучше я схвачусь с ними, — предложил Кремень.

— Или я, — поднял руку Лютый-старший.

— Благодарю, — сказал Дар. — Но я знаю их слабые и сильные стороны, а вы нет. Ждите и не вмешивайтесь, все будет хорошо.

Куртку снимать он не стал, она не стесняла движений. Хотя подумал, что в унике драться было бы сподручней.

— Я готов.

В тот же момент двое отеллоидов бросились на него с разных сторон одновременно, демонстрируя неплохую скорость и пластику движений. Дар дождался попытки контакта — оба черных выбросили удлинившиеся на полметра конечности, — вошел в состояние в л а д е н и я телом и исчез. Возник через мгновение в метре от точки соприкосновения с противником, обескураженным е г о исчезновением, мощным ударом р а с п л е с к а л ближайшего отеллоида.

На мгновение все замерли: второй отеллоид-боец, его соратники, хуторяне и сам Дар. Затем противник метнул в него ручей черного дыма, как показалось зрителям, Дар увернулся, настиг поединщика и без всякой жалости р а з б р ы з г а л по улице. Но предложить оставшимся гостям мировую не успел. Они не стали ждать продолжения, а джентльменскими качествами не обладали. Вожак отряда первым выудил из кармана своего комбинезона (может быть, из складки кожи на животе) пистолет наподобие того, что отнял когда-то Дар у соплеменника отеллоида, и выстрелил в победителя.

Однако Дар все еще находился в состоянии в л а д е - н и я — собой и пространством адекватного ответа — и на долю секунды опередил врага.

Выстрел из «хардсана» — полотнище бледно-лилового огня — буквально развалил вожака отеллоидов на две части, верхнюю и нижнюю, зацепил еще одного отеллоида, отхватив ему часть плеча, просвистел мимо остальных смертельным веером. Но их это не остановило и не испугало. Черных людей вообще, наверное, невозможно было испугать. Они схватились за оружие, готовые убрать препятствие со своего пути любой ценой.

И в этот момент из-за крыш теремов вывернулись летаки дружины, ведомой Боригором. Сверкнули лазерные трассы, мячиками запрыгали шипящие клубки электрического огня, вонзаясь в тела пришельцев и разрывая их в клочья. Через несколько секунд все было кончено. От команды отеллоидов остались только лужицы и ручейки черной субстанции, из которой состояли их тела.

Летаки дружины приземлились, из них начали выпрыгивать суроволицые дружинники, вооруженные лазерными «универсалами» и электроплазменными разрядниками. К Дару подошел Боригор, хмуря брови.

— Жертвы есть?

— Вага.

— Как это случилось?

— Он не виноват, — подскочил взволнованный Борята. — Они убили Вагу еще в лесу.

— Что им было надо?

Дар отвел глаза.

— Не знаю.

Боригор наступил сапогом на дернувшуюся, будто живое существо, черную лужицу, брезгливо стряхнул колеблющуюся, как желе, пленку.

— Мерзость!

— Эти ошметки надо сжечь, — сказал Дар, — иначе они снова соберутся в одно целое. Отеллоиды способны восстанавливаться.

Боригор подозвал дружинников, отдал распоряжение.

Появилась мать Дара, кинулась к сыну.

— Хвала Создателю, ты цел и невредим!

Дар смутился, косо глянув на мужчин, но на него никто не смотрел, кроме восхищенного Боряты, все занимались делом. Сверкнули первые языки плазменного огня, уничтожавшие черные лужи, поднялись клубы едкого дыма.

— Пойдем домой, сынок, — взяла сына за руку Веселина. — Отец скоро будет, звонил только что. Ты молодец, задержал эту нечисть.

— Отлично сработано! — солидно подтвердил Борята. — Пусть теперь попробуют сунуться к нам еще раз!

Дар не ответил. Шевельнувшаяся память соткала из света пленительное видение: Дарья, улыбающаяся, красивая, с сияющими зелеными глазами, бежит к нему по берегу реки, протягивая руки... Душа рванулась навстречу, руки молодых людей встретились... и видение исчезло. Где ты, девчонка из прошлого? Куда умчалась? И вернешься ли?..

— Не оступись, — поддержала его под локоть мама.

Дар очнулся. Он был дома, но душа продолжала лететь в неизведанные дали времени и пространства, призывая ту, без которой уже не мыслилось будущее и жизнь теряла всякий смысл.

ЧАСТЬ II

СЕГОДНЯ

Глава 1

Мама встретила ее на пороге, придерживая на груди халатик.

Дарья замерла, ощущая смущение, стыд и облегчение. В принципе она не считала себя виноватой в чем-то, но все же понимала, что ее отсутствие скажется на здоровье и настроении матери. А отсутствовала она, судя по реакции мамы, долго.

— Слава богу, ты жива! — прошептала наконец Купава; в глазах ее набухли слезы.

— Прости, мамочка! — бросилась ей на грудь Дарья. — Я не могла позвонить, оттуда невозможно дозвониться. Прости!

Женщины обнялись, постояли немного. Потом Купава смахнула слезы, отстранила дочь.

— Ты одна?

— Нет, я была с Аумой... а-а, ты имеешь в виду папу? Я не встретила его, но он был там, где была я, и он жив. Я уверена!

Купава прерывисто вздохнула, положила на грудь ладонь, успокаивая сердце. Грустно улыбнулась в ответ на красноречивый взгляд дочери.

— Так хочется верить, что он вернется. Куда ушел, зачем? Где и что ищет?

— Я не знаю, — тихо проговорила Дарья. — Иногда мне кажется, что знаю, но я не уверена...

— Он никому ничего не сказал.

— Дядя Аристарх утверждает, что его видели на хуторе Вщиж на родине дедушки. Я была там... в наше время и... в будущем. Папа действительно оставил следы... но его там нет. Я нашла его вещи, они остались на хуторе Жуковец, у одного парня... — На щеки девушки легла краска. — Он интрасенс...

Купава сморщила нос.

— Ты познакомилась с парнем? Где? И что это за хутор такой — Жуковец? Никогда не слышала. Впрочем, приводи себя в порядок, переодевайся, и поговорим. Есть хочешь?

— Ужасно! Я голодна как зверь!

— Беги. — Купава подтолкнула дочь к туалетной комнате. — Я пока приготовлю обед.

Через час они сидели в столовой. Дарья накинулась на еду, приготовленную на кухонном комбайне «Аладдин». Купава, подперев кулачком щеку, смотрела, как она ест.

— Впечатление такое, что ты не ела неделю. Там так все плохо, в будущем? Кушать нечего?

— Нет, с едой там пока нормально, сохранились и пищевые фабрики, и рестораны, и кухонные системы, просто мы с Аумой ввязались в одну историю и... в общем, действительно долго не ели.

— Ты была там с дочкой Джумы?

— Она согласилась рискнуть, мы и пошли. К счастью, орилоунская Сеть метро еще не заросла полностью, хотя работает теперь фиксированно, по точным координатам. Поэтому нас вынесло аж в пять тысяч пятьсот пятидесятый год, представляешь?

— Так далеко? — ахнула Купава.

— Ну, это еще недалеко, — отмахнулась Дарья. — Отец побывал в будущем, отстоящем от нашего на сотни миллионов лет, если ты помнишь.

— Помню, — грустно улыбнулась Купава. — Не понимаю только, зачем ему это понадобилось.

— Он хотел спасти тебя, — серьезно посмотрела на мать Дарья. — Но не знал — как. Искал выход. А главное — нашел, и ты теперь с нами. Он и сейчас отправился кого-то спасать, я уверена.

— Кого?

— Не догадываешься?

Купава покраснела под взглядом дочери, покачала головой, отвернулась.

— Даниил ушел... неизвестно куда... не захотел даже попрощаться...

— Это к лучшему, незачем ворошить прошлое и вспоминать об обидах и потерях. Отец ведь мог и не вытаскивать его из хроника, куда засадил после тех событий в Прибалтике. Однако он великодушнее, чем Шаламов. Ты действительно ушла от отца к Даниилу, потому что любила его?

На миг в глазах Купавы проступила растерянность, но она быстро справилась с собой.

— Я любила... люблю твоего отца. А ушла, потому что...

— Захотела доказать, что имеешь право на свое мнение.

— Ты осуждаешь меня?

— Нет, конечно, мамочка, — улыбнулась Дарья. — Я вся в тебя, хотя мне как раз нравятся сильные мужчины, яркие индивидуальности, такие, как папа, как дядя Джума, дядя Аристарх.

— Мне они тоже нравятся.

Мать и дочь посмотрели друг на друга, засмеялись. Потом Купава убрала посуду, позвала дочь в гостиную.

— Теперь рассказывай.

Дарья забралась с ногами в кресло, призадумалась немного и начала рассказ. Когда он закончился, Купава смотрела на дочь другими глазами. Она никогда не думала, что ее, в общем-то, вполне взрослая и самостоятельная дочка способна тем не менее на подобные авантюры. Сама она никогда не отважилась бы покинуть Землю и нырнуть в бездны пространства и времени в поисках мужа.

— Дед за твои рискованные мероприятия устроил бы тебе выволочку, — проговорила она.

— Дед бы меня понял, — махнула рукой Дарья. — Да и отец тоже.

— Ну, не знаю... значит, ты побывала в будущем... и как же там живут люди?

— Да неплохо живут... из тех, кто остался. В городах живут только сетлеры, жители Интерсети, плюс банды всяких мерзавцев, ищущих острых ощущений и пользующихся работающими городскими службами. Настоящие ж и в ы е люди селятся в лесах, на хуторах, в экологически чистых зонах, создают общины и союзы. Хотя население все равно постепенно убывает, численность популяции уменьшается.

— Популяции, — усмехнулась Купава. — Нахваталась умных словечек, можно ведь и попроще сказать.

— Все так говорят, — не обиделась Дарья. — Человечество уходит, и процесс неостановим. Ты же помнишь, что рассказывал папа? На смену людям придет другой разумный вид — мутировавшие лягушки. Аборигены тех мест, где был когда-то хутор Вщиж, называют их лягунами и квагами. Они уже могут общаться с людьми — жестами, хорошо их понимают. Один из лягунов и подарил сыну князя трансфер. Причем взял его из дома деда, который в те времена оказался на дне болота.

— Как все повернулось... — задумчиво покачала головой Купава. — Дом деда все еще стоит на хуторе, в нем живут другие люди, никаких артефактов там нет, а ты говоришь — он на дне болота...

— Т а м прошло три с лишним тысячи лет, понимаешь? Все изменилось. Города стали совсем другими, квазиживыми самоподдерживающимися системами, изменился

ландшафт, появились болота, черноболи — технопатоген-
ные зоны и экологически загрязненные районы, закрытые
от внешнего мира... А дом деда ушел под воду, наверное,
уже накрытый колпаком защитного поля.

— Кто же его накрыл?

— Думаю, что отец. Ему удалось попасть не в столь отда-
ленное будущее, как нам с Аумой, и он смог защитить владение деда, а заодно упрятал внутри артефакты и хроники.

— Зачем?

— Если бы я знала.

Купава вздохнула, помолчала, справляясь с приступом
тоски.

— Ладно, авось все выяснится... Так что это за парень,
с которым ты познакомилась?

Дарья смущенно провела ладонью по волосам.

— Он сын князя общины Светорусь. Жутко похож на
дядю Аристарха! Мы сначала подумали, что это он сам! Высокий, статный, не красавчик, но очень симпатичный, хотя
это не главное. Во-первых, он сильный, в н у т р и сильный,
это чувствуется. Во-вторых, он интрасенс. В-третьих, он с
приятелем помог нам на болоте отбиться от черных людей...

Дарья прикусила язык, сообразив, что сболтнула лишнего.

— Значит, на вас напали? — нахмурилась Купава. — Что
еще за черные люди? Почему напали?

— Хуторяне называют этих тварей отеллоидами. Неизвестно, что это за существа, возможно, искусственники, биороботы или киборги. Не знаю. Но у нас сложилось впечатление, что они тоже искали терем деда, следили за нами, а
потом напали. Дар вмешался, отогнал их. В общем, все кончилось благополучно. А потом мы нашли терем, проникли
под защитный купол и... залезли в хроник.

— И ему пришлось вытаскивать вас оттуда. — Купава
неодобрительно поджала губы. — Зачем вы туда полезли?

— Так получилось, — виновато шмыгнула носом

Дарья. — Показалось, что там папа... мы активизировали хроник... а «вывернуть» его не смогли. Нас и засосало. Если бы не Дар...

— Как же ему удалось вытащить вас?

— Удалось вот.

— Сильный парень! — Купава задумчиво смотрела на дочь. — Надо же, повстречать родича Аристарха за тридевять земель и времен. Удивительная встреча! И что же, вы оставили артефакты деда у него?

— Там они в безопасности. Никто не знает, что хроники у Дара.

— А эти черные, отеллоиды?

— Хуторяне нашли способ борьбы с ними и успешно отражают их набеги. К тому же я в скором времени собираюсь вернуться и забрать вещи. Только с Джумой посоветуюсь и с дядей Игнатом.

Купава проницательно заглянула в глаза дочери.

— Он тебе нравится?

— Кто?

— Сын князя.

Дарья порозовела, отвела взгляд.

— Н-нет... я не думала... хотя что в этом плохого?

— Ничего, — успокоила ее мать. — Жаль, что он так далеко живет, да и опасно по орилоунскому метро ездить, система старая, скоро вовсе порвется. А ну как ты не успеешь вернуться? Так и останешься в будущем.

— Не останусь, не волнуйся, — улыбнулась девушка. — Возможно, отец тоже бродит по Сверхсети, там его и надо искать. Начну со Светоруси, общинники люди неплохие, подсобят.

— Там только одна община — Светорусь?

— Нет, есть и другие: Монголата, Кандиана, Островной Союз. Но Светорусь посерьезнее, ее князи ставят перед общиной не простые цели вроде «выжить любой ценой», а духовные — найти Путь к Творцу, сохранить Род и жить в ладу со Вселенной.

— Какими же законами руководствуется их власть?

— Общиной управляют выборный князь и Рада, которая следует известной мудрости: закон не нужен, когда правит совесть.

Купава покачала головой.

— Как жаль, что мы живем иначе!

— Да уж, — фыркнула Дарья. — Неосоциум, власть Интерсети, у руля Орден абсолютной свободы, нас притесняют, за интрасенсами идет охота... Конечно, я бы согласилась жить там, в будущем, хотя это и не выход. Папа же сказал, что человечество вымрет.

— Может, он ошибался?

— Папа не ошибается! — убежденно заявила Дарья.

Купава грустно улыбнулась.

— Да, твой папа не ошибается... хотя кто знает, как это выглядит, когда он ошибается?

Дарья не поняла, вопросительно посмотрела на мать. Та еще раз улыбнулась, хотя грусть так и осталась мерцать на дне глаз.

— Не бери в голову, это я сама с собой спорю... Что ты намереваешься делать? Не забыла, что скоро учебный год начнется?

— Еще две недели до начала, успею доделать начатое. Да и не хочется, честно говоря, доучиваться, ничего нового я не узнаю.

— Не сходи с ума, всего один год остался. Ты же знаешь, в нынешние времена без учебного сертификата никуда не устроишься.

— Не волнуйся, мамуль, доучусь, — засмеялась Дарья, вскочила, поцеловала мать в щеку. — Хотя и в самом деле все знаю о предмете, могу хоть завтра экзамены сдавать.

— Чтобы все поняли, что ты интрасенс.

— Придется год еще походить в институт, что поделаешь. Но отца я все же отыщу!

— Посоветуйся с нашими мужчинами, они должны знать, что ты задумала.

— Хорошо. — Дарья побежала к двери, оглянулась. — Я к Ауме, буду вечером.

Исчезла.

Купава смотрела ей вслед затуманенными глазами, и лицо ее сделалось печальным и несчастным, уголки губ опустились.

— Отцова дочка... — прошептала она. Подумала: почему она так уверена, что Клим жив? Потому что ч у в с т в у е т его? Клим говорил, что он слышал ее зов даже тогда, когда мы находились внутри хроника... «Боже мой, Клим, куда ты запропастился? Почему не сказал, не посоветовался? Рассчитывал вернуться? Что же случилось, что ты не вернулся? Где ты? Где ты, где ты, муж мой, небом данный?..»

Из груди вырвалось рыдание.

Купава зажала рот ладошкой, загнала боль и тоску глубоко в сердце, постаралась успокоиться. Потом вызвала Ромашина и попросила его приехать. Информация дочери была достаточно важной, чтобы о ней узнали руководители Сопротивления.

Аристарху Железовскому исполнилось сорок семь лет, но выглядел он по-прежнему молодо, любил стильно одеваться, пользовался модным одеколоном «Фрейм», носил модные прически, но с возрастом пришла мудрость, юношеская порывистость уступила место непробиваемому спокойствию, а мощная глыбистая фигура и уверенно-независимый взгляд многих заставлял оглядываться и провожать математика статистического управления Всемирного Координационного Совета восхищенно-уважительными глазами.

Двигался он скупо и вынужденно, обходясь минимумом жестов и мимики, поэтому его собеседников всегда заставали врасплох его смех или неожиданная шутка. Удивилась и Купава, когда Аристарх принес ей цветы и после комплимента добавил:

— Судя по дочери, ты настоящая женщина.

— Это почему? — озадачилась Купава.

— Что должен сделать за свою жизнь настоящий мужчина?

— Жениться, — заявила Дарья, появившаяся вслед за Джумой Ханом.

Игнат Ромашин, уже сидевший в кресле, засмеялся. Железовский остался невозмутим.

— Настоящий мужчина должен вырастить дерево, построить дом и воспитать сына. Это древняя формула. Ну, а настоящая женщина в таком случае должна спилить дерево, разрушить дом и вырастить дочь.

Теперь засмеялись все. Потом Купава сделала строго-возмущенное лицо:

— Хорошо же ты обо мне думаешь! Спасибо, дорогой друг!

По губам Аристарха скользнула легкая, как тень, улыбка.

— Я завидую, что Клим познакомился с тобой первым. Иначе Дашка была бы моей дочерью, а не его.

— Тогда это была бы не я, — сказала Дарья. — Кстати, я познакомилась с твоим прапраправнуком, дядя Аристарх, так что скоро у тебя должен родиться сын.

В гостиной стало тихо.

Мужчины перестали улыбаться, подтянулись.

— Рассказывай, — кивнул Ромашин; бывшему безопаснику и эксперту УАСС исполнилось шестьдесят лет, но выглядел он чуть ли не моложе Аристарха, хотя и не был интрасенсом. Только морщин прибавилось, взгляд стал усталым и в пышной шевелюре появились серебряные пряди.

— Я пока сварю кофе, — поднялась Купава.

— Мне черный, по-ирански, — предупредил Джума.

— Мне зеленый чай, — попросил Железовский.

— Я помню ваши вкусы.

Дарья присела у журнального столика, закинула ногу на ногу, помолчала немного, прикидывая, с чего начать, и поведала слушателям историю своего путешествия в будущее по футур-линии орилоунского метро. Когда она закончила, Купава втолкнула в гостиную плавающие подносы с напитками, фруктами и конфетами, и мужчины молча принялись пить чай, кофе и поглощать сладкое. Наконец Ромашин откинулся на спинку кресла.

— Спасибо, хозяйка. Я сегодня встал рано, однако еще не завтракал.

— Кто рано встает, тому бог подает, — сказала Купава, выталкивая подносы из гостиной.

— Кто рано встает, тому весь день хочется спать, — проворчал Железовский; в глазах человека-горы сквозь панцирь невозмутимости вдруг проклюнулся росток неуверенности. — У меня нет детей... и вдруг праправнук... ты не ошибаешься?

— Нет, — качнула головой Дарья, — там невозможно ошибиться. И отец Дара, и он сам очень похожи на тебя. Да и фамилия у них — Железвич — говорит сама за себя.

— Что касается детей, — хмыкнул Хан, — сегодня их нет, завтра будут. Думаю, эту проблему вы с Забавой решите. Но меня больше интересует не вопрос потомства, а подоплека всего происходящего. Клим ушел и не вернулся. Куда — неизвестно. А это не тот человек, который уходит, не попрощавшись. Значит, он рассчитывал вернуться. Но поскольку этого не произошло, возможен только один ответ: ему помешали. Кто?

— Клим — интрасенс и маг, — покачал головой Ромашин. — Ему очень трудно помешать. Если и существует такая сущность, способная ограничить Мальгина, сама она должна иметь почти нулевые ограничения.

— Ну, он все-таки не бог, — пожал плечами Хан. — Даниила он так и не смог вылечить, хотя и вытащил из хроника.

— Тем не менее я не знаю никого, кто смог бы остановить Клима. — Ромашин помолчал, слабо улыбнулся. — Кроме разве что жены.

Купава приподняла бровь, но отвечать не стала.

— Не о том говорим, — пробасил Железовский. — Клим оставил следы в доме отца, значит, он свободен. Надо выяснить, куда он мог направиться дальше. Ты спрашивала оператора метро, не появлялся он еще раз в Сети?

— Спрашивала, разумеется, — сухо ответила Дарья. — Он вошел в Сеть всего один раз и вышел в будущем, спустя триста лет. Потом выходил еще дважды — через тысячу и через сто тысяч лет. Дальше его след теряется. Оператор никаких сведений о его выходах не имеет. А когда я попыталась отправиться туда же, оператор меня не пустил. Тот узел закрылся. Пришлось идти наугад, а ближайший узел оказался уже на две тысячи триста лет дальше. Там я и встретила Дара.

— И дом Макара Мальгина был уже на дне болота?

— Под защитным колпаком. Очевидно, отец нашел его в те времена — триста или тысячу лет вперед, заэкранировал, спрятал в спецкомнате дома с дополнительной защитой все раритеты, подаренные маме Шаламовым, и... — Голос Дарьи сел до шепота: — И исчез!

По гостиной разлилось молчание. Купава, ни на кого не

глядя, встала и вышла, но вскоре вернулась. Глаза ее сухо блестели. По-видимому, она приняла успокоительное.

— Давайте зайдем с другой стороны, — предложил Железовский. — Чем Клим занимался в последнее время?

Все посмотрели на хозяйку.

— Я в этом мало чего понимаю...— беспомощно повела плечом Купава.

— Папа работал над теорией нового инфляционного расширения Вселенной, — сказала Дарья. — Зачем — не знаю. Но его очень интересовали некоторые космические феномены как проявление деятельности чуждых нам форм разума.

Мужчины переглянулись.

— Я думал, что он продолжает заниматься теорией сингулярных кризисов цивилизаций, — пробормотал Аристарх. — Клим ведь много лет создавал свою парадигму, считая, что кризис нашей эпохи — это родовые схватки новой глобальной вселенской цивилизации.

— А что значит — его интересовали космические феномены? — осведомился Джума Хан. — Какие именно?

— Точно не скажу, — смутилась Дарья. — Знаю, что папа специально изучал теорию черных дыр и дугообразные галактические выбросы с мощным звездообразованием, также связанные с черными дырами. Кроме того, его интересовали мазиллоиды, нелинейно-струнно-сотовые структуры и СТ-глюболлы с отрицательной плотностью энергии.

— Мощные проблемы, — задумчиво сказал Железовский. — Он и мне когда-то подбрасывал задачки по расчету нелинейных сотовых структур.

— С чем их едят, эти структуры? — хмыкнул Хан.

— Это проблема из области космологической социологии, — объяснил Аристарх. — Известно, что Вселенная когда-то претерпела ряд бифуркационных изменений, фазовых перебросов, связанных с конечным функционированием вложенных в нее законов. Фаза инфляционного расширения сменялась фазой экспоненциального расширения, затем линейного, затем были фазы перехода «чистой» энергии в материю и обратно, сейчас мы живем в эпоху нового инфляционного расширения...

— Короче, профессор.

— Короче, существует теория колебаний разумной жизни, в которой на полном серьезе исследуются претенденты на роль разумных существ и целых систем в отдаленном будущем, вплоть до сотен миллиардов лет после нас. Одной из таких систем являются ячеистые структуры космоса с нулевой плотностью материи и отрицательной плотностью энергии. Другой претендент — черные дыры и ансамбли из них.

— Ух ты! — скептически усмехнулся Джума. — Неужели у кого-то возникли сомнения насчет гегемонии человека?

— Во-первых, этот гегемон, судя по словам Клима, сам закрыл себе путь в будущее, — проворчал Ромашин. — Во-вторых, как говорил Цицерон, нет такого абсурдного мнения, которое не было бы высказано философами. Добавлю — и нашими физиками-теоретиками.

— Не согласен, — возразил Железовский. — Человек является частью Вселенной, обладающей полной информацией обо всем на свете. Он просто не в состоянии выдумать то, чего не существует в природе. Если кто-то утверждает, что могут существовать разумные системы на иных носителях — на черных дырах или «провалах» в пространстве, то это вполне возможно и где-то уже реализовано. Или будет реализовано в будущем.

Все замолчали, переваривая сказанное. Затем Ромашин хлопнул рукой по подлокотнику кресла.

— Ну, хорошо, Клима интересовали эти проблемы. Какой из этого можно сделать вывод?

— Папа еще занимался эйнсофом, — робко добавила

Дарья. — Летал на Меркурий, беседовал с учеными из ИПФП, с безопасниками... Он считал, что эйнсоф способен уничтожить всю Солнечную систему и его надо нейтрализовать.

— Как? — усмехнулся Железовский. — Сфера Сабатини, или эйнсоф, — бесконечномерный объект...

— Клим прав, эйнсоф находится в пограничном состоянии и очень опасен, — сказал Ромашин. — Его свертка может породить черную дыру, а развертка вызовет мощнейший взрыв типа сверхновой.

— Что, в свою очередь, создаст волну давления в газовом облаке местного рукава Галактики, — буркнул Железовский, — которая вполне способна инициировать формирование массивных звезд.

— Ну и что? — поднял бровь Джума Хан.

— А то, что массивные звезды — зародыши черных дыр. Чем этот процесс не генезис ж и в ы х структур? Не потому ли и Клим увлекся теорией черных дыр и их социодинамической организацией?

— Не знаю, для меня эти теории — темный лес. Хотя я тоже считаю, что эйнсоф жутко опасная вещь. Кто-нибудь из наших занимается им?

— Маттер занимается.

— Я тоже, — нехотя добавил Железовский. — Соломон занимается, Савва Баренц... из интрасенсов больше никто.

— Каково их мнение?

— Эйнсоф крайне неустойчив... да что говорить, давайте лучше посмотрим.

— Позже, — нахмурился Ромашин. — Мы собрались, чтобы обсудить проблему поиска Клима. Он нужен здесь, а не в будущем. Найдем его — он сам расскажет, что заставило его изучать черные дыры. Кстати, Даша, а как там, в будущем, ведет себя эйнсоф?

Девушка смутилась.

— Честно говоря, я не обратила внимания... Солнце там светит слабее, это совершенно точно, и на его диске видна черная отметина. Вероятно, это и есть эйнсоф. Но я об этом... не думала.

— Надо бы слетать туда еще раз, — произнес Железовский. — Понаблюдать, зафиксировать характеристики.

— Ясно, что в ту эпоху он уже не столь опасен, — сказал Хан, — но является ли это следствием каких-то воздействий на него или он сам успокоился — это вопрос.

— Сам он не успокоится, — скривил губы Аристарх. — Не тешьте себя иллюзиями.

— Его объем растет, — кивнул Ромашин, — в коре Меркурия образовалась воронка глубиной в сто километров! Что будет дальше — одному богу известно!

— И Вершителю.

— И, возможно, Климу, — пророкотал Железовский. — Все сводится к тому, что мы решим наши проблемы, только найдя его.

— У тебя есть конкретные предложения?

— У меня есть вопрос к Дашке.

— Задавайте, — храбро ответила девушка.

— Что это за черные люди, о которых ты говорила?

— Отеллоиды?

— Чем они отличаются от·маатан?

— Они гораздо больше похожи на людей. Издали — просто негры, вблизи же видно, что лица их грубее, руки длиннее, ноги толще, чем требуется.

— Кому требуется? — усмехнулся Железовский.

— Я имела в виду пропорции человеческой фигуры. Отеллоиды непропорциональны. Возможно, как предположил Дар, они являются роботами или киборгами, искусственными существами.

— Маатане тоже, по сути, искусственные существа, вместилища информации и энергии.

— Отеллоиды отличаются от них. Хотя так же равнодушны к людям и ничего не боятся. Зато от сильного удара буквально расплескиваются каплями и брызгами черной жидкости.

— Интересно... — протянул Джума. — С такими мы еще не встречались.

— У тебя все? — посмотрел на Железовского Ромашин.

— Мне хотелось бы покопаться в памяти инка Клима, можно?

— Конечно, — в один голос ответили Купава и Дарья.

— В любое время, — добавила жена Мальгина. — Его кабинет открыт, инк включен в ждущий режим.

— Если только он не закодирован.

— Ничего, я раскодирую, — пообещал Железовский.

— Если у тебя все, то спрошу я. — Ромашин перевел взгляд на Дарью. — Откуда у тебя трансфер? Ведь все работающие трансляторы находились когда-то в спецхране Службы безопасности. Насколько мне известно, их было всего четыре штуки. Один использовал Калина Лютый, второй Майкл Лондон, третий — твой отец. О судьбе четвертого я ничего не знаю.

— Трансфер мне подарил папа, — зарделась Дарья. — Еще когда я была совсем маленькая. Где он его взял, я не знаю, возможно, в спецхране. Вспомнила о нем я недавно, до этого он тихо-мирно лежал среди игрушек.

— Жаль, что я об этом ничего не знал, — проворчал Железовский. — Он бы мне здорово пригодился. А почему ты спросил?

— Не понимаю, почему Климу взбрело в голову дарить малолетней дочери столь серьезную и опасную игрушку.

Не мог же он предвидеть, что изделие орилоунов понадобится ей для его же поиска.

— А вдруг мог? — пожал плечами Джума Хан.

— Нет, здесь что-то другое.

— Не ищите злого умысла там, где его нет, — тихо сказала Купава. — Возможно, у Клима были свои расчеты, но одно знаю твердо: он никогда не позволил бы себе причинить кому-либо вред, а уж тем более Дашутке.

— Согласен. — Ромашин ударил себя ладонями по коленям, встал. — Мы еще поговорим на эту тему.

Поднялся и Железовский, сразу заполнив собой, казалось, всю гостиную. Дарья посмотрела на него снизу вверх оценивающе и с восхищением.

— Все-таки он здорово похож на тебя, дядя Аристарх!

— Кто? — не понял математик.

— Твой потомок, Дар Железвич. Почти копия.

Железовский изогнул бровь, изображая сомнение. Его можно было понять: детей у них с Забавой Бояновой не было, хотя они жили вместе уже много лет.

Ромашин вдруг поднял руку, призывая всех к молчанию, дотронулся до уха, поправляя клипсу рации: он был включен в сеть связи «спрут», объединяющей всех членов Сопротивления. Выслушал сообщение.

— Только что в системе Лиллер-один[1] убит Дмитрий Столбов.

Все молча смотрели на него, переживая одинаковые чувства. Столбов, бывший инспектор-официал криминального розыска Службы безопасности УАСС, был мужем Власты Бояновой, сестры Забавы.

— Сволочи! — покачал головой Джума. — Подробности известны? Кто его?!

---

[1] Шаровое скопление в созвездии Скорпиона.

— Кроме либеро Ордена, больше некому, — угрюмо пробормотал Железовский. — Узнать бы, кто им помогал из наших.

Он имел в виду интрасенсов.

— Почему ты решил, что им помогали наши? — брюзгливо заметил Хан.

— Дима Столбов был профессионал, каких мало. У Службы сейчас таких нет.

— Идемте. — Ромашин поцеловал Купаву в щеку, сжал плечо вскочившей со своего любимого дивана — в форме льва — Дарье, вышел. За ним, попрощавшись с хозяйкой, вышли остальные. Женщины остались одни.

— Какая страшная потеря! — прошептала Купава, зябко передернув плечами. — Бедная Власта!

Дарья, потрясенная известием, прижала ладони к щекам.

— Дядя Аристарх прав, нам всем надо уходить.

— Куда?

— На базу Сопротивления.

Купава отстранила дочь, поглядела ей в глаза:

— Ты всерьез собираешься еще раз воспользоваться трансфером?

Ответный взгляд дочери был тверд и непоколебим.

— Вылитый отец! — невольно покачала головой мать.

Глава 2

Дар поднял руки ладонями к себе, привычно раскачал температуру: голова — лед, руки — вода, ноги — огонь, — и ладони засветились в темноте, словно были отлиты из раскаленного стекла. Подержав их в этом состоянии полминуты, он стряхнул на пол струйки розового сияния и встал с колен; после каждой утренней зарядки молодой чистодей занимался энергонастройкой организма и в х о ж д е н и е м в общее силовое поле Земли. Это помогало оптимально тратить энергию во всех случаях жизни, кроме разве что экстремальных ситуаций, и жить ускоренно, свободно и раскованно.

После нападения отеллоидов Дар вынужден был выложить отцу все подробности события и получил суровый нагоняй, в принципе справедливый, хотя и обидный. Отец был прав: прежде чем экспериментировать с артефактами, найденными на дне болота в спрятанном от людских глаз тереме, следовало посоветоваться со старшими. Тогда, возможно, удалось бы избежать столь тяжких последствий контакта с отеллоидами, как гибель юного Варги. Оживить парня не удалось даже кудесникам-целителям общины. Разряд неизвестного метателя молний пробил грудь и сердце юноши, умер он мгновенно.

Конечно, отец забрал магическую сферу — компактный стартовый терминал системы метро, который Дар называл кэнконом, а Дарья трансфером. Пообещал только, что вернет его после изучения экспертами. Впрочем, князь тут же умчался куда-то в сопровождении Боригора, оставив кэнкон-трансфер дома, в своей приказне, однако Дар подумал об этом с тихим сожалением, зная, что воспользоваться им не сможет. Воля отца была законом, как для всех членов общины, так и для родичей.

Закончив зарядку, Дар вымылся под душем, окончательно примиряя «телесное с духовным», позавтракал, слушая ненадоедливую болтовню мамы, отвечая ей редкими шутками.

— Что-то сегодня ты больно задумчивый, — заметила Веселина его состояние. — Ностальгия замучила?

Дар порозовел, вполне понимая смысл вопроса: мама намекала на Дарью. Он думал о ней. Сказал с усмешкой:

— Ностальгия — это когда хочется вернуться, а некуда. Мне же есть куда.

— Ты имеешь в виду метро?

— Другие миры, планеты, звезды... Вселенные... я ведь, по сути, нигде не был и ничего не видел.

— Но это же опасно, сынок!

— Не более, чем переправляться через реку, уверяю тебя. Предки же наши пользовались метро — и ничего, жили себе припеваючи. Отец когда обещал вернуться?

— Он был рано утром, когда ты еще спал, с каким-то гостем, по обличью — азиатом. И снова ушел.

— Это, наверное, был Таргитбай, князь южной степной общины. О чем они беседовали?

— Слышала краем уха — о совместном походе против черных бродяг. Но нам со степняками не по пути, они исповедуют культ ритуального убийства. Куда ты собираешься с утра?

— Отец поручил мне и Скибе обследовать черноболь, — вспомнил Дар и засобирался. — Пора определить, что мы можем найти там полезного.

— Будь осторожен, чистодей. Еще раз прошу, не лезь на рожон. Обещаешь?

— Обещаю! — кивнул он, целуя мать.

На околице хутора его уже ждали Скиба, Малх и Борята. Старшина выделил им четырехместный летак, загрузил в багажное отделение аппаратуру для определения концентраций массы и энергии, интраскоп, похожий на рогатку с окулярами, щупы и электромагнитные зонды.

— Ну, можете отправляться.

В принципе вся эта техника была Дару не особенно-то и нужна, но возражать он не стал. Из всех четверых только он был сенсом, остальные, в том числе и Борята Лютый, сын колдуна и целителя, не были в с т р о е н ы в общее природное биополе и не видели с к р ы т о е.

Их провожали мальчишки и дружинники, охранявшие территорию хутора. После атаки отеллоидов князь распорядился держать охрану круглосуточно, и молодые сильные парни скучали, не зная, чем себя занять. Отеллоиды больше не беспокоили хуторян, хотя дед Петро Дмитрич уверял, что столкнулся с ними нос к носу под Ветьмянским кордоном.

Путь от хутора до черноболи, разминированной Даром, летак преодолел всего за десять минут. Это был неф, хороший маневренный аппарат для спасательных операций, на конюшне хутора таких больше не было. В случае необходимости он мог подниматься на высоту более тридцати километров над землей и некоторое время находиться под водой.

Сверху территория черноболи мало чем отличалась от примыкающего к ней ландшафта. Разве что здесь больше было гигантской лебеды, крапивы и хвощей. Кроме того, над ней летали стаи птиц — от гигантских вранов до лесных пичуг: неосвоенное новое пространство, ранее закрытое силовой завесой, представляло для них несомненный интерес.

Пролетели над гигантским котлованом, уже заполнившимся водой. Это было все, что осталось от взорванного здания центра управления бывшим полигоном.

На горизонте появились крутобокие холмы, поросшие травой и ползучей шерстянкой. В этой части черноболи располагались навечно успокоившиеся, некогда могучие корабли спасательного флота Земли. Дар насчитал двенадцать холмов, и сердце невольно забилось чаще, влекомое тайной заплывших землей гигантов. Вполне могло случиться, что некоторые из них еще годились в дело, необязательно как машины для преодоления космических пространств, но как надежные жилища или источники важных технических средств и энергии.

— Начнем? — посмотрел на спутников Малх. — Дар, какой тебе больше нравится?

Молодой чистодей закрыл глаза, сосредоточился на «третьем глазе», входя в состояние гипервидения. Слой земли, покрывавший холмы под летаком — округлые, остроносые, кольцевые и пирамидальные, — стал полупрозрачным, под ним проявились корпуса звездных машин человечества, не летавших в космос уже многие сотни лет. В недрах трех из них пульсировали слабенькие электрические ниточки, указывающие на присутствие работающих систем.

Дар открыл глаза, ткнул пальцем на ближайший конусовидный холм.

— Давайте посмотрим на этот.

Летак снизился, завис над голой вершиной холма, обдуваемой ветрами. Это, по сути, был нос космолета, слегка округлый, покрытый не то светло-коричневой коркой нагара, не то защитной пленкой. Он вылезал из дерна, начинавшегося на несколько метров ниже, как кончик гигантского рога.

— Садимся, — сказал Малх.

Летак спланировал на макушку холма. Пассажиры вылезли, озираясь. Малх вытащил аппаратуру, начал расставлять вокруг летака, стараясь не приближаться к достаточно крутым склонам. Скиба помог ему, раскорячился над интравизором, представлявшим собой штангу с кольцом основания, две рукояти и тубус с окулярами.

Дар прошелся по вершине холма-звездолета, нагнулся, постучал костяшками пальцев по гладкому коричневому вздутию, как по каменному монолиту. Не верилось, что махина под ногами — метров триста высотой и полкилометра в диаметре основания — когда-то летала, преодолевая колоссальные расстояния за считаные мгновения.

— Как на могильной плите! — передернул плечами впечатлительный Борята. — Кажется, что сейчас разверзнется дыра и оттуда полезут мертвяки.

— Не полезут, — успокоил приятеля Дар. — Звездолетам больше тысячи лет, они законсервированы, никого там внутри нет и не было.

— Все равно неприятно.

— Мне тоже неловко, — признался чистодей. — Хотя я при этом понимаю, что мы ничего дурного не делаем и чужого не берем.

— Есть! — заявил Скиба, приникший к окулярам. Отодвинулся, уступая место Малху.

Дар снова сосредоточился на гиперзрении, и перед ним медленно протаяло в глубину сложно организованное пространство древнего космолета.

Кольцевые коридоры.

Шахты, колодцы.

Шпангоуты, осевые балки, несущие конструкции, желоба, трубы.

Вереницы помещений самого разного размера и разных форм, пустые и заполненные каким-то оборудованием.

Мощный агрегат на самом дне конуса — генератор свертки пространства в «струну», или «дыробой», как называли его между собой космонавты.

Гравидвигатели, энергокран, высасывающий энергию из вакуума.

Яйцеобразное сооружение в центре космолета, напоминающее человеческое сердце, — кокон-рубка.

Конусовидный зал на самом верху — зал визинга. Он был темен и пуст. А вот в «сердце» космолета пульсировали жилочки электрической энергии. Одна из них достигала махины энергоустановки, которая еще служила источником жизни уснувшего монстра.

— Да, этот левиафан стоит вскрыть, — выпрямился Малх,

радостно потер руки. — Он законсервирован и закрыт. Очевидно, его оставили в резерве, но так и не воспользовались. Что посоветуешь, княжич?

— Попробую открыть вход, — сказал Дар. — Если только инк не запрограммирован на самоликвид. Вы пока пройдитесь по другим могильникам, а я тут посижу, поколдую.

— Какой следующий?

— Вон тот, крайний слева, в форме полушария, — показал молодой человек. — Потом кольцевой, заросший мелколесьем.

— Можно, я останусь? — попросил Борята.

— Нет, ты будешь мешать, — отрезал Дар.

Разочарованный приятель полез в кабину летака, неф взлетел, похожий на речного ската.

Дар еще раз прошелся по гладкой, бликующей в лучах солнца округлой поверхности, привычно настраиваясь на в х о ж д е н и е в особое состояние н е м ы с л и, сел в позе лотоса, лицом к северу, и закрыл глаза.

Все природные шумы: посвист ветра, шум леса, крики птиц — истончились до тусклого шипения, отдалились, исчезли. Вслед за ними растворились в костях черепа и тканях тела еще более тонкие звуки — скрипы, свисты и вибрации крови, мчавшейся по сосудам. В голову чистодея вошла всеобъемлющая, космическая тишина, позволяющая услышать движение атомов и молекул.

Затем в глаза Дара пробился призрачный с в е т, испускаемый вибрирующими молекулами мозга. Ослабел, померк. Пространство под ногами скачком обрело глубину. Дар увидел-ощутил сложные пересечения конструкций космолета, холодные массивы застывших машин, цепочки пустых помещений, коридоры и шахты. В стенах кое-где изредка оживали тоненькие струйки энергии, соединяясь в своеобразное «дерево» электромагнитных связей. Дар проследил за одной из них и наткнулся на целый «куст» энергоструек, дышащий и шевелящийся как живое электрическое существо. Это и был инк металлического монстра, погруженный в сон-ожидание пассивного режима.

Сознание Дара окутало этот «куст» неощутимым облачком, пытаясь нащупать в нем свободный синапс или нервный ганглий. Спящий интеллект машины встрепенулся, почуяв проникновение, включил системы опознавания и анализа. Но Дар уже отыскал независимый аксон и влился в него ручейком мысли, ощущая мгновенное расширение сферы сознания. Мозг инка стал как бы частью собственного мозга человека, раскрывая свои тайны и секреты. Он не понял, что произошло вторжение, однако, запрограммированный реагировать на все необычное, на подозрительные шумы и перепады разного рода полей, включил системы безопасности, пытаясь определить источник воздействия.

Дар не первый раз имел дело с компьютерными комплексами, умеющими не только считать, включать разные программы, датчики, поисковые системы и системы контроля, но и д у м а т ь. И даже в некоторых случаях — ч у в с т в о в а т ь! С этими «ребятами» можно было договориться. Если бы не вмешательство отеллоидов, первыми проникших на территорию черноболи, он бы смог убедить и главного ее инка снять защиту.

Борьба воли, мысли и энергии человека с мыслящим «мозгом» космолета длилась недолго. Инк сдался через три минуты, убедившись, что никакого внешнего воздействия не было, а была включена «особая программа, разрешающая снять блокировку люков и отключить защитные контуры».

Когда спутники Дара, заглянув внутрь холмов-космолетов с помощью интраскопной техники, вернулись, чистодей небрежным жестом указал на сдвинутый в сторону пласт почвы пятьюдесятью метрами ниже вершины холма:

— Прошу на борт спейсера «Скиф» аварийно-спасательной службы. Законсервирован тысячу сто четыре года назад, но вполне способен летать. Вакуумсос в норме, все системы функционируют нормально.

Малх поднял брови, Скиба скептически хмыкнул. Один Борята сразу поверил другу, хлопнул его по спине от избытка чувств и воскликнул:

— Молоток, чистодей!

— Хочешь сказать, что вход открыт? — спросил Малх, прикладывая ладонь козырьком ко лбу и глядя вниз.

— Машина имеет механизмы очистки люков, — сказал Дар тем же тоном. — Я открыл верхний, смотровой. Десантные и грузовые люки располагаются на корме.

— Молодец, — похвалил молодого человека бородатый Скиба, человек сдержанный и мрачный. — Надо бы закодировать входы, чтоб никто не вошел без нашего согласия.

— Он будет открывать люки только по моей команде.

— Отлично! — довольный Скиба сжал локоть Дара, кивнул старшине: — Пошли посмотрим?

Малх тоже сжал плечо Дара, полез в летак.

Через минуту они спустились к вывернутому, как овчина, слою почвы, под которым виднелись часть сверкающей обшивки корабля и черный круг люка.

На хутор команда освоителей древней техники вернулась через три часа, к ужину.

Поход по космолету «Скиф», принадлежащему некогда спасательному флоту Земли, не принес ни особых открытий, ни разочарований. Спейсер практически был пуст, если не считать двух модулей в кормовом отсеке, законсервированных, как и он сам. Модули класса «аутбест» — по словам инка корабля — могли самостоятельно бороздить просторы космоса и работать в экстремальных условиях, вплоть до звездных температур и давлений. Впрочем, и спейсер «Скиф» не выглядел развалиной, готовой рассыпаться в прах от легкого сотрясения. По сути это был квазиживой организм, поддерживающий оптимальные условия для экипажа, саморегулирующийся и самообеспечиваемый энергией. Корпус его представлял собой единый, выращенный особым способом биокристалл или скорее гигантскую молекулу. Пробить его было трудно, тем более что «молекула» поддерживалась силовым полем, но даже если и случались инциденты с разрушением части корпуса, поврежденные места самовосстанавливались, зарастали.

Вывод, сделанный старшиной, был однозначен: «Скиф» вполне пригоден для эксплуатации. Это не означало, что хуторяне тут же начнут собираться в путешествие по окрестностям Солнечной системы, однако сам факт находки корабля, возможность улететь в более благоприятные края — если таковые найдутся, грел душу не только взрослым, но и сыну князя, ставшему первооткрывателем черноболи.

Правда, чувствовал себя Дар странно. С одной стороны, был рад, что помог односельчанам увеличить жизненно важные запасы, с другой — ему было скучно. Он ничего особенного не ждал от похода на бывший полигон УАСС, так как владел гораздо более мощным и перспективным средством передвижения — магической сферой, кэнконом. Пусть она в настоящий момент и находилась у отца. А еще Дар очень хотел увидеться с Дарьей, жительницей ставшего далеким прошлым двадцать четвертого века. Она обещала вернуться, забрать спасенные им артефакты, принадлежащие ее отцу.

Однако прошла ночь с момента нападения на хутор отеллоидов, затем прошел день, еще ночь, но Дарья со своей спутницей не появлялись. А поскольку Дар, получивший возможность самостоятельно выбирать род занятий, не любил бездеятельности, он решил поэкспериментировать с таинственными предметами, извлеченными из глубин Вщижского болота.

Никому не сказав о своих намерениях, даже Боряте, Дар сложил в наплечный ранец артефакты, взял летак и направился на запад, к Ветьмянским болотам. Однажды он набрел на красивую поляну в лесу, с россыпью валунов, и она ему приглянулась: в этом месте был выход положительных природных сил, благоприятно влияющих на энергетику организма. До поляны можно было дойти и пешком, часа за три, но Дар не хотел терять времени. Душу охватила жажда деятельности, интуиция же подсказывала, что его ждут некие интересные открытия.

Встречи с отеллоидами он не боялся. Эти твари, несмотря на свой угрюмый вид и целеустремленное движение к известной только им цели, способные убить любого, кто станет на их пути, серьезным противником для мастера жизни не были. Хотя не брать их в расчет не стоило.

Дар посадил аппарат рядом с плоским, похожим на бугристую плиту, камнем. Разложил на его поверхности находки: тяжелый фолиант с застежками из тусклого металла и переплетом из материала, похожего на толстую воловью шкуру, невесомый стакан из золотистой паутинки, создающей звездный узор, свечу, тяжелую чашу также из тусклого пористого металла, похожего на чугун, и кинжал-нож, вызывающий опасливое восхищение хищной эстетикой форм.

Все предметы таили в себе запасы неведомых с и л, поэтому обходиться с ними надо было осторожно, чтобы не нарваться на неприятный сюрприз. Дар помнил из Хроник, что чудовищный эйнсоф — дыра на поверхности Солнца — тоже когда-то получился при эксперименте с таким же загадочным артефактом, доставленным в Солнечную систему из глубин Вселенной каким-то безответственным косморазведчиком.

Вспомнив, что надо подстраховаться, Дар привычно

ощупал окрестности лучом гиперзрения, опасности не учуял и снова вернулся к своим «игрушкам». Поколебался немного, выбирая, с какой начать. Выбрал книгу с застежками. Затаив дыхание, расстегнул застежки — внутреннее видение не соответствовало зрительному восприятию, в луче гиперзрения книга казалась окном, входом в тоннель, заполненный абсолютным мраком, — откинул тяжелую «воловью» обложку и отшатнулся: на него в упор взглянула чья-то выразительная клыкастая морда!

Страница книги под обложкой оказалась чем-то вроде объемной цветной фотографии, отображавшей мрачное ущелье, заполненное прозрачно-сизым дымом, скалы удивительных очертаний и стадо зверей, похожих на слонов и крокодилов одновременно. Один «крокодилослон» смотрел прямо в объектив камеры, смотрел угрюмо, с угрозой, и ощущался настолько живым и реальным, что, казалось, сейчас вылезет из книги.

Зверь вдруг и в самом деле шевельнулся, ожил, раскрывая пасть, глаза его вспыхнули хищным алым светом.

Дар вздрогнул и инстинктивно захлопнул обложку.

По спине пробежала струйка озноба.

Святой наставник! Это вовсе не книга! Это нечто вроде собрания тех картин-хроников, в одну из которых влезли Дарья с Аумой! Или я ошибаюсь?

Он перевел дыхание, сосредоточился на отражении возможной пси-атаки и открыл книгу посредине.

Совершенно белая страница! Лишь в глубине этой белизны просматриваются тонкие былинки и ниточки, образующие почти незаметный паутинный узор.

Пустая страница? Или глаза видят не то, что здесь изображено?

Дар всмотрелся в белый лист, включая все свои экстраординарные возможности.

Внезапно белизна протаяла в глубину, страница превратилась в окно, глядящее на бескрайний снежный простор с редкими кустиками и сухими былинками, проклюнувшимися сквозь снег. Лишь спустя несколько мгновений Дар сообразил, что кустики серой травы и былинки на самом деле представляют собой гигантские сооружения, видимые с расстояния в десятки километров. А вот холмистое снежное поле так и осталось снежным полем, разве что снежные барханы теперь превратились в огромные пологие горы, каждая из которых могла запросто вместить такие горные страны Земли, как Тибет или Гималаи.

Дар захлопнул книгу, чувствуя, что мир «за окном» страницы начинает оживать. Посидел немного, приводя в порядок растрепанные чувства. Интуиция была права: книга таковой не являлась. Неведомым ухищрением технологии ее хозяева создали коллекцию разнообразных миров, упакованных в плоские двумерные листы. Однако стоило обратить на лист внимание, как он превращался в мир трехмерный, и в нем начиналось движение, рождалась жизнь.

«Отдам отцу, — подумал Дар, пусть — разбирается с советниками. Если только Дарья не заберет книгу. Кстати, она должна знать, что это такое на самом деле».

Он отложил тяжелый фолиант, взял стакан. Звездочки, образующие стенки стакана, ничем скреплены не были и тем не менее создавали некий объем, по форме действительно близкий к обыкновенному, круглому, стеклянному стакану. Внутрь него можно было всунуть палец, положить камешек, а может быть, и налить воды. И все же ощущение г л у б и н ы, исходящее от стакана, указывало на его иное предназначение. Дар не удивился бы, раскройся стакан неким тоннелем в другой мир, где узор мигающих звездочек превратился бы в настоящее созвездие.

Тяжелая чаша с выдавленной на внешней и внутренней поверхностях вязью иероглифов тоже создавала впечатление запрятанной внутри силы. В ее дне виднелось углубление размером с человеческий зрачок. Дар попытался заглянуть в него, максимально обострив зрение, и увидел еще одну миниатюрную чашу, копию настоящей, только в сто раз меньше. Мало того, ему показалось, что и внутри этой мини-чаши прячется еще одна такая, совсем уж крохотная.

«Эх, микроскоп не помешал бы, — почесал в затылке молодой человек. — Сдается мне, эта штуковина имеет не один «этаж». А вот с этим камешком мы уже знакомы».

Он не удержался, перевернул плоский голыш с мигающей искрой. Тот исчез. Дар подождал, заметив время. Голыш вынырнул из невидимости на прежнем месте через две минуты. Странно, раньше его исчезновение длилось больше, минут пять. Но бог с ним, все равно непонятно, что это такое.

Дар взял в руки нож, холодный, тяжелый, хищно красивый, с рядами непонятных углублений и выпуклых глазков на рукояти. Его лезвие было очень острым и разрезало любой материал, ткань или дерево, и даже камни. Дар уже пробовал. И все же считал, что функции резания и нанесения ран у ножа не являются главными. В нем таилась непонятная грозная мощь, имеющая совсем другой смысл. Нож был не просто оружием, он действительно был а р т е-ф а к т о м.

Дар повертел его в пальцах, царапнул острием камень, вгляделся в рисунок дырочек и глазков на рукояти. Показалось, что в глазках отразился в н у т р е н н и й свет. Показалось ли?

Дар поднес нож к глазам, снова обостряя зрение.

В следующий момент его швырнуло в сторону как мячик! Нож выпал из руки.

Уже не нож — меч! Длина, да и все размеры его скачком увеличились в несколько раз!

Дар встал, не понимая, что происходит. Потянулся к удивительному ножу-мечу, но взяться за рукоять не успел, получив еще один толчок в грудь — мягкий и одновременно массивный, могучий, словно человека отбросил лапой пушистый зверь величиной с дом!

Полетели на землю и артефакты, к счастью, в ту же сторону, куда унесло и Дара.

Нож между тем снова вырос в размерах, теперь он стал длиной в несколько метров, охваченный сеточкой голубоватых змеящихся молний.

Еще удар!

На сей раз «экспериментатор» был готов к толчку и не упал, хотя его отнесло от ножа еще на десяток метров.

А затем с гулким грохотом, сотрясшим воздух и землю под ногами, нож превратился в огромное, сверкающее металлом и сеткой молний сооружение с гармоничным рисунком вмятин, решеток и выпуклых щитов, напоминающих фасеточные глаза стрекозы.

Молнии некоторое время вились вокруг него, распространяя запах озона, и погасли.

Дар, задрав голову, в немом изумлении смотрел на «рукоять меча» стометровой высоты и думал... да, в общемто, ни о чем не думал. Просто смотрел.

Глава 3

Термин «ксенореволюция», придуманный Железовским еще двадцать лет назад, приобрел неожиданный пугающий смысл. Пришедший к власти Орден абсолютной свободы личности воплотил этот термин в реальность, сделал достоянием истории.

Сформировалась странная двойственная структура: официально власть поддерживала прежние моральные законы и установки о «всеобщем равенстве», спецслужбы по-прежнему продолжали бороться с криминальными элементами и следить за порядком, но вместе с тем появились отряды либеро — охотников за высокорейтинговыми — в отрицательном смысле — политиками и криминальными авторитетами. Эти отряды поддерживались на государственном уровне, хотя власти это отрицали. Они были заинтересованы в результате, а не в скандалах, связанных с убийствами противников режима.

Интрасенсы первыми поняли всю пагубность такой практики, попытались выступить с обращением к общественности, и на них, на единственную надежду человечества спастись от деградации, началась сначала тихая — нечто вроде выдавливания за пределы социума, а затем «громкая» охота, практически война, сопровождаемая потерями с обеих сторон.

Интрасенсы, несмотря на врожденную индивидуалистичность, на какое-то время объединились и смогли дать достойный отпор либеро, вынудив их действовать осторожнее. Наступило зыбкое равновесие, длившееся годы. Но, на беду интрасенсов, на сторону охотников перешли интрасенсы-изгои, отщепенцы, считавшие себя обделенными и неоцененными, жаждавшие признания и той же власти. А затем Орден узаконил «тотализатор смерти», и война земного социума с «суперами» перешла в стадию карательных акций, оплачиваемых толпой обывателей — теми, кто все свободное время проводил у виомов и платил ликвидаторам, то есть охотникам за преступниками. Или за теми, кто считался преступником и чей рейтинг непопулярности превышал среднестатистический балл. Интрасенсы же были очень непопулярны в глазах сытого обывателя, зомбированного видеопередачами.

К моменту похода Дарьи Мальгиной в поисках исчезнувшего отца охоту «на ведьм» — интрасенсов — поддерживало большинство населения Земли. Хотя на уровне ВКС, СЭКОНа и местных администраций закон запрещал охоту на инакомыслящих и инакоживущих. Поэтому интрасенсы редко, но все еще работали в государственных учреждениях, на благо цивилизации, веря в ее духовное возрождение. К примеру, Аристарх Железовский продолжал служить в статуправлении ВКС, занимая пост начальника отдела эфанализа. Его жена Забава Боянова, в прошлом — историк и лингвист, несмотря на возраст — она была старше мужа на двадцать лет, — работала в погранслужбе УАСС — экспертом по внутренним конфликтам.

Джума Хан интрасенсом не был, но все еще работал в земном секторе Службы безопасности УАСС как специалист по психопатологии преступников. Игнат Ромашин давно ушел с поста комиссара Службы безопасности и работал теперь в «тихом» аналитическом отделе этой же Службы, что давало ему возможность быть в курсе всех ее дел и расследований.

До своего исчезновения Клим Мальгин тоже числился сотрудником государственного учреждения — Института нейропроблем. Правда, бывал он там редко и только если требовалась его консультация как великолепного нейрохирурга.

Его дочь Дарья унаследовала все способности отца, но пользовалась ими осторожно. Она училась в Московском университете на факультете социальных сопряжений, но ни учителя, ни ее сокурсники не знали и не догадывались, что Дарья интрасенс. Знала только Аума, дочь Джумы Хана, и Карой Чокой, его жена.

Лишь Купава, жена Мальгина, нигде не работала, не считая редких консультаций по картрузингу, уделяя все время воспитанию дочери, но тому были свои причины. Клим не хотел подвергать ее жизнь опасности, так как было известно, что она жена интрасенса, а за родственниками «суперов» либеро охотились не менее ожесточенно, чем за интрасенсами. Для последних терять близких было больнее, нежели погибнуть самим.

Сначала Купава сопротивлялась, потом, после попытки покушения на нее — Клим успел вовремя и уничтожил всю группу охотников в количестве шести человек, — она нашла себе занятие — научилась ткать гобелены, стала настоящей искусницей, и теперь во всех квартирах и домах друзей висели ее изделия, очень красивые, вызывающие изумление и восторг тонкой работой и вкусом.

Из своей уютной квартиры в модульном доме на окраине Рязани — сто одиннадцатый этаж, уровень 2, четыре комнаты — Мальгины переехали в Брянск, еще когда Даше пошел пятый годик, и с тех пор жили в новостройке, в так называемом «квазиживом доме-организме» в форме гриба, который являлся самоподдерживающейся биосистемой с инк-управлением. Дом имел два пояса защиты и охрану, так что был в каком-то смысле хранителем своего ценного жилищно-человеческого фонда. Во всяком случае, либеро приближаться к нему не рисковали. Пока.

После встречи с друзьями отца Дарья решила начать подготовку к новому походу в будущее, с помощью трансфера и сети орилоунского метро, и вызвала Ауму. Девушки составили перечень необходимого, план действий, и Дарья позвонила Железовскому, чтобы сообщить, что она готова. Добавила:

— Все идет хорошо.

Аристарх выслушал ее, не дрогнув лицом, потом сказал:

— Все идет хорошо, только мимо... Ты можешь подскочить ко мне через полчаса?

— Могу, — кивнула озадаченная девушка.

— Жду. — Без лишних слов математик выключил виом связи.

— Что он задумал? — поинтересовалась Аума. — Уж не хочет ли присоединиться к нам?

— Скорее попробует уговорить не рисковать.

— Можно, я с тобой?

— Не стоит, — покачала головой Дарья. — Он тебя видел, но не пригласил, я пойду одна.

— Тогда я подожду тебя в холле института.

Подруги натянули стандартные уники, превращавшие их в сверкающие металлические статуэтки, и отправились к метро на такси. Через полчаса Дарья переступила порог рабочего модуля Железовского.

У главного математика статистического управления ВКС были гости: Джума Хан и рыхлый с виду смуглолицый толстяк с лысиной на полчерепа. Дарья удивилась: в нынешние времена любой мог вырастить себе волосы какой хочешь длины и цвета, — но эмоций не выразила.

— Проходи, садись, — шевельнул каменными губами Железовский. — Знакомьтесь: это Даша Мальгина, Даша — это Герхард Маттер, универсалист, ксенопсихолог, физик, спец в области космологиии, теории элементарных частиц, засекреченный агент Сопротивления.

— Чрезвычайно рад! — расплылся в улыбке Маттер, с любопытством оглядев девушку. — Говорят, вы любите кататься на орилоунском метро?

Дарья смутилась, исподлобья взглянула на хозяина кабинета. Тот дернул уголком губ, намечая улыбку.

— Яблочко от вишенки недалеко падает. Ее папаша тоже известный рисконавт.

— Кстати, вот такой вопрос: орилоуны создали свою сеть мгновенного транспорта задолго до того, как человечество вышло в космос и построило свое метро, почему же орилоунская Сверхсеть имеет выход на нашу?

Все посмотрели на ученого.

— Что ты хочешь сказать, Герхард? — озабоченно проговорил Джума Хан.

— Вы не задумывались над этим?

— В голову не приходило.

— А ты, Аристарх?

— Да, это проблема, — с некоторым удивлением сказал Железовский. — Пожалуй, ты прав, об этом стоит задуматься. Вопрос из категории детских, но именно на такие вопросы трудно найти ответы. У тебя уже есть ответ на свой вопрос?

Маттер засмеялся, глазки его неопределенного цвета отразили удовлетворение.

— Я постоянно задаю детские вопросы. Существует вероятность того, что орилоуны изначально создавали «нервную систему» Вселенной, а не просто сеть метро, а система эта соединяла не только все области пространства с разными свойствами, но и прошлое с будущим.

— Но тогда они должны были знать о появлении человечества, — пожал плечами Джума, — и заранее подготовиться к встрече.

— Разумеется, они знали. Точнее, не они, а Вершители, орилоуны же были только строителями и архитекторами, исполнителями их планов.

— В таком случае они могли корректировать развитие любой цивилизации.

— Они и корректировали.

Джума скептически изогнул губы.

— Что-то я не встречал в исторических хрониках упоминаний о встречах землян с Вершителями.

— Просто ты плохо знаешь мифы и легенды.

— При чем тут мифы?

— По сути это и есть исторические хроники, упакованные соответствующим образом в литературные фантазии. Но речь не об этом. Если бы орилоунское метро не имело линии связи с прошлым и будущим, ни сэр Клим Мальгин, ни его очаровательная дочь в будущее попасть не смогли бы. Конечно, есть шанс, что это а л ь т е р н а - т и в н о е будущее, связанное с таким же многовариантным прошлым, поскольку эта связь крайне нелинейна. Существуют по крайней мере десять ориентированных геометрий мироздания и восемь неориентированных. К примеру, лента Мебиуса — это двумерная неориентированная геометрия, так называемая матрица Калуцы — пример неориентированной четырехмерной геометрии, сфера Сабатини, или эйнсоф, — бесконечномерная неориентированная геометрия, а вот наше трехмерное пространство Евклида уже является примером ориентированной геометрии. Или вот двумерный суперáналог модуля римановой поверхности...

— Подожди, Герхард, не влезай в дебри научных терминов, выражайся яснее. Если Аристарх понимает тебя, то я не совсем.

— Пожалуйста, — не обиделся ученый. — Так вот, возможно, в нашу Вселенную Вершители вложили некий закон, диктующий сроки жизни технологических цивилизаций, а сеть орилоунского метро понадобилась им для ускорения процесса. Ведь мы наткнулись на нее случайно.

— Какого процесса? Ты сказал — для ускорения процесса...

— Как вы объясняете тот факт, что мы, заселяя Галактику, все время натыкаемся на с л е д ы цивилизаций? Мало того, почему эти следы представляют собой в большинстве случаев черные дыры или гравастары?

— Ну-у... не знаю... не думал...

— А я вдруг задумался — и знаете к какому выводу пришел? В нашем сетчато-ячеистом домене Вселенной Вершителями запущен процесс ускоренного онтогенеза черных дыр.

— Зачем?

Маттер развеселился, развел руками.

— Это уже другой вопрос. Советую почаще задавать себе вопросы, на которые принципиально нет ответов.

— Разве такие существуют?

— В силу нашего ограниченного ума — да. Попытайтесь, если у вас получится — сниму шляпу. Ибо л ю б о й заданный вопрос, добавлю еще — и п р а в и л ь н о сформулированный, уже несет в себе ответ.

Джума Хан посмотрел на неподвижного Железовского.

— Ты что-нибудь понял?

Человек-глыба шевельнулся, вздулись и заиграли мышцы плеч.

— Герхард мыслит почти так же, как и я, хотя он бо́льший оригинал. Он первым вышел на систему вопросов, связанных с финалом нашей родной цивилизации. Дарья была свидетелем деградации человечества к середине шестидесятого столетия. Ее отец видел глубокое будущее, где уже не было места цивилизации подобного типа.

— При чем тут черные дыры?

— Вспомни маатан. Каждый из них был по сути зародышем черной дыры, а сам Маат — планетой-маткой. И на его месте, как все мы знаем, теперь находится черная дыра. Маатане накапливали энергию, информацию, массу и способствовали инициации черных дыр во всем обозримом пространстве домена.

— Это еще надо доказать.

— Уже есть статистика, отражающая этот закон, я тебе покажу.

— Я пришел поделиться наблюдениями, — вставил Маттер. — Дело в том, что развертка эйнсофа породит взрыв типа сверхновой звезды, который, в свою очередь, вызовет ударную волну давления в газе нашего звездного рукава...

— Мы уже говорили об этом, — буркнул Хан.

— ...что инициирует формирование массивных звезд, — закончил Маттер невозмутимо. — Так вот, эйнсоф пытаются развернуть.

— Кто?

— Мы, люди. Не мы с вами лично, а все человечество, не ведающее, что творит. Эйнсоф в настоящее время действительно зародыш черной дыры, он поглощает свет и плазму Солнца, но не хватает, как говорится, «мощности» ситуации. Необходима добавочная энергия, внешний толчок, чтобы эйнсоф взорвался.

— Но ведь даже массы Солнца не хватает, чтобы начался коллапс...

— А много ли эйнсофу нужно? Как вы думаете, завод МК на Меркурии для чего создан?

Хан вопросительно посмотрел на Дарью, сидевшую тихо, как мышь, потом на Железовского.

— МК... мини-коллапсары... это же «энергоконсервы» для космофлота...

— Технология МК, по сути — миниатюрных черных дыр с активным выходом, также создана людьми не случайно. Отсюда недалеко и до «настоящих» черных дыр.

— Что ты нас пугаешь?

— Не пугаю, предупреждаю. В последние несколько

лет ученые, занятые исследованиями свойств эйнсофа, постоянно запускают в него капсулы с МК. Понимаете, о чем речь? Я не знаю, когда он взорвется, но уверяю вас: конец близок. Надо как-то помешать безумцам.

— Как?

— Не знаю. Это ваша забота, вы работаете на безопасность, вы должны принять меры, вам и карты в руки.

— Хорошо тебе говорить — должны...

— Я только ученый. — Лицо Маттера сделалось виноватым, и Дарья простила ему не слишком опрятный вид.

Железовский посмотрел на нее с прищуром.

— Твой отец знал реальную ситуацию и работал над проблемой нейтрализации эйнсофа. Его исчезновение не случайно. Не хочу утверждать, что его убрали... некие силы, контролирующие процесс свертки цивилизации, Клима трудно уничтожить физически, но его долгое отсутствие беспокоит. Вот почему поиск твоего отца следует продолжить. Однако на этот раз ты пойдешь не с Аумой.

— А с кем? — удивилась Дарья.

— Со мной.

Девушка с недоверием посмотрела на собеседника.

— Но, дядя Аристарх... вы же такой...

— Какой?

— Трансфер может перебросить массу не более двухсот килограммов...

— А кто сказал, что я отправлюсь через твой трансфер? У меня будет свой, не возражаешь?

— Откуда?!

— Это уже мое дело. Игнат помог отыскать последний из той партии, что хранились в Службе. Иди собирайся, отправляемся в три часа дня. И никому ни слова!

— Я готова.

— Прекрасно, жди, я прилечу за тобой.

— А мне с вами нельзя? — индифферентно поинтересовался Джума Хан.

— Ты нужен здесь, — посмотрел на него недовольно Аристарх. — Кроме тебя, контролировать деятельность наших врагов из Службы некому.

— Я понимаю, — вздохнул Джума.

— Конечно, я тоже с большим удовольствием полетел бы с вами, — сказал Маттер, — если бы нашлось место. Очень уж хочется посмотреть на ваших отеллоидов. Чутье мне подсказывает, что они какие-то дальние родственники маатан.

— Разберемся, — пробурчал Железовский.

— Так я пойду? — встала Дарья.

— Иди.

— Может, все-таки возьмем с собой Ауму? Она очень неплохо подготовлена и...

— Нет, — отрезал Железовский.

Дарья поджала губы и вышла.

— Красивая девочка, — кивнул на дверь Маттер, — и очень похожа на отца.

— У тебя еще есть что сказать? — кинул на него мрачный взгляд Железовский.

— Если бы не охота за нами, было бы гораздо проще. А так приходится все время оглядываться и прятаться. Кстати, охота на интрасенсов, на мой взгляд, тоже является частью программы генезиса черных дыр. Ведь они единственные, кто реально способен помешать рождению черной дыры хотя бы в единичном конкретном случае — в данной звездной системе.

— Это еще надо доказать, — повторил свое любимое выражение Джума.

— Что тут доказывать? Хищники мы. Хищниками были и хищниками остаемся. А хищники всегда и везде больше разрушают, чем создают. Все наши так называемые «творческие устремления» в конечном итоге направлены на создание средств уничтожения. В двадцатом веке создали атомную бомбу, в двадцать первом вакуум-бомбу, в двадцать втором «дыробой» — генератор свертки пространства в «струну», что тоже, по сути, может применяться в качестве оружия колоссальной мощности. В наше время появился эйнсоф...

— Ну, эйнсоф получился случайно, «кусок» «суперструны» откуда-то приволок на Землю Дан Шаламов.

— Вы уверены, что это случайность?

Джума пожал плечами, не желая спорить.

— Все, друзья, — тяжело хлопнул ладонью по столу Железовский, — переливать из пустого в порожнее можно долго, только истина при этом не родится.

Маттер поднял руки ладонями вверх, поднялся.

— Пожалуй, пойду я работать, коллеги, с вами скучно, вы все понимаете с полуслова либо вообще не понимаете, а я привык долго и нудно объяснять свою позицию. Старею, наверно.

— Мудреешь, — прищурился Хан.

— Мудрость не всегда приходит с возрастом, — усмехнулся Железовский, — иногда возраст приходит один.

Маттер засмеялся, помахал рукой и вышел. Он редко на кого обижался, а тем более на друзей.

— Не верится, что он интрасенс, — понизил голос Джума, глядя ему вслед.

— Вот Служба за ним поэтому и не следит. Хорошо маскируется старик. Что ты хотел мне сказать наедине?

— Откуда ты знаешь, что я имел такое намерение?

— Мысли прочитал.

— Больше не читай.

— Не буду.

— В час дня нас ждет Игнат, хочет показать эйнсоф вблизи.

— Зачем? Ему что, делать нечего? Я и так знаю, как выглядит эйнсоф.

— Дело в том, что сменилась группа исследователей эйнсофа. Теперь ее возглавляет Казимир Ландсберг, наш хороший знакомый по делам двадцатилетней давности. Понимаешь, к чему это может привести?

— Я думал, он уже не всплывет.

— Дерьмо не тонет, Аристарх, а тем более дерьмо чиновничье, самовлюбленное и атавистически ревнивое к чужим успехам. Говорят, планируются какие-то громкие эксперименты с эйнсофом, но доступа к базам данных Ландсберга у нас нет.

— Так вскройте их!

— Стараемся, однако у него очень хорошая защита, плюс ему помогает кто-то из наших. Я имею в виду интрасенсов.

Железовский нахмурился, побарабанил пальцами по столу, поднялся.

— Я попытаюсь выйти на этого подонка. Идем, уже скоро час. Где Игнат будет ждать нас?

— На втором СПАС-терминале Меркурия. Там работают наши люди.

— Поехали.

Железовский зашагал к лифту, ступая легко и бесшумно, несмотря на свои габариты и вес. Хан с уважением посмотрел на его мощную спину, подумал: хорошо иметь такого друга. И пусть трепещут враги!

Лифт доставил обоих к станции метро ВКС, откуда они за несколько секунд переместились с Земли на Меркурий, преодолев почти двести миллионов километров[1].

---

[1] Максимальное расстояние от Земли до Меркурия может достигать двухсот двадцати миллионов километров.

Второй СПАС-терминал на Меркурии принадлежал базе спасательного флота, располагавшейся всего в двадцати шести километрах от объекта, который называли то сферой Сабатини, то эйнсофом. Поскольку объект постепенно увеличивался в размерах, поедая при этом породы планеты, хотя он уже давно висел в нескольких километрах над ней, базу перенесли в другое место, однако сама станция еще работала. Теперь здесь обитали небольшая группа наблюдателей за эйнсофом и смена спасателей, готовая вылететь по первому вызову в любую точку планеты.

Коридоры станции были практически пусты. Изредка пробегали озабоченные молодые люди в кокосах с эмблемами УАСС на рукавах да проплывали функциональные автоматы разного назначения.

Свернули к транспортным ангарам. Навстречу откуда-то вывернулся человек в блестящем унике, с круглой курчавой головой. Лицо у него было бледное, нос маленький, губы узкие, кривящиеся в непонятной усмешке. Бледно-голубые глазки смотрели оценивающе и недобро.

— Ба, Геракл Железовский! — остановился он, разглядывая друзей. — Я думал, ты давно сбежал с Земли.

— То же самое я думал о тебе, — пророкотал Аристарх. — Ты всегда хорошо ориентировался в обстановке.

— Зачем же мне бежать? — пожал плечами незнакомец. — Мне и здесь неплохо живется. — Он перевел взгляд на Хана. — А это, очевидно, знаменитый Джума Хан, бывший врач «Скорой помощи», дружок Мальгина.

Джума сдержанно поклонился.

— Что ты делаешь на Меркурианской базе? — спросил Железовский.

— Этот же вопрос я хотел задать тебе, — хмыкнул курчавый. — Однако я тороплюсь, господа, извините. Встретимся как-нибудь в другой обстановке, поговорим.

Он кивнул, смерил обоих взглядом и зашагал по коридору к метро. Оглянулся, задержался на мгновение, исчез.

— Кто это? — поинтересовался Джума.

— Вацек Штыба, — буркнул Железовский, у которого испортилось настроение. — Бывший сотрудник комиссии по надзору за несовершеннолетними преступниками. Социоэтик. Я не видел его уже лет семь. Кстати, он из наших.

— Я понял, — кивнул Джума. — Неприятный тип. Интересно, что он тут делает?

Железовский промолчал.

Они добрались до зала визинга, венчавшего башню обзора, и остановились, разглядывая пейзаж Меркурия, похожий на лунный, оранжево-красную куполовидную гору солнца за горизонтом — видеоавтоматика притушила накал светила, однако смотреть на него долго все равно было невозможно — и удивительное вихревое образование в небе Меркурия, состоящее из непрерывно шевелящихся струй сизо-прозрачного дыма. Образование напоминало ядро кометы, фонтанирующее струями пара, внутри которого вспыхивали бледно-лиловые зарницы и облака ярких звездочек. От каждой зарницы ландшафт под «ядром кометы» передергивала судорога искривления, почва вздрагивала, пол в зале уходил из-под ног, снизу в зал пробивался низкий затихающий гул.

В зале находилось трое косменов. Двое сидели за монитором видеосвязи, третий стоял, сложив руки на груди. Оглянулся на вошедших, подошел. Это был Игнат Ромашин.

— Ну, как?

— Впечатляет, — качнул головой Джума Хан. — Вход в преисподнюю!

— Это вход во вселенную с иными законами, куда людям нет доступа.

— Зачем ты пригласил нас сюда? — сказал Железовский недовольно. — Я мог бы полюбоваться на эту дырку в вакууме из своего кабинета.

— Через несколько минут научники института запустят туда очередной зонд с порцией МК, мне интересна ваша оценка.

— Вряд ли наша оценка что-либо изменит, — скептически заметил Джума. — Вот если бы мы могли нырнуть в эйнсоф, увидеть, что там происходит, вернуться и рассказать...

— Нырнуть можно, — поморщился Железовский, — а вот рассказать — вряд ли. Это все равно что рисовать свет или объяснять на пальцах музыку. Не хватит ни слов, ни воображения. Ты давно здесь стоишь?

— Минут десять.

— Мы только что встретили Вацека Штыбу.

Глаза Ромашина сузились, похолодели.

— Он здесь? Один?

— Может быть, и не один. Увидев нас, сильно удивился и заспешил. Уж не он ли тот самый таинственный помощник Ландсберга — интрасенс?

— Не удивлюсь, если это так. Что он делает на Меркурии?

— Спроси у него.

— Надо бы последить за ним. Джума, есть у нас ребята, способные тихо сесть на хвост интрасенсу?

— Поищем.

— Внимание! — раздался под куполом зала мягкий баритон инка. — Произведен запуск зонда к объекту. Даю отсчет. Сорок пять, сорок четыре, сорок три...

На фоне багровой горы Солнца разгорелся пульсирующий огонек, упал в текучее облако эйнсофа, пропал из глаз. Несколько секунд ничего особенного не происходило. Вихри и струи развороченного многомерной ямой пространства беззвучно крутились вокруг черного зрачка ядра эйнсофа, заставляя содрогаться ландшафт планеты. Потом произошло нечто вроде короткой судороги, передернувшей облако-дыру эйнсофа, оттуда выметнулись пронзительно яркие лучи голубого света, ударили во все стороны, превращая эйнсоф в удивительного ежа, и одновременно с этим содрогнулся, казалось, весь Меркурий! Волна гула прокатилась по зданию базы, башня обзора качнулась, завибрировала. Короткая дурнота сжала желудки всех присутствующих.

Операторы продолжали работать как ни в чем не бывало, они привыкли к эффектам, сопровождавшим эксперименты с эйнсофом. Гостям же стало не по себе.

— С-сволочи! — шепотом выругался Джума.

— Такие вот пироги, — сказал Ромашин хладнокровно, почесав бровь. — К проблеме надо срочно подключать «копыто»[1] интрасенсов. Одному Маттеру не справиться, будь он даже семи пядей во лбу. Я пригласил вас сюда еще и потому, что сегодня над сферой Сабатини видели богоида.

Джума Хан и Железовский с одинаковым недоверием посмотрели на бывшего комиссара Службы.

— Это не блеф?

— Нет, к сожалению. А, как вам должно быть известно, там, где появляется глазастый фантом, всегда случается катастрофа. Ждать осталось недолго. Нам здорово помог бы Клим, если бы был с нами. Есть соображения по его поиску?

— Через два часа я с Дашкой отправляюсь по плюс-линии орилоунской Сети, — сказал Аристарх. — В настоящем Клима искать не стоит, я бы его почуял. Значит, он там, в будущем.

— Или в прошлом, — философски заметил Хан.

— Или в прошлом.

— Но я бы взял с собой кого-нибудь понадежней, чем Даша. Девочка она хорошая, и тем не менее...

---

[1] Система конденсированного опыта.

— Не обижай девочку, — сказал Железовский. — Она неплохо подготовлена. К тому же она сенс и тонко чует связь с отцом, а это немаловажно.

— Тебе решать.

— Не спорьте, — сказал Ромашин. — Совет Сопротивления дал добро на поход. Но я посоветовал бы отправить куда-нибудь в укромное место, подальше от Земли, всех наших близких: Забаву, Власту с дочкой, Купаву, Карой и других. Пока мы не найдем способ нейтрализации эйнсофа. Старики и женщины всегда могут стать объектами захвата и шантажа. А без них у нас будут развязаны руки.

— Забава не согласится, — с сомнением мотнул головой Железовский. — Я уже говорил с ней. Да и сестричка ее тоже.

— Поговори еще раз, убеди.

— Попытаюсь, конечно. У тебя все?

— Поехали на Землю, меня ждут в Службе.

Мужчины еще раз оглядели ландшафт Меркурия с «дышащим» облаком эйнсофа и вышли из зала в коридор. А у входа в терминал метро их остановил патруль Службы безопасности Солнечной системы: четыре «киборга» — инспекторы, облаченные в спецкостюмы, вооруженные «универсалами» на плечевых турелях, и лейтенант-командир в синей форме официала Службы, с личным «маузером» в кобуре на поясе.

— Спокойно, господа! Прошу предъявить документы! Хан, Ромашин и Железовский переглянулись.

— В чем дело? — спокойно осведомился Игнат, покосившись на появившуюся сзади еще одну четверку «киборгов».

— Они вооружены! — произнес один из инспекторов.

Стволы «универсалов» на плечевых турелях угрожающе уставились на тройку друзей.

— Я не вооружен, — развел руками Железовский, прикидывая, могут ли они пробиться к метро в случае надобности или нет.

— Я тоже, — сказал Ромашин.

Джума расстегнул уник, достал пистолет-парализатор «дерк», протянул рукоятью вперед лейтенанту.

— Я имею право на ношение оружия. Вот мой сертификат. — Он показал золотистый прямоугольник с красной полосой и эмблемой УАСС.

Лейтенант повертел в пальцах прямоугольник, сказал, обращаясь, очевидно, по рации к дежурному меркурианского сектора Службы:

— Гир, проверь идентификат на «пушку», номер сто шестнадцать семьсот один.

Ответ пришел через несколько секунд.

— Да, я понял. — Лейтенант вернул удостоверение, козырнул. — Все в порядке, можете быть свободны. Нам сообщили, что на территорию базы проникли посторонние.

Железовский поймал красноречивый взгляд Джумы, говорящий: «Это Штыба сообщил!»

— А эти господа с вами? — продолжал командир обоймы безопасников.

— Это эфаналитик центрального аппарата СБ Ромашин, а это главный эксперт статуправления ВКС Железовский. Еще вопросы есть?

— Нет. — Лейтенант еще раз козырнул. — Однако с третьего сентября введен новый порядок допуска на режимные объекты Меркурианской зоны. Нужен специальный пропуск, зарегистрированный ограничительной комиссией СЭКОНа, с подписью начальника службы охраны объектов.

— Кто начальник?

— Заместитель директора исследовательского центра Вацек Штыба.

Мужчины снова обменялись взглядами.

— Понятно, — вежливо сказал Ромашин.

Лейтенант кивнул, сделал знак подчиненным, и восьмерка «киборгов» скрылась за углом коридора.

— Каждый раз, когда я вспоминаю, что господь справедлив, я переживаю за человечество, — пробормотал Джума Хан.

Глава 4

Ужас и восторг — вот что он испытал, глядя на гору космического корабля, всего минуту назад бывшего обыкновенным ножом. Что это именно космический корабль, Дар не сомневался, его интуиция редко ошибалась в оценке подобных объектов.

— Ну и что я теперь с ним буду делать? — вслух проговорил он, отступая к лесу, чтобы охватить гору корабля одним взглядом.

«Как что — войти, осмотреть, подчинить управителя, в хозяйстве пригодится», — ответил голос рассудка.

«И то верно, — подумал Дар, успокаиваясь. — Ничего особенного в этом ноже нет. Подумаешь, был маленьким — стал большим. Похоже, все артефакты деда Дарьи обладают одним и тем же свойством — многомерной упаковкой. Картины, книга, чаша... теперь нож... Одна и та же технология».

«Может, и не одна, — не согласился голос рассудка, — но дела это не меняет. Не медли, иди внутрь, пока не заявились непрошеные гости, беривсеи или отеллоиды».

Дар окончательно пришел в себя, привычно сосредоточился на в х о ж д е н и и. Через короткое время его мозг стал частью природного резонансного биоконтура, резко раздвинул диапазоны чувствования молодого человека.

Сфера гиперзрения накрыла необычный космический корабль, сделала его почти прозрачным для мысленных «щупалец». Дар просканировал гигантское сооружение, быстро разобрался в его конструкции. Относительно разобрался, конечно, в базовом масштабе, определив, где находится центр управления, где генераторы движения и силовое оборудование, где каюты экипажа и грузовые отсеки. Каюты больше всего напоминали соты с выходами в центральное помещение, а сам корабль — улей. Хотя вполне возможно, что эта оценка была лишь попыткой сознания приблизить увиденное к багажу знаний и опыта молодого человека.

В остальном космолет остался тайной за семью печатями, потому что, во-первых, инк корабля не отзывался, хотя на борту присутствовал, а во-вторых, корабль явно строили не люди. Все его пропорции, форма внутренних помещений, интерьеры, расположение основных узлов, а также некая ч у ж е р о д н о с т ь, наполнявшая объем корабля, говорили о совершенно ином подходе к подобного рода сооружениям. Люди создавали свои машины в каком-то смысле подобными себе, их конструкции имели «голову», «сердце», «ноги-руки», «нервную систему», «скелет» и «кровеносные сосуды» — коридоры. Корабль, вылупившийся из ножа, представлял собой единый организм, любая часть которого могла нести любую функцию, в зависимости от воли тех, кто на нем летал. Этот организм был живой — как земные машины, но п о д о б н ы й своим создателям, облик которых представить было трудно. Скорее всего их тела состояли из множества отдельных элементов, формирующих сетевые или системные структуры для тех или иных действий по мере надобности.

Тем не менее Дар сумел понять принципы организации корабля и вскоре сообразил, каким образом можно заставить его центральный мозг-компьютер повиноваться.

Сфера сознания чужого инка оказалась весьма специфичной, он мыслил не так, как человек и его интеллектуальные изделия, поэтому пришлось растворить свое сознание в геометризированной вселенной чужого компьютера — с риском получить психический шок — и подыскивать переводы понятий, смысл которых совпадал с известными Дару символами и представлениями. Спустя четверть часа безмолвной борьбы с мозгом корабля Дар определил его основные зоны оперирования и переключил контур управления на себя. Остальное уже было делом техники. Управляющий космолетом инк перестал «нервничать» и начал отвечать человеку, поверив, что он «свой». Ну, если и не совсем свой, то уж точно не чужой.

Входной люк открылся, точнее — сформировался в корпусе корабля как раз напротив чистодея. Дар, слегка осоловевший от нервного перенапряжения, не задумываясь, шагнул в темноту входа.

Вспыхнул странный розовый свет, обволакивающий тело, как бесплотное желе. Дар оказался внутри необычной формы помещения, похожего на желудок, стенки которого состояли из множества наплывов, утолщений, бугров и рытвин. Еще этот «желудок» чем-то напоминал полурасплавленные пчелиные соты, разве что ячейки его имели в сто раз большие размеры.

Интересно, что это такое на самом деле? Переходный тамбур? Дезактивационная камера? Лифт?

Дар передал мозгу корабля импульс недоумения и тут же получил ответ в виде тающих объемных картинок, имеющих один смысл — д в и ж е н и е. Помещение, очевидно, каким-то образом было связано с транспортной системой корабля или представляло собой своеобразную кабину лифта. Лифт же мог здорово сэкономить время для «хозяйского» обхода корабля.

Дар представил, что летит по коридорам, и тотчас же воздух вокруг него уплотнился, а в голове молодого человека вздулся шарик постороннего воздействия, создающий ощущение в о п р о с а. Инк звездной машины спрашивал, куда хочет попасть гость.

Дар представил рубку управления кораблем, где мерцали и переливались, сплетаясь в многосложные узоры, сходящиеся со всех сторон ручейки энергии и мысли.

Тихий замирающий свист коснулся ушей. Мигнули невидимые светильники. Пол помещения конвульсивно дернулся, вспух кольцом вокруг Дара, образуя своеобразную чашу, и эта чаша помчалась вперед, быстро и плавно, вместе с возникшей в стене каверной, как бы проплавляемой в массе корабля невидимым огненным пальцем. Инерция при этом не ощущалась, но Дар был уверен, что его и в самом деле несет странный «лифт».

Тонкий свист. Каверна перестала плыть и лететь, превратилась в круглую дыру выхода. Края чаши оплыли, пол стал ровным. Дар шагнул вперед и оказался в помещении странной формы, состоящем из пересекающихся разнокалиберных каверн и ячеек.

Посреди помещения торчала необычная, многогорбая, стеклянно-фарфоровая конструкция, напоминавшая по форме грубый слепок гигантского насекомого, не то шершня, не то шмеля. По этому в высшей степени необычному образованию ползали темные и светлые тени, стягиваясь в сверкающие и тут же исчезающие звезды. По всей видимости, это было некое устройство контроля и связи с «мозгом» корабля, через которое Дар поддерживал с ним мысленно-чувственный контакт.

Запах в помещении, напоминавшем рубку земных кораблей, стоял странный, сладковато-горький, не слишком приятный, будто здесь разлили бочку прокисшего вареного меда.

— Привет, — сказал хуторянин, разглядывая «собеседника».

В голове родилось знакомое ощущение в о п р о с а. Инк не понимал чувств человека, да и не мог понять, созданный существами, далекими от человеческих оценок, законов, морали, культуры и эстетики.

— Покажи мне свои покои, — продолжал Дар, представляя, что заглядывает в ближайшие помещения.

Ощущение в о п р о с а сменилось н е п о н и м а н и е м.

Дар сообразил, что задал некорректную задачу. Попытался объяснить машине, что от нее требуется. Через минуту обмена мысленными образами и ощущениями мозг корабля наконец уяснил, чего хочет гость.

Ямки и каверны на стенах помещения, складывающиеся в гармоничный узор полурасплавленных сот, вдруг стали прозрачными, и внутри каждой ячейки возникло объемное изображение соседнего отсека — эллипсоидной формы, с багровыми натеками по стенам. Примерно такое же впечатление создает фасетчатый глаз насекомого, в каждой фасетке которого отражается весь окружающий пейзаж, только зал рубки управления был не выпуклым, а вогнутым, и его «фасетки» тоже были вогнутыми.

Дар мысленно опустился ниже, к корме корабля, где располагались какие-то силовые агрегаты.

Изображение в «фасетках»-кавернах зала изменилось, стала видна коричнево-багровая конструкция, напоминавшая свернутые немыслимым образом кишки. В голове молодого человека родилось ощущение м а с с ы и с и л ы. Мозг корабля уже начал приспосабливаться к человеческой мысли и давал понять, что новый хозяин видит главную деталь сооружения — энергореактор.

— Теперь двигатель! — приказал Дар.

В о п р о с, н е д о у м е н и е...

Дар представил космос, создал ощущение полета.

В голове лопнул одуванчик п о н и м а н и я.

Стены рубки отразили в е с ь корабль, сначала снаружи, потом изнутри. Судя по ответу, сам космолет представлял собой двигатель, форму и способ движения которого представить было трудно. Для этого необходим был испытательный полет. Дар даже едва не попросил управляющего поднять корабль в воздух, но вовремя остановился. Время экспериментальной проверки возможностей космолета не пришло.

Побродив визуально по некоторым отсекам, Дар поинтересовался, кто свернул корабль, сжал его до размеров ножа, однако понимания не встретил. Зато после долгих объяснений и переговоров понял, что механизм упаковки космолета в тридцатисантиметровый нож находится в нем самом и включается запороговым мысленным импульсом.

— Отлично! — обрадовался чистодей, потирая руки. — Я могу носить тебя как нож и развернуть в любой момент! Вот будет сюрприз, когда увидят тебя в настоящем виде!

Делать здесь было больше нечего, и он с удовольствием прокатился на чашевидном лифте к выходу из корабля, представив, как удивится Дарья, когда он жестом волшебника небрежно превратит нож в огромный звездный корабль.

Обратная трансформация космолета в нож производила не меньшее впечатление, чем развертка.

В течение долей секунды он разом уменьшился вдвое, засияв, как раскаленный слиток металла. Обратная ударная волна, направленная не вовне, а внутрь точки сжатия, с корнем содрала траву в радиусе полусотни метров, увлекла за собой Дара, так что ему пришлось «растопыриваться» и цепляться за камни и кустики, чтобы удержаться на месте.

Затем точно такая же пульсация сжатия, только раз от разу тише и слабее, повторилась еще трижды, пока гигантский космический корабль не превратился в нож, который можно было носить с собой и пользоваться как обычным режущим и колющим инструментом.

Что при этом уменьшилась и масса удивительного объекта, Дара не удивило. Эффекты многомерного оперирования вполне допускали преобразование массы в энергию на уровне субэлементарных частиц — преонов, кварков, максимонов и квадруполей.

Нож был еще горячий, когда чистодей взял его в руки. Полюбовался чистотой формы, присоединил к коллекции остальных предметов, каждый из которых являл собой волшебное сочетание поразительных свойств. На сегодняшний день экспериментов хватало. Надо было проанализировать то, чему он стал свидетелем, разложить по полочкам, прикинуть план дальнейших испытаний каждого артефакта. И ждать возвращения Дарьи, чтобы задать ей несколько вопросов о природе вещей.

Метаморфозы ножа, превратившегося в космический корабль и обратно, не прошли незамеченными на ближайших хуторах.

Каждый хутор имел свою систему обзора окрестностей и оповещения жителей об опасности. Поэтому внезапное появление в Дебрянском лесу металлической горы, а потом ее исчезновение заставили дружины хуторов забить тревогу. Однако в силу известного русского менталитета: «Авось пронесет», — никто из старшин не послал дружинников узнать, в чем дело, выяснить причины феномена. В том числе и старшина Жуковца Малх. Когда Дар загнал летак в лабаз, старшина лишь спросил:

— Что это было? Ты видел?

На что Дар ответил:

— Появилось из земли и ушло в землю. Очевидно, сработало какое-то древнее сооружение, внезапно проснувшееся от долгой спячки. Издали похоже на защитный форт.

Врать было противно, однако раскрывать старшине тайну ножа не хотелось, и Дар пережил этот внутренний стыд, бормоча про себя: простите меня, святые наставники!

Мама тоже поинтересовалась, что за гул прилетел из леса, а поскольку она прекрасно видела переживания сына, Дар сказал ей правду, что он случайно раскрыл одну из находок, оказавшуюся на самом деле свернутым необыкновенным образом космическим кораблем. Веселина пожурила сына, попросила без отца больше не экспериментировать с чужими вещами, и на этом все успокоилось.

Боряте Дар все-таки рассказал о своем опыте, зная, что приятель не болтлив, и тот, пережив обиду, недоверие и восхищение, пообещал никому из хуторян не говорить о том, что услышал. Он был прям и прост, поэтому Дар с ним и дружил.

Отец прилетел под вечер, озабоченный и занятый своими мыслями. Выслушав покаянный рассказ сына об эксперименте с ножом, он несколько оживился и даже сам решил посмотреть на превращение ножа в космолет. Но пришли старшины других хуторов, старейшины, витязи, отец заперся с ними в приказне и вышел только глубокой ночью, проводил гостей. Заглянул в спальню Дара.

Чистодей спал, но тут же проснулся, сел на кровати.

— Что-нибудь случилось, пап?

Бояр помял лицо ладонями, присел рядом на краешек кровати.

— Невеселые дела, однако. Ты слышал о черноболи под названием Чернобыль? По сути, от этого слова и пошел термин «черноболь».

— Кто же о нем не слышал? Это на востоке, недалеко от хутора Гомль.

— На том месте тысячи лет назад стоял атомный реактор. В двадцатом веке произошла катастрофа, здание реактора закрыли саркофагом, создали стокилометровую зону отчуждения...

— Я знаю, мы в школе проходили.

— В конце двадцать первого века внутри саркофага началась спонтанная ядерная реакция, очень необычная, поломавшая все теории. Был создан еще один саркофаг, но реакция идет до сих пор. Там закрытая черноболь, полигон физиков из Института пограничных проблем...

— Ну и что?

— Недавно у границ черноболи видели отеллоидов. Князь встретил взгляд сына, кивнул.

— Мы обеспокоены. Эти твари все чаще лезут в те места, куда им доступ заказан. В основном это энергоцентры и черноболи. Ты встречался с ними, может, что-нибудь знаешь, чего не знаем мы? Что они ищут?

Дар покраснел. Он так и не удосужился открыть правду отцу о картинах, являвшихся «срезами остановленного времени».

— Думаю, они ищут картины, которые я вытащил из терема на дне болота. — Он рассказал все, что знал сам, закончил: — Именно поэтому отеллоиды и напали на хутор. Они каким-то образом вычислили, что это я был на болотах, и шли точно по адресу.

— Хроники... хроносрезы... — медленно проговорил Бояр, пробуя новые термины на язык. — Возможно, эти картины ценны для них. Однако охота за картинами не объясняет появления черных бродяг в других районах Светоруси. А твои новые знакомые девушки, Дарья и Аума, могут что-нибудь знать об отеллоидах?

— Я говорил с ними, но они с черными раньше не встречались.

— Жаль, было бы неплохо побеседовать с ними, узнать, как им там живется, в смутные времена Ветхой Эры. Ладно, спи, договорим утром. Нож пусть останется у тебя, но больше с ним не экспериментируй. Возможно, он в скором времени понадобится.

— Кому?

Князь потрепал сына по плечу, улыбнулся, встал, могучий телом, сильный, уверенный в себе; все-таки он очень здорово походил на своего предка Аристарха Железовского.

— Мне, тебе, всей общине.

— Мы собираемся путешествовать в космосе?

— Кто знает, может, еще придется. Приятных снов.

Отец вышел.

Дар посидел, перебирая в памяти детали беседы, лег. Сон не шел, в голове стоял легкий шум от десятка вопросов, требующих ответов и внимания. Тогда молодой человек сосредоточился на п у с т о т е, растворяющей мысли и желания. Через минуту он уже спал.

* * *

Дарья и ее черноглазая смуглолицая подруга не появились ни на следующий день, ни через день, ни через два.

Томимый дурными предчувствиями, Дар слонялся из угла в угол терема, гулял по берегу реки с Борятой, участвовал в летних игрищах с молодежью хутора, ходил в дозор с дружинниками, а сам спал и видел, как на лобной площади садится летак и из него вылезает зеленоглазая...

На четвертый день он принял решение самолично отправиться в прошлое и передать ей артефакты. Решение далось нелегко, так как время отдыха кончалось и он должен был выбирать п у т ь. От этого выбора зависело, кем он станет и что будет делать. Но желание вернуть вещи было сильнее. Спустя четыре дня после ухода гостий из прошлого он стал готовиться к походу. Способствовала этому и обмолвка Дарьи, которая спросила — он вспомнил, — знает ли он, как пользоваться кэнконом, который она называла иначе — трансфер.

Дар долго думал, почему она спросила об этом, так как сам признался, что путешествовал по метро Солнечной системы, используя кэнкон, то есть трансфер. Потом снизошло откровение: Дарья и Аума прибыли на Землю будущих времен по другому метро — орилоунскому, так как трансфер способен был переносить своих владельцев на любой уровень мгновенной транспортной сети, охватывающей чуть ли не всю Вселенную.

Конечно, ворочались в голове молодого чистодея и кое-какие сомнения насчет своих прав действовать самостоятельно. Однако он быстро нашел контраргументы этим сомнениям и погасил их. Это была наивная, но увлекательная игра с самим собой человека, имеющего волю запретить себе большинство удовольствий, кроме одного: удовольствия решать с а м о м у свои проблемы.

Князь снова умчался куда-то вместе с Боригором, забыв о своем обещании посмотреть на превращение ножа в космический корабль. Но это было только на руку Дару, который боялся, что отец не разрешит ему отправиться в рискованный поход в прошлое. К тому же без него было легче взять трансфер, хранившийся в столе отца в приказне. Мама же не спрашивала, что затевает сын, лишь мягко, с понимающей улыбкой, попросила его сдерживать порывы и не торопиться. Что она имела в виду, он понял позже.

Провожал его горестно вздыхающий Борята. Целитель понимал, что трансфер, рассчитанный на перенос объекта массой всего до двухсот килограммов, не унесет обоих, но очень хотел пойти с другом, помочь ему найти Дарью.

— Еще, может быть, ничего не получится, — попытался утешить его Дар. — Может быть, нужен какой-то пароль, которого я не знаю.

— Все получится, — махнул рукой Борята. — Я чувствую.

Друзья миновали околицу хутора, встретив только двух женщин, занятых уборкой дворов, углубились по тропинке в лес. Тропинка вела к реке, на берегу которой оба знали укромное место, отгороженное кустарником от любопытных глаз, где можно было загорать и купаться. Почему Дар не раскрыл трансфер в своей спальне, он и сам не знал. Чувствовал, что впереди его ждут приключения, и оттягивал момент прощания.

Экипирован он был не хуже любого космена: уник с полным энергокомплектом, наплечный ранец со сменой белья, аптечкой и туалетными принадлежностями, оружие — нож, грапль и «хардсан» Дарьи.

Артефакты и картины-хроники Дар решил с собой не брать. Во-первых, они были громоздки и ограничивали свободу маневра. Во-вторых, он не знал, найдет ли Дарью. В-третьих, появлялась возможность вернуться домой вместе с девушкой, чтобы передать ей картины.

Он понимал, что лукавит, но ничего не мог с собой поделать. Идея увидеть прошлое собственными глазами овладела им целиком и полностью.

Сфера кэнкона-трансфера (пора привыкать к новому названию аппарата; кстати, не забыть бы спросить у Дарьи, что такое «иригути кэнкон») удобно легла в ладонь. То ли она окончательно настроилась на нового владельца, то ли он приспособился к ней. Во всяком случае, манипулировать стартовым терминалом становилось все легче.

Дар заглянул в н у т р ь сферы, «упал» в колодец непривычных ощущений.

— Приветствую вас в зоне перехода, — раздался мягкий голос оператора переброса. — Переход фиксирован...

— Мне нужна обратная линия, — перебил его Дар. — В прошлое. Год две тысячи триста сорок второй.

Короткая пауза.

— Почему вы уверены, что наша транспортная Сеть реализует минус-переходы?

— Потому что ты недавно перенес в наше время и обратно двух девушек из двадцать четвертого века.

— Я не переносил.

— Ну, не ты, а ваша система. Сделай запрос в общий информарий Сети.

Еще одна пауза.

— Такой переход действительно зафиксирован. Однако предупреждаю, Сеть работает со сбоями, возможны нелинейные и неподконтрольные мне бифуркации...

— Отправляй!

— Конкретные координаты выхода?

Дар прикусил губу. Он не знал, где живет Дарья. Потом пришла трезвая мысль: не все ли равно, где она живет? Отыскать ее на Земле двадцать четвертого века будет несложно, поскольку она интрасенс.

— Ты переносил меня в терминал Брянска... помнишь?

— Координаты точки перехода хранятся в моей памяти.

— Я хочу попасть в Брянск две тысячи триста сорок второго года.

— Условия принял.

Прозрачно-туманные стенки «колодца» и стена леса за ними исчезли. Дар почувствовал стремительное падение в бездну, свет в глазах померк...

Затем сознание восстановилось.

Сердце работало неровно, толчками. Во рту появился железистый привкус. Желудок сводила судорога, как после внезапно наступившей невесомости. В глазах роились зыбкие эфемерные световые конструкции, сложились в стены и углы кабины метро. Дар перевел дух, усилием воли погасил негативные ощущения. Нашел на полу кабины мерцающую сферу, спрятал в клапан-карман на поясе уника. Интересно, удался эксперимент или нет?

Дверь кабины растаяла.

— Оператор? — позвал Дар.

— Слушаю вас, — отозвался красивый женский голос.

— Где я?

— Второй терминал метро Брянска, площадь Героев.

— Какой сейчас год?

— Две тысячи триста сорок второй, седьмое сентября, — невозмутимо ответил инк метро, не удивляясь вопросам.

— Спасибо.

Дар глубоко вздохнул и вышел в вестибюль станции метро, существовавшей за три с слишним тысячи лет до его рождения.

Глава 5

Их провожали трое: засыпающий на ходу Джума Хан, элегантный Игнат Ромашин и небритый Герхард Маттер, относившийся к своему виду с философским спокойствием старого интеллигента.

Джума Хан то и дело зевал, извиняясь, Ромашин о чем-то думал, рассеянно поглядывая по сторонам, ксенопсихолог Маттер по обыкновению грыз ногти и вещал о тех трудностях, которые могут встретиться на пути хронопутешественников, пересыпая свою речь мудреными словечками. Его почти не слушали, занятые более практическими делами.

Железовский настоял на том, чтобы переход в Сеть орилоунского метро состоялся из его кабинета, и все заинтересованные лица собрались у главного математика статуправления..

Маттер заметил, что его слушают больше из вежливости, развел руками:

— Прошу прощения, сэры и мадемуазели, я почему-то нервничаю. Почему-то кажется, что ответы на многие наши вопросы мы отыщем именно в будущем. Говорят, хорошо там, где нас нет. Может быть, вы отыщете этот золотой век?

— Хорошо не просто там, где нас нет, — проворчал Железовский, похожий в унике на ожившую металлическую статую Геракла, — а где нас никогда не было и не будет. Дашка, ты как?

— Нормально, — сказала девушка, оживленная чуть больше, чем следовало бы. — Все-таки я бы взяла с собой Ауму.

5

6

— В следующий раз. — Железовский окинул взглядом товарищей. — Если вы не возражаете, мы пойдем, пожалуй.

— Не рискуйте без нужды, — очнулся от размышлений Ромашин. — Неизвестно, найдете вы Клима или нет, но без вас нам здесь будет туго.

— Ничего с нами не случится.

Внезапно шишка вириала на столе Аристарха выбросила букет алых огней, раздался тихий звоночек. Все посмотрели на стол с недоумением.

— Что у тебя, Дервиш? — осведомился Железовский недовольно.

— В холле института появились вооруженные люди. Служба.

— Ну и что?

— Они запросили охрану, на рабочем вы месте или нет. Время подхода — две минуты.

Мужчины переглянулись.

— Ох и не нравится мне эта тенденция, — помрачнел Ромашин. — Сначала Меркурий, теперь уже Земля, причем прямо на территории учреждения федерального значения...

— Может, это профилактика? — предположил Джума. — Сейчас стало модно направлять обоймы Службы в районы предполагаемых правонарушений.

— В таком случае за нами следят. Иначе как объяснить, что Служба появляется именно в те моменты, когда мы собираемся вместе?

— Пора переходить на полный «срам»[1]. Совет давно предлагал закрепить за каждым из нас обоймы телохранов.

— Мне охрана не нужна, — качнул головой Железовский.

— Не растопыривай пальцы, герой, — поджал губы Ро-

---

[1] «С р а м» — императив спецслужб: «сведение риска к абсолютному минимуму».

машин. — Интрасенсы — не волшебники, а ты — не Клим Мальгин. Всем вам тоже нужна защита.

— Что будем делать? — оглянулся на дверь Хан.

— Уходите, мы останемся, — сказал Ромашин. — У Службы нет оснований задерживать нас, иначе я бы об этом знал.

Железовский посмотрел на Дарью.

— Иди первой.

— Координаты выхода...

— Я помню.

Дарья слегка побледнела, вытащила трансфер.

— До встречи.

Шар стартового терминала выбросил вихрь искорок, охвативший девушку, фигурка ее искривилась, как отражение в воде от пробежавшей волны, втянулась внутрь сферы и пропала вместе с ней.

За дверью кабинета Железовского что-то зажужжало, раздался стук в дверь:

— Откройте! Именем закона!

— Закон... — усмехнулся Железовский. — Закон — что дышло, куда повернул, туда и вышло. Ждите, мы скоро вернемся.

Он «вошел» в трансфер, исчез.

Ромашин открыл дверь.

В кабинет ворвались пятеро «киборгов», вооруженные с ног до головы. Затем неспешно прошествовал офицер. Оглядел спокойно-равнодушные лица присутствующих, козырнул.

— Капитан Кранц. Где хозяин?

— Сами ждем, — сказал Ромашин. — Вышел на минуту.

— Подождем, — сказал офицер, добавил в усики рации: — Он ушел. Перекройте выходы, лифты и метро.

— А в чем дело? — поинтересовался Джума, демонстративно зевая.

— Вам тоже придется пройти с нами, — сказал командир подразделения.

— А если у нас другие планы?

Офицер окинул его нехорошим взглядом. И тотчас же стволы «универсалов» на плечевых турелях «киборгов» уставились на гостей Аристарха.

— Ну-ну, — хмыкнул Джума, — продолжайте в том же духе, если хотите вылететь из Службы. Я испоник, оператор второго уровня, имею статус официально неприкосновенной фигуры.

— Мы в курсе, — сделал любезное лицо офицер. — Однако все равно вам придется подчиниться.

Ромашин шагнул к нему, глянул исподлобья.

— Пока нам не предъявят обвинение и ордер на арест, мы никуда не пойдем!

— Еще как пойдете!

— Артур, — вызвал Ромашин дежурного по штабу Сопротивления. — Дай тревогу по форме «блеск»! Статуправление ВКС, отдел эфанализа. Нас пытаются задержать без предъявления соответствующих документов. Разрешаю в с е доступные формы оперирования.

— Не понял, повторите, — ответил дежурный; голос его слышал только Игнат.

Капитан стражи потемнел, несколько секунд колебался, принимая решение, потом скрипнул зубами, махнул рукой:

— Уходим!

«Киборги» потянулись к выходу. Их командир оглянулся на пороге, подарил Ромашину обещающий взгляд:

— Вы недолго будете советником комиссара, господин Ромашин, уверяю вас.

— Вы будете капитаном еще меньше, господин Кранц. Да, и еще одно: передайте господину Штыбе, что с этого момента он будет ходить по м и н н о м у полю. Он поймет.

Капитан пожевал губами, но отвечать не стал, удалился. Дверь закрылась.

Маттер с любопытством посмотрел на Ромашина.

— Вы и в самом деле вызвали охрану?

— Я блефовал, — равнодушно ответил Игнат. — Но он об этом не знал. И мне все надоело. Сегодня же подниму в Совете вопрос об адекватном реагировании. Наглецам надо давать отпор на всех уровнях, в том числе силовыми методами.

Джума тоже глянул на него с интересом:

— Что ты имел в виду, передавая Штыбе, что он «будет ходить по минному полю»?

— Штыба участвует в охоте за интрасенсами, это очевидно. Он не оставит в покое ни Аристарха, ни Дашу, ни вас, ни тебя, Герхард. Этому надо положить конец.

— Готов возглавить обойму ликвидации.

— Найдутся парни помоложе.

— Обижаешь, советник. Я тоже еще кондиционен.

— Ладно, пошли отсюда, потом поговорим.

Все трое вышли из кабинета Железовского, озабоченные своими делами. Видеокамеры системы охраны института проводили их внимательными взглядами до зала метро.

* * *

Сеть орилоунского метро, охватывающая практически весь метагалактический домен, все еще работала, несмотря на давно исчезнувших строителей Сети и самих заказчиков — Вершителей.

Железовский как-то попытался разобраться в принципах ее функционирования и пришел к выводу, что она представляет собой «суперструнную паутину» — аналог нервной системы живого существа, способной передавать «сигналы» — массивные объекты не только на огромные расстояния, но и в прошлое и будущее. Пользовались ли Сетью сами орилоуны или их создания — маатане, черные люди, было неизвестно, однако то, что с помощью Сверхсети можно было контролировать любую возникающую форму разумной жизни, не вызывало сомнений. Вершителям зачем-то понадобилась эта «нервная система», но цель их стала вырисовываться только в последнее время, да и то не всем, а лишь тем мощным интеллектам, которые способны были предвидеть последствия далеко идущих планов Вершителей, создателей Метавселенной с данным набором констант и физических законов. Маттер и Железовский как раз и обладали таким интеллектом, хотя подходили к проблеме с разных сторон: ксенопсихолог — со стороны этики и психоистории разума, математик — со стороны геометрической целесообразности и красоты Вселенной, описываемой математическими формулами.

Сеть, смонтированная миллиарды лет назад, все еще работала, несмотря на естественное старение и колоссальную наработку на отказ, выливавшуюся в конце концов в аттракторный коллапс — схлопывание отдельных узлов и линий. Конечно, рассчитывалась и выращивалась она (именно выращивалась или кристаллизовалась, потому что «суперструнные» каналы связи на самом деле представляли собой своеобразные «трещины» в пространстве) не людьми и не для людей, человек открыл ее случайно, однако ничто не препятствовало всем, кто имеет трансфер — стартовый терминал, входить в Сеть и путешествовать по ней. Другое дело — где найти трансфер. Обладатели терминалов — маатане и сами орилоуны — к две тысячи триста сорок второму году перестали существовать. На Земле лишь немногие специалисты и эксперты Службы безопасности знали о существовании трансферов. К счастью, два из них были в руках наших героев.

Железовский вышел из Сверхсети в терминале метро земного уровня — в Брянске вслед за дочкой Клима Мальгина. И сразу попал в гущу событий!

В зале было полно людей... на первый взгляд. Мгновением позже Аристарх понял, что «негры», окружившие кабину метро, на самом деле отеллоиды, и включил экстрарезерв. Он и так был готов адекватно отреагировать на любое изменение ситуации, но подключаемая интраэнергетика и сенсорика увеличивала его возможности на порядок.

Дарья в этот момент уже начала бой, отлично разобравшись в обстановке, и отвлекла внимание части черных людей на себя. Поэтому Аристарх без труда завладел инициативой. Он был вооружен не только плечевым «универсалом», но и «глюком» и открыл огонь на поражение из двух стволов сразу.

По-видимому, отеллоиды имели задание не убивать Дарью, а захватить в плен, так как они стреляли из каких-то необычного вида пистолетов, наподобие электрических разрядников, целясь в руки и ноги девушки, заставляя ее проявлять чудеса акробатики. Первые же выстрелы Железовского заметно изменили соотношение сил.

Всего их было четырнадцать.

Через секунду стало десять.

Еще через секунду — шесть.

Только после этого они поняли, что атакованы противником, действующим гораздо быстрее их, заметались по залу, ловя в перекрестья прицелов зыбко-текучую фигуру, но было уже поздно.

Еще через две секунды бой закончился. По всему залу корчились, колыхались, дрожали, испускали струйки пара черные лужи, ручьи, капли и пузыри — все, что осталось от прайда отеллоидов. Плюс почти полтора десятка излучателей электрических молний.

Железовский остановился — грозная глыба металла, воплощение хищной мощи и силы, прислушался к тишине зала.

Подошла Дарья, держась за плечо: один из разрядов зацепил ее и, хотя не пробил ткань уника, все же ощутимо травмировал девушку.

Лицо Аристарха изменилось, из него ушла у г р о з а.

— Ранена?

— Синяк, наверное, будет, сама вылечусь.

— Извини, это я виноват. Первым надо было идти мне. Как говорится: нет дурака хуже, чем старый дурак.

— Это вам скажет любой молодой дурак, — улыбнулась Дарья.

По каменным губам математика скользнула легкая ответная улыбка.

— Хороша парочка «покорителей времени». — Он бросил взгляд на останки тел отеллоидов. — Интересно, что это за материал, превращающийся в жидкость, из которого слеплены эти псевдолюди?

— Квазиметалл.

— Не металл, это точно, скорее композит, заполняющий силовой каркас. Стоит этот каркас повредить — композит приобретает свойства жидкости. Ладно, не будем терять времени.

Они вышли из здания городского терминала метро, готовые отразить еще одно нападение черных псевдолюдей. Однако площадь вокруг пирамиды терминала оказалась пустой. В темнеющем небе просияла золотом удалявшееся пятнышко — то ли просто случайный летательный аппарат, принадлежащий кому-то из жителей Брянска, то ли машина с отеллоидами на борту, убегавшими прочь от свирепых путешественников.

Возле здания стояли на плитах три аппарата: скоростной шестиместный флайт и два куттера. На них, очевидно, и прилетели отеллоиды, устроившие засаду в зале метро.

— Выбирай, — сказал Аристарх.

— Флайт, — предложила Дарья.

Они уместились в кабине аппарата.

— Итак, ищем твоего приятеля, сына князя. Знаешь, куда лететь?

— Отсюда не больше десяти минут лета.

Флайт поднялся в затянутое тучами небо.

— Кстати, тебе не кажется странным, что летающая тех-

ника и в столь отдаленном будущем почти не отличается
от нашей?

— Папа говорил, что разработка новых технологий прекратится уже в конце двадцать пятого века. Дальше человечество будет жить по инерции, не используя творческий потенциал разработчиков.

— Кому это было выгодно, хотел бы я знать.

— Только не самим людям.

— Умно говоришь.

Дарья виновато шмыгнула носом.

— Я не нарочно.

— Это комплимент, а не порицание. Чувствуется влияние папаши.

— Папа часто беседовал со мной. Мне его так не хватает!

— Мне тоже, — проворчал Железовский. — Жаль, что все
в нашем мире предопределено и мы знаем, каким будет будущее. Но, может быть, когда-нибудь где-нибудь отыщется мир светел? Который примет нас такими, какие мы
есть? И не разочаруется?

Дарья с удивлением посмотрела на друга отца, по лицу
которого ни с того ни с сего пробежала тень тоски. Затем Железовский снова превратился в глыбу живого величия и невозмутимости. А девушка вдруг поняла, что ее могучий спутник способен ощущать печаль и боль, как и любой другой
человек. Еще она поняла, что думает он сейчас не о глобальных проблемах мироздания, а своих внутренних, среди которых было и отсутствие детей. Хотя, с другой стороны, если
Дар Железвич — прямой потомок Аристарха, подумала
Дарья, значит, дети у него будут. Вот случится сенсационное явление — человек-гора с младенцем на руках!..

— Не отвлекайся, — проворчал Железовский. — Мне еще
рано думать о детях.

Щеки девушки запылали. Она не успела заблокировать свои мысли.

— Я считаю, что ты не прав, дядя Аристарх. Забава давно хочет детей, к тому же без них вообще нет никакого будущего. Если я влюблюсь — сразу заведу двойню! — Она бросила опасливый взгляд на собеседника, вспомнив о Даре. Но Железовский сделал вид, что не расслышал оговорки. Пробасил с мрачным юмором:

— К сожалению, жизнь уходит так быстро, будто ей с нами скучно... Я учту твое пожелание. Далеко еще?

— Подлетаем.

Флайт замедлил полет. В сплошной колюче-лиственной шкуре леса появился просвет. Стали видны какие-то ямы, огромные воронки, разрушенные, сгоревшие постройки, раскатанные бревна, струйки дыма.

Дарья прикусила губу, с ужасом и недоверием разглядывая развалины, оставшиеся на месте хутора Жуковец.

— Не может быть!

Железовский перегнулся через борт машины, всматриваясь в картину разрушений.

— Похоже, здесь имела место бомбардировка местности с применением вакуумных гранат и аннигиляторов. Ты не промахнулась? Это тот самый хутор?

— Жуковец! Резиденция князя. Вот его терем... то, что от него осталось. — Девушка вытянула руку, показывая на глубокую воронку с раскатанными в разные стороны и разбитыми в щепы бревнами. — Неужели мы опоздали?!

— Артефакты отца были здесь?

— Я оставила их у княжича... он обещал сохранить, уверял, что они в безопасности...

— Значит, паренек ошибался. Спустись к воронке, попробуем поискать вещички по излучению. Может быть, что-то уцелело.

Флайт сел на относительно ровный пятачок возле гор

земли. Пассажиры выбрались из кабины, спустились к воронке, вглядываясь в обломки строения и вывороченные взрывом пласты почвы. Трупов и фрагментов человеческих тел нигде видно не было, и Дарья немного успокоилась.

— Ничего не чую... Может быть, хуторяне успели уйти в леса и унесли с собой вещи? До бомбардировки?

Железовский поворочал головой, направился обратно к флайту.

— Возвращаемся.

— Куда? — не поняла девушка.

— За нами наблюдают, мне это не нравится. Если нас накроют ракетно-бомбовым ударом, спрятаться будет негде.

— А если это хуторяне?

— Потом выясним.

Они быстро залезли в кабину летающей машины, взлетели. А через несколько секунд в то место, где только что стоял флайт, вонзилась бледно-лиловая молния разряда.

Шши-и-и-ихх!

Веер земли, огня, дыма! Визг разлетающихся обломков камня и бревен!

Еще одна молния, новый веер огня и дыма!

Стреляли из леса, как заметил Аристарх, причем не из аннигилятора, а вообще из неизвестного ему вида оружия. Но выяснять, что это за оружие и кто стреляет, было недосуг. Железовский увеличил скорость, прижал флайт к вершинам деревьев и гнал его ураганным темпом до тех пор, пока хутор не остался далеко позади.

Внизу мелькнуло озерцо, лента реки.

Флайт сделал пируэт и сел в заросли кустов на берегу реки. Некоторое время человек-гора, не шевелясь, прислушивался к природе вокруг, потом повернул голову к молчавшей спутнице:

— Чего-то я не понимаю.

— Я тоже, — прошептала девушка, чуть не плача.

— Нас явно ждали — там, в зале метро. Чего не может быть в принципе, если не предположить об утечке информации. Нас ждали на разгромленном хуторе. И я чую, что за нами начинается о х о т а. Серьезная! Что здесь происходит?

— Я не знаю... — беспомощно пожала плечами дочь Клима Мальгина.

Глава 6

Конечно, он ожидал увидеть много людей сразу, собравшихся в одном месте, но эффект превзошел все его ожидания.

Дар оказался в непрерывно шевелящейся, двигающейся, разговаривающей на разных языках толпе людей, одетых в самые разные костюмы, носящих самые разные прически, от крикливых светящихся гребней до метровой длины хвостов и редких щетинок, образующих некие символы и знаки.

Толпа гудела, бурлила, обтекала пришельца со всех сторон. Его задевали плечами, локтями, толкали в спину, извинялись или же не извинялись, люди спешили, бежали, прогуливались, беседовали друг с другом или с неведомыми абонентами посредством хитроумных — чаще скрытых — средств связи, в вестибюле метро стоял легкий гул сотен голосов, дробились и резонировали звуки музыки, разнообразные запахи кружили голову, сбивали обоняние с толку, и Дар, впитывая весь этот шум, ошеломленно озирался по сторонам, пока не почувствовал поток в н и м а н и я к своей персоне. Тогда он попытался отстроиться от сбивающих с мысли вибраций, сосредоточился на вхождении в общее информационно-эмоциональное поле и вычислил, кто наблюдал за ним. Это были рослые парни в бело-синей униформе, в касткетах, с полуметровой длины цепями в руках. Цепи шевелились как живые, извивались и испускали тающие шлейфы искр.

Служба охраны метро, сообразил Дар, понимая, что своим поведением заинтересовал стражей порядка. Сделав вид, что он вспомнил о делах, молодой человек поспешил из зала метро на площадь. И снова испытал шок!

Здесь тоже было полно людей, а также бесшумно взлетавших и садящихся летательных аппаратов самых разных форм и размеров. Кроме того, кристаллический пирамидальный монолит терминала метро окружало множество высотных зданий, большинство из которых не сохранилось в эпоху Дара. Вокруг зданий вилась метель сверкающих капель и «тополиного пуха» — транспортные потоки, а по небу разливалась радуга реклам, пронизанная белесыми шпагами орбитальных лифтов, и вихрилась сияющая бриллиантовая пыль все тех же летаков разного класса и назначения.

Голова закружилась.

Дар собрал волю в кулак, зашагал к стоянке такси, чувствуя спиной взгляды полицейских. Он не особенно выделялся из толпы пассажиров метро, в массе своей предпочитающих носить удобные всепогодные уники, но все же был на голову выше большинства людей, шире в плечах и массивнее. На него невольно обращали внимание не только девушки, но и мужчины.

К счастью, в такси удалось сесть без проволочек, и вскоре пирамида станции метро скрылась за громадами зданий центрального района Брянска. Лишь после этого Дар позволил себе расслабиться, вздохнул с облегчением. По сути, даже не прыжок в прошлое, а столкновение с ж и в о й реальностью прошлого стало для него новым испытанием. Но он, кажется, преодолел его с честью. Хотя мир вокруг, живущий по своим законам, продолжал бурлить, сверкать, фонтанировать струями красок, петь и смеяться, сливаясь в одну цветовую, сказочно красивую панораму.

Такси — двухместный каплевидный пинасс, управляемый автопилотом, скользнуло вниз, намереваясь приземлиться у подножия холма с композицией, обозначающей мученический путь человека к обществу справедливости. Дар вспомнил, что назвал пилоту конечный пункт полета — площадь Героев. В его время именно она была центром города. В нынешние же времена площадь, очевидно, играла роль территории для памятника и располагалась на окраине Брянска.

— Минуту, — остановил он машину, — я передумал. Мне нужно попасть на хутор Вщиж. У тебя есть его координаты?

— Тридцать два километра на северо-восток от... — начал инк.

— Отлично, вези меня туда.

Пинасс поднялся над монументальной скульптурой Героев, влился в поток мчавшихся в том же направлении аппаратов. Дар предался созерцанию ландшафта, завороженный богатством архитектурных форм строений и суетой летающей техники. В его времена деятельность человека не достигала таких масштабов, несмотря на более или менее сохранившуюся инфраструктуру.

До места назначения долетели за пять минут.

Зеленое море леса с редкими ниточками старинных дорог и энерготрасс раздалось в стороны, приблизились красивые коттеджи-терема хутора Вщиж, пинасс плавно развернулся и сел на белый пятачок финиш-стоянки такси, рядом с двумя куттерами синего цвета с желтой полосой по борту.

— Приятных встреч, — вежливо попрощался инк такси.

Дар вышел, огляделся.

Хутор состоял всего из пяти строений, и терем деда Дарьи выделялся среди них чистотой отделки и духом старины. Не узнать его было невозможно, хотя Дар видел его фрагментарно, под защитным куполом на дне болота, в темноте, в условиях, не позволяющих заниматься созерцанием. Сердце забилось сильнее.

Он медленно приблизился к низкому палисаднику с калиточкой, окружавшему поместье. Терем старшего Мальгина стоял в саду, явно требующем ухода. Было видно, что заботливые руки давно не приводили его в порядок. Сдерживая волнение, Дар вгляделся в терем, включая гиперзрение.

Хозяева находились внутри, двое, мужчина и женщина, но Дарьи здесь не было. Да и не могло быть. Вряд ли она посещала дом деда часто, тем более что он давно умер. Однако теперешние владельцы терема могли знать адрес Мальгиных, и молодой человек решительно отворил калитку.

Песчаная дорожка привела его к знакомому крыльцу строения. Дар постучал по перилам костяшками пальцев.

— Есть кто дома?

В тереме зашевелились, раздались шаги, на крыльцо вышел угрюмоватого вида мужчина преклонных лет с бородкой и усами, в старинном халате, накинутом на голое тело. На вид ему было лет шестьдесят.

— Здравы будьте, — сказал Дар.

— Здорово, — ответил мужчина басом. В его облике изредка проглядывали знакомые черты, и Дар понял, что это какой-то родственник деда Дарьи.

— Я ищу Дашу... Дарью Мальгину, не подскажете, где ее можно найти?

— Кто такой будешь?

— Знакомый... она была в наших краях, искала... э-э, отца, мы там познакомились... Она оставила у нас кое-какие вещи, я хотел бы их вернуть.

— Какие вещи?

Дар подумал, вытащил нож, показал.

Мужчина с бородкой в раздумьях почесал грудь под халатом, в глазах его сквозь сомнения протаял интерес.

— Дашка мне ничего не говорила... а такой ножик я видел у Макара. Что ж она сама не сказала, где живет?

— Торопилась, не успела, — развел руками Дар.

Над хутором медленно пролетел серебристый летак с синей полосой.

Новый хозяин терема проводил его взглядом. Дар тоже — внутренним взором, ощутив поток внимания.

— Вы, наверное, брат ее дедушки Макара? — добавил он.

— Брат, брат, — нехотя сказал мужчина. — Макар помер, царствие ему небесное, а я вот живу покуда, хотя и старше на десять годков.

Дар вдруг понял, что собеседнику гораздо больше лет, чем кажется.

На крыльцо вышла пожилая женщина с седыми волосами, полная, рыхлая, но с ясными голубыми глазами.

— Скажи уж адрес-то, Меркул, — проговорила она звучным голосом. — Парень хороший, видать, из наших.

Она прищурилась, излучая волну тепла и света, и Дар почувствовал тихий в н у т р е н н и й шепот, ласковый и добрый. Женщина была интрасенсом.

— В Грядах они теперь живут, — сказал наконец Меркул. — Дашка и Купава, мать ее. Мы вот сюда перебрались из Гряд, а они на наше место. Клим предлагал Купаве жить здесь, да она упрямая, не захотела. А когда в Рязани их прижали, то и пришлось менять место жительства.

— Разговорился, старый, — улыбнулась женщина. — Гряды — это седьмая северная московская жилзона, массив А, третий блок, сто вторая квартира. Найдете?

— Найду, — кивнул Дар, поклонился. — Благодарю.

Пока шел к стоянке такси, ощущал спиной взгляды родственников Дарьи. Снова в душе поднялось волнение. Захотелось тут же, в мгновение ока, очутиться у двери в квартиру Дарьи. Но волшебная сфера кэнкона не могла перенести его в нужную точку пространства, она перемещала владельца только в Сеть метро.

На пятачке стоянки находилась всего одна машина. И это было не такси. Серебристый шестиместный летак с синей полосой по борту, принадлежащий Службе общественной безопасности. Из нее неторопливо выбрались трое служителей порядка, похожие друг на друга цепкостью взглядов и обманчивым добродушием. Золотистые цепочки на запястьях рук парней переливались огоньками и вели себя, как живые многоножки.

Дар остановился.

Его окружили.

— Прошу прощения, — козырнул толстый молодой человек со щеточкой усиков; говорил он с акцентом и натуральным женским голосом. — Поручик Звездецкая-Олимова. Предъявите, пожалуйста, документы.

Дар ошеломленно всмотрелся в полицейского, внезапно осознав, что поручик — женщина! С усами!

Никогда раньше Дар не встречался с усатыми женщинами и никогда раньше не попадал в такое положение, требующее определенной формы поведения, в каком оказался сейчас. Не то чтобы он был не готов к встрече со служителями закона, неожиданно обратившими на него внимание, но и навыков общения с ними, да еще во времена, канувшие в Лету, не имел. Поэтому он решил вести себя как можно уверенней и независимей.

— Надеюсь, у вас есть основания задерживать меня и требовать документы?

Полицейские переглянулись.

— Оф коз, — проговорила поручик Звездецкая-Олимова с еще большим акцентом. — Мы имеем право задерживать любого гражданина Федерации, передвигающегося с оружием в руках. Ведь вы вооружены, не так ли?

Дар обругал себя растяпой. Современные методы обнаружения у человека оружия позволяли стражам порядка действовать безошибочно.

— Разумеется, я вооружен, — подтвердил чистодей. — Однако разве свободный человек не имеет право носить оружие? А тем более звуковое?

— Покажите, — протянула руку женщина с усиками.

Дар провел ладонью по левому боку уника, открывая карман-нишу, где у него на поясе висел грапль.

Цепочки, закрепленные на запястьях сотрудников Службы, взвились в воздух, как живые змейки, и буквально «зашипели», сыпля искорками.

Дар протянул пистолет командиру патруля.

Тотчас же цепь-змейка поручика упала ему на руку, и чистодей получил такой мощный электрический удар, что любой другой человек на его месте застыл бы, парализованный. Но замешательство молодого интрасенса длилось всего сотую долю секунды. Затем он начал действовать, не столько из мести или обиды, сколько из соображений объективной оценки своего положения. Задержание, а тем более доставка его в следственный изолятор Службы не только сорвали бы все планы Дара по поиску Дарьи Мальгиной, но и вообще были чреваты долгим разбирательством — кто он и откуда. А сказать правду дознавателям он не мог.

Цепочка, оказавшаяся всего-навсего электрошокером нового образца, как бы сама собой соскочила с запястья женщины-поручика и перепоясала ее лоб. Закатив глаза, Олимова безвольно осела на асфальт стоянки такси.

Та же участь постигла и других патрульных. Двигались они намного медленнее чистодея, да и не готовы были к сопротивлению, считая, что задержанный в принципе не должен сопротивляться полиции.

Оставался еще четвертый член патруля, сидевший в кабине флайта, но Дар не собирался демонстрировать ему свои возможности. Подобрав грапль, он просто вынул трансфер и перенесся в Сеть метро, оставив обалдевших сотрудников Службы созерцать то место, где он только что стоял.

Вышел путешественник во времени из кабины метро первого брянского терминала, располагавшегося на холме у реки, где когда-то стоял железнодорожный вокзал. Никто на сей раз не обратил никакого внимания на пассажира метро, да и он не давал повода подозревать в нем ч у ж о г о. Выйдя из здания, Дар тут же сел в такси-пинасс и назвал адрес Дарьи.

Северная московская жилая зона, имевшая старинное название Гряды, представляла собой семь почти одинаковых ажурных стрел-пилонов, возносящихся на высоту около четырехсот метров каждая. Издали они походили на серебристо-стеклянные паруса: казалось, в лесу утонула флотилия фрегатов немыслимых размеров, остались видны только их мачты.

Дар попытался прозондировать массив лучом гиперзрения, не смог — из-за обилия помех — и посадил такси на площадь перед «парусом» с буквой А на корпусе. Лифт вознес его на стометровую высоту, где начинался уровень «10» здания с номерами квартир от 1 до 10. С замиранием сердца Дар нажал кнопку звонка на белой двери со светящимся зеленым номером 2. Ауры Дарьи он по-прежнему не чувствовал, девушки не было дома, это огорчало и вместе с тем оставляло надежду на то, что она вот-вот появится.

Дверь открылась.

На пороге стояла... нет, не Дарья. Но очень похожая на нее женщина, такая же зеленоглазая, смуглолицая, с тонким носом и красивого рисунка губами. Только волосы у нее были чуть светлее и короче. В глазах же сквозь удивление и сомнения проступило вдруг странное выражение надежды и у з н а в а н и я.

— Здравствуйте, — стеснительно пробормотал Дар.

— Здравствуйте, — отозвалась мать Дарьи. — Вы так похожи на... вы, наверное, Дар, сын князя?

— Вы меня... знаете?!

— Даша рассказывала.

— Да, я сын князя. Извините, что беспокою... я ищу Дарью...

— А ее нет дома, она уехала. — Купава отступила в глубь прихожей. — Что же мы стоим на пороге? Проходите.

Дар повиновался. Поискал глазами коврик, не нашел, вспомнил, что автоматика квартиры сама ухаживает за обувью гостей, снял внешние кросстуфли. Купава подала тапочки. Гость прошел в большую и светлую гостиную, на стенах которой висели картины, гобелены и объемные фотографии — витейры.

Дарья в три года, Дарья в двенадцать лет, уже взрослая, стоящая на лыжах, купающаяся в море, а также семейное фото: Купава, Дарья и суроволицый мужчина с гривой седых волос и пронзительно-светлыми серыми глазами; губы его приоткрылись в улыбке, что придавало лицу мужчины явно не свойственную ему мягкость. Это был отец Дарьи Клим Мальгин.

— Присаживайтесь. — Купава в халатике, передвигаясь плавно и быстро, втолкнула в гостиную антиграв-поднос с напитками и фруктами. — Чай, кофе, сантос, файр?

— Чай, зеленый, если можно.

Она ушла и вернулась с другим подносом. Села в кресло напротив.

— Пейте. А это кенуу, конопляное печенье, очень вкусное.

— Спасибо. — Он взял чашку, стараясь держаться естественно. Отломил кусочек печенья, действительно оказавшегося вкусным.

Купава улыбнулась.

— Вы точно такой, каким описывала вас Дашка.

Он порозовел.

— Вы тоже на нее очень похожи... точнее, она на вас. И на отца. Дарья сказала, куда уехала и когда вернется?

Улыбка сбежала с губ хозяйки квартиры.

— Странно, что вы разминулись... Даша ведь улетела в ваше время. Вместе с Аристархом. Вашим, кстати, предком, это видно невооруженным глазом. Вы так на него похожи, словно копия.

— Я уже знаю. — Дар допил чай, из вежливости съел еще одну аппетитно выглядевшую лепешечку печенья. — Жаль. Я хотел вернуть ее вещи...

— Она говорила. Можете отдать их мне.

Дар смущенно отвел глаза.

— Я не стал их брать с собой... они дома... она обещала вернуться, но прошло несколько дней, и я...

— Понимаю. Не беспокойтесь, все уладится. Она найдет вас и заберет вещи отца сама. Как вы нас нашли?

Дар подумал и вкратце рассказал о том, как его пытались задержать блюстители порядка и что из этого вышло.

Купава нахмурилась:

— Это нехорошо.

— Я понимаю, но я не мог иначе...

— Нехорошо, что они следили за вами. Через какое-то время Служба вычислит вас и попытается нейтрализовать.

— Я не боюсь!

— Речь не о том. Вам нельзя здесь оставаться. Может быть, вы не знаете, но у нас на Земле сейчас идет охота за интрасенсами...

— Знаю, Дарья рассказывала.

— Тогда поспешите! Уходите в свое время. Найдите Дашу и помогите ей.

— Конечно. — Он поднялся.

— Подождите, я посмотрю, не следит ли кто за блоком.

— Не нужно, у меня есть трансфер.

— Ах да, я забыла. — Купава протянула руку. — Приятно было познакомиться.

— Мне тоже, — искренне ответил Дар.

Какая-то холодная т е н ь вторглась в сознание.

Чистодей подобрался. Его мыслесферу пытался нащупать некий нематериальный луч, явно генерируемый техническим устройством. Пси-локатор, вот как называется это устройство!

Дар автоматически з а к р ы л себя экраном «немысли». Луч скользнул мимо, равнодушный ко всему на свете, управляемый волей неведомого оператора.

Купава заметила напрягшееся лицо гостя.

— Что с вами?

— Кто-то смотрит... не так, как люди...

— Может быть, это «триай»?

— Что такое «триай»?

— Интрасенсы создали сигнально-тревожную систему, предупреждающую об опасности.

— Нет, это локатор, кто-то пытается нащупать меня лучом пси-поля.

— Кроме Службы, делать это некому, у них есть необходимые средства. Наши друзья научились защищаться, но все равно интрасенсы находятся в положении дичи.

— Я не дичь!

Купава улыбнулась:

— Дай вам бог удачи! Надеюсь, положение когда-нибудь изменится, и война закончится. — Она протянула руку.

Дар осторожно пожал ее, потом вспомнил этикет, поцеловал пальцы женщины, видя перед собой Дарью — так мать и дочь были похожи. Достал шар трансфера.

Через несколько секунд транслятор орилоунского метро унес его в дали будущих времен.

Глава 7

Идея взять в плен отеллоида и допросить возникла не у Железовского, а у Дарьи.

Сутки они путешествовали по Солнечной системе, используя трансфер в качестве отмычки заблокированных станций, и почти везде натыкались на черных людей, занятых какой-то таинственной деятельностью. Особенно много отеллоидов оказалось на Меркурии и на пустующих станциях солнечного кольца, кружащихся вокруг Солнца внутри орбиты Меркурия. Мало того, гости из двадцать четвертого века обнаружили весьма крупный — в несколько десятков кораблей — флот отеллоидов, группирующийся вокруг интересного объекта в форме колючего плода каштана размером в пять с лишним километров. Объект то опускался в атмосферу Солнца, в направлении на дыру эйнсофа, то поднимался выше. Черные корабли отеллоидов, похожие в большинстве своем на земные ракушки, только в тысячу раз больше размерами, вились вокруг объекта, как мошки вокруг лампы. Очевидно, «каштан» представлял собой «матку» отеллоидов, управляющую всеми действиями черных людей.

После того как путешественники во времени наткнулись на базу отеллоидов и вынуждены были спасаться бегством, у Дарьи и родилась идея захватить одного «нелюдя» с целью допроса.

— Авантюристка ты, Дашка, — покачал головой Аристарх.

— Вся в тебя, — расцвела девушка.

Железовский задумался.

Они находились в зале визинга, венчающем башню наблюдения на краю полигона, где когда-то располагался эйнсоф. Теперь этот загадочный объект, называемый учеными «бесконечномерной ямой в вакууме», находился непосредственно в атмосфере Солнца и наблюдался с поверхности Меркурия исполинским черным зрачком.

— Не могу понять, что им здесь надо, — наконец проговорил Железовский. — Зачем они развили такую бурную деятельность, уничтожили хутор этого твоего приятеля, гонялись за тобой? Что-то здесь странное происходит, надо выяснить. Идеи есть, как и где нам захватить отеллоида?

— Предлагаю ловлю на живца, — оживилась Дарья.

— Это как?

— Я выйду в метро на той стороне, где у них есть пост, сяду в галеон, внаглую, и пусть они погонятся за мной. Я прилечу сюда, а ты...

— М-да, — сказал Железовский, разглядывая раскрасневшееся лицо спутницы. — Узнаю гены Клима. В таких случаях говорят: вам помочь или не мешать?

Дарья виновато шмыгнула носом.

— Но это же самый оптимальный вариант.

— Насчет оптимального возражаю, а так попробовать можно. Только тебе придется все время их опережать, иначе операция провалится.

— Я справлюсь!

— Хорошо, давай прикинем варианты отходов и последствий, перекусим, а то я голодный как волк, и начнем.

Через двадцать минут Дарья, загримированная камуфляжной системой уника под черного человека, активировала трансфер и исчезла. Железовский стал ждать, считая секунды и минуты.

Изредка в поле зрения попадали пролетающие над раскаленными плоскогорьями и равнинами Меркурия летательные аппараты, создающие впечатление мирной жизни ближайшей к Солнцу планеты. Однако пилотами этих машин были отеллоиды, а не люди. Человек давно перестал интересоваться дневным светилом и его планетной свитой. На Меркурии доживали свой век только заводы-автоматы и редкие станции, управляемые инками.

Тонкий мостик парасвязи, соединявший мыслесферы Железовского и Дарьи, пропустил зеленую световую «эфемериду». Девушка давала знать, что все идет нормально. Аристарх послал в ответ мысленный импульс поддержки. Он переживал за дочь друга, но был уверен, что все у нее получится.

Над горной цепью на фоне алого купола солнца с червоточиной эйнсофа сверкнула звездочка — появился какой-то аппарат.

— Все в порядке, — заговорила рация Железовского. — Я их заинтересовала.

Сверкнула еще одна звездочка: вслед за первым аппаратом (это был неф) мчался второй, покрупнее — когг скорее всего.

Аристарх забеспокоился. Когг набирал скорость сумасшедшими темпами, неф же был «рабочей лошадкой», а не гоночной машиной с солидным запасом хода. Однако Дарья врубила форсаж и сумела оторваться от преследователей на пару километров, что позволило ей первой воткнуть аппарат в стыковочный узел станции. Дальнейшие события разворачивались уже по сценарию людей.

Отеллоидов оказалось пятеро. Но это не имело никакого значения для тех, кто превосходил псевдолюдей. Когда они тесной группой бросились в погоню за подозрительным субъектом и свернули в коридорчик, ведущий к бытовым отсекам станции, их встретила блистающая металлом фигура. Сверкнули неяркие трассы разрядов — Железовский стрелял с двух рук — из «хардсана» и «глюка» одновременно, и четверых отеллоидов разбрызгало по стенам коридора. Пятого «взяла на прием» Дарья. Выбила оружие — метатель молний — и впечатала в стену, так что отеллоид завибрировал и поплыл как кусок черного желе. Затем Железовский в мгновение ока обмотал тело черного человека скотчем, вместе с прижатыми к бокам руками, и операция захвата «языка» закончилась.

— В кают-компанию, — сказал Аристарх, подхватывая задергавшегося пленника на плечо, слегка повернул голову, приблизил губы к уху отеллоида: — Не шебуршись, башку оторву!

Пленник обвис тряпичной куклой, затем снова начал освобождать руку, причем успешно.

Выглядело это как процесс формовки пластилина.

Его руки расплылись, втянулись в тело, затем начали расти из плеч, минуя ленту скотча. Но Дарья уже открыла дверь в кают-компанию станции, и Железовский швырнул отеллоида к стене так, что тот сполз с нее на пол черным студнем. Уперся вновь выращенными руками в пол, встал на ноги, глядя на людей ничего не выражавшими белыми глазами. По его телу пробежала сыпь оранжевых искорок, запахло озоном.

Однако прыгать на людей он не стал. На него красноречиво смотрел ствол «глюка» в руке Железовского.

— Ответишь на вопросы — отпустим, — сказал Аристарх равнодушно. — Кивни, что понял. Я знаю, что вы знаете наш язык.

Отеллоид оценивающе глянул на него, на Дарью, но не сделал ни одного жеста.

Железовский выстрелил.

Разряд «глюка» испарил кисть руки псевдочеловека, заставив его испытать если и не боль, то, возможно, шок.

— Так быстрее доходит?

Отеллоид помедлил, поймал взглядом движение пальца Аристарха на курке излучателя, выдавил гортанное:

— Да... есть говорить...

Культя руки на глазах людей начала плыть, расти, восстанавливаться, пока не превратилась в черную кисть с шевелящимися пальцами. Едва ли отеллоид испытывал боль, теряя руку или другой орган тела, поэтому с ходу трудно было понять, что заставило его отвечать на вопросы. Вероятно, в его программу был вмонтирован инстинкт самосохранения.

— Кто вы? Откуда? Что делаете здесь, на Меркурии, и на Земле?

Молчание.

Железовский снова выстрелил, на сей раз начисто отстрелив черному псевдочеловеку стопу левой ноги.

Отеллоид упал на колено, покрывшись «шубой» оранжевых и красных искр, схватился рукой за искалеченную ногу.

Из обрубка не вылилось ни капли крови, ни другой жидкости, вообще ничего, только хвостик искр.

— Кто вы? — терпеливо повторил вопрос Железовский.

— Йихаллах...

— Это имя собственное, название организации, наименование расы, определение функциональных обязанностей?

— Наименова...

— Я полагаю, что вы искусственные существа, биороботы или что-то в этом роде.

— Искусственность...

— Кто ваши хозяева?

— Нет иметь данность... нет термин...

— Кто же тогда отдает вам приказы? Кто управляет вашей деятельностью в Солнечной системе?

— Команда поступать извне... нет иметь данность...

— Где располагается центр управления?

— Нет термин...

— Я подскажу. На Меркурии? Это планета, на которой мы сейчас находимся.

— Нет.

— На Земле?

— Что есть Земле?

Аристарх посмотрел на Дарью.

— Кажется, эти парни намного проще наших функционально ориентированных кибов. Земля — третья планета данной звездной системы.

— Нет.

— Тогда на какой планете?

— Далеко... космос... связь йихаллах... нет да ждать...

— То есть — «суперструнная» связь, мгновенная, я правильно понял? Тогда, может быть, ты знаешь координаты звезды, вокруг которой вращается планета твоих хозяев?

— Много звезд... — Отеллоид помолчал и добавил: — Очен много-много...

Железовский в задумчивости почесал макушку, пробурчал, отвечая на взгляд спутницы:

— Шаровое звездное скопление? Центр галактики?

— Спроси его, далеко ли отсюда находится их главная база. Можно будет вычислить по расстоянию.

— Вряд ли он знает... но спросить можно. — Аристарх повернулся к отеллоиду: — Как далеко от нашего солнца находится ваш основной центр управления?

— Йихаллах...

— Это сколько в световых годах?

— Нет знать... термин неудачность... ответ плохо... На мгновение тело отеллоида потеряло четкие очертания, но тут же отвердело. — Интерес нет... включение программа безличность...

— Какая программа? — не поняла Дарья.

— Возвращение ноль... совсем ничего... безличность...

— Он хочет включить программу самоликвидации! — догадался Железовский. — Либо ее включил тот, кто следит за своими подчиненными. От рядовых киберов мы ничего путного не добьемся, они винтики коллективной системы. Надо выходить на их базовый компьютер.

— Что вы делаете на Меркурии?

— Обслужива... технически... контроль...

— Обслуживание чего?

— Что есть... люди давно нет... не хватать...

Железовский озабоченно глянул на Дарью.

— Кроме заводов МК, на Меркурии вряд ли работает что-либо еще, созданное людьми. Зачем им энергоконсервы?

— Может быть, они тоже запускают МК в эйнсоф?

— Логично. — Взгляд на слабеющего на глазах отеллоида. — Что делают твои коллеги на Солнце? Запускают в дыру эйнсофа продукцию завода?

— Провал... звезда... геном возбудить... не хватать масса... — Речь пленника стала совсем невнятной. — Не хват... немедле... будет родильно... не понима... нужность детонат... детонатор... да очен...

— Какой детонатор?

— Йихаллах... детонат... тор... мешать нет...

Тело отеллоида стала корчить какая-то сила, оно размякло, потекло ручьями, сверкающими множеством оранжевых искорок.

— Беги, он сейчас рванет!

Они перешли на сверхскорость, выбежали из кают-компании.

И тотчас же раздался взрыв! Тело отеллоида превратилось в клубок ярчайшего огня, прянувшего во все стороны миллионами световых стрел. Переборка, отделяющая кают-компанию от остальных помещений станции, испарилась. Людей отбросило в глубь коридора на десяток метров. К счастью, они успели включить защиту костюмов и не пострадали.

— Больной пошел на поправку, — проговорил Железовский мрачно, поднимаясь и протягивая руку Дарье. — Но не дошел.

— Обидно, — сказала девушка. — Я только вошла в контакт с его мыслесферой... если так можно назвать слабенькую управляющую систему. Может быть, захватим еще одного «языка»?

— Они не владеют запасами информации, как наши инки. «Язык» будет бесполезен.

— Тогда надо захватить один из их кораблей и выйти на базу. А там взломать защиту главного компьютера и выяснить все, что нас интересует.

Железовский окинул девушку скептическим взглядом.

— Двоих нас для такой авантюры маловато. — Он подумал. — Хотя идея неплохая. Дай подумать.

— Интересно, почему отеллоид все-таки ответил на наши вопросы? Ведь он мог не отвечать, а сразу включить самоликвид.

— Наверное, он получил команду из центра, другого объяснения я не вижу. Там забеспокоились, не получая ответа от всей группы, подождали немного и включили дистанционное самоуничтожение. Судя по всему, этих жидких ребятишек можно печь как блины.

— А почему он упомянул геном? Какой геном? Геном чего?

— Хороший вопрос. Маттер бы ответил тебе, что отеллоид имел в виду геном черной дыры — эйнсоф. Я не разделяю его уверенности, но и доказательств противного не имею. Полетели-ка на хутор к твоему приятелю.

— Хутор же уничтожен!

— Думаю, кто-нибудь да уцелел из его жителей, прячется теперь в лесах. Найдем аборигена и узнаем, что случилось и где сейчас сын князя.

Дарья без возражений последовала за спутником.

По привычке направились к отсеку метро станции, но наткнулись на поджидавшего их «живого» отеллоида, разбрызгали его по стенам одновременным залпом и вспомнили, что метро Солнечной системы заблокировано. Попасть в Сеть можно было только с помощью трансфера.

— Не нравится мне все это... — проворчал Железовский, разворачивая транслятор.

— Мне тоже, — призналась Дарья. — Их здесь как тараканов...

— Я про обмолвку отеллоида. Удивительное единодушие обнаруживается у наших доморощенных горе-экспериментаторов и у черных нелюдей: и те и другие балуются с эйнсофом, запуская в него МК. А каждый мини-коллапсар, между прочим, не просто мощный энергоаккумулятор, это, по сути, зародыш черной дыры, в который встроен активный выход. Герхард прав, кто-то пытается устроить в Системе анти-Армагеддон. Кто знает, чем закончится стрельба?

— Но если эйнсоф до сих пор не взорвался...

— Он и не взорвется.

— Я имею в виду, что сейчас идет пятьдесят шестой век, прошло три с лишним тысячи лет, а ничего не произошло...

— Вот! — поднял палец Железовский. — Молодец, заметила. В наше время тоже кто-то хочет раскачать эйнсоф, но что, если это — для отвода глаз? Чтобы мы, кто понимает, что происходит, тратили силы и время на борьбу с несуществующим врагом? А все г л а в н о е происходит здесь и сейчас?

Глаза Дарьи раскрылись шире.

— Неужели такое... возможно?!

— Иначе трудно объяснить кипучую деятельность отеллоидов в данное время. Боюсь, Герхард прав и в том, что они эмиссары некой структуры, запускающей процессы генезиса черных дыр посредством гибели технически развитых цивилизаций.

— Но кому это выгодно?! Неужели Вершителям?

— Самим черным дырам, — усмехнулся математик. — Прилетим обратно, я дам тебе почитать материал, подготовленный Маттером для доклада в Совете. Он вполне логично объясняет, что черные дыры могут обладать интеллектом и даже психикой.

— Я слышала это от отца... давно. Просто не обращала особого внимания. Почитаю, конечно. Хотя трудно представить черную дыру в роли разумного существа.

— Это разум иного уровня, его логика вряд ли нам доступна в принципе. Однако время не ждет, поехали.

Возникшие прозрачно-световые «тоннели» унесли обоих из-под купола меркурианской станции в зал метро Брянска. Через минуту они пожалели, что выбрали Брянск точкой финиша.

На сей раз отеллоиды подготовились к приему «гостей» получше и засаду устроили похитрей. Во всяком случае, под огонь аннигиляторов и «глюков» они не бросались. К тому же в нападении участвовало не менее двух десятков черных нелюдей, что осложнило положение пришельцев из двадцать четвертого века. Им пришлось принимать бой в невыгодных условиях и отступать к выпустившей их кабине метро, увертываясь от сверкающих молний. За мгновение до взрыва — отеллоиды дали дружный залп по кабине — земляне «катапультировались» через трансферы в Сеть орилоунского метро.

Вышли они уже в метро другого российского города — Смоленска.

Здесь их никто не ждал. Осмотрев зал, путешественники вышли на площадь перед терминалом метро, окруженную жилыми комплексами, многие из которых уже начинали разрушаться.

— Как ты? — заботливо спросил Железовский.

— Нормально, — ответила Дарья, криво улыбнулась. — Хорошо, что засаду устраивал не наш спецназ. В меня попали всего дважды, но уник не пробили.

Аристарх промолчал. В него попали раз пять, так как ему пришлось прикрывать собой спутницу, однако все обошлось. Защита костюмов выдержала.

— Есть хочешь?

— Только пить.

Они достали НЗ, вскрыли упаковку витмобилизатора, бросили в рот по таблетке, запили смородиновым соком.

— Как настроение?

— Уже лучше.

— Тогда полетели искать твоего приятеля. В брянское метро соваться больше не будем, придется искать другой транспорт.

На стоянке индивидуальных летательных аппаратов нашелся годный к полету куттер, кабина которого сохранила запах духов. Видимо, принадлежал он молодой женщине.

Взлетели.

Железовский просканировал окрестности города лучом гиперзрения, обнаружил несколько машин, неторопливо пересекающих воздушное пространство в разных направлениях. А так как они не отреагировали на появление куттера, их можно было не опасаться. Это были машины местных жителей.

Железовский вспомнил о толчее воздушного транспорта в их время, качнул головой. Отсутствие активного движения над городами во времена потомков наглядно подтверждало тезис о вымирании человечества. Услышать это от Клима Мальгина, побывавшего в еще более отдаленном будущем, — одно, а убедиться в справедливости его слов — другое. Как интрасенс, то есть человек с возможностями мага, и как ярый индивидуалист, Аристарх не любил человечество в целом, представлявшее, по сути, толпу потребителей благ и удовольствий, но как сын этого самого человечества он жалел, что оно зашло в тупик. И не верил, что существует шанс на выход из этого тупика.

Он покосился на Дарью.

Девушка верила. В силу молодости и жизнелюбия, врожденного оптимизма и доброго начала. Время ее разочарований еще не наступило. Хотя кто знает? Вдруг этот шанс все же найдется?..

Куттер пролетел над болотом, затем над странными на вид холмами, будившими в памяти образы старинных космических кораблей.

Еще одно болото, гигантский лес, деревья которого достигали чуть ли не двухсотметровой высоты.

Вот и разгромленный хутор.

— Садимся?

— Подожди. — Дарья дотронулась пальцами до локтя

Аристарха, зажмурилась, помотала головой туда-сюда. — Там, в лесу, кто-то прячется.

Железовский глянул в указанном направлении, глаза его буквально засветились.

— Ты права, за деревьями имеется человек.

— Захватим его? — азартно предложила девушка.

— Зачем? Если он хуторянин, сам выйдет.

Железовский посадил куттер за околицей хутора, неторопливо выбрался на землю, помахал рукой — живое воплощение былинного богатыря.

— Эй, приятель, выходи, поговорим. Не бойся, мы не сделаем ничего худого.

Человек, затаившийся в зарослях серебристого лоха, опасливо выглянул из-за куста, затем бросился к прилетевшим:

— Дарья?! Князь?!

— Это не князь, — улыбнулась девушка. — Прапрадед Дара.

— Он? — оглянулся на девушку Аристарх.

— Нет, это Борята, друг Дара.

Борята выбрался на дорожку, раскрасневшийся, удивленный и довольный, оглядел Железовского:

— У-у-у! Издали показалось, что ты князь!

— Аристарх Железовский, — представила математика Дарья. — А где сам Дар? Что тут у вас произошло?

Борята потемнел, кулаки его сжались.

— Дар улетел... сказал, тебя искать... а потом налетели черные бродяги! На огромных кораблях! Начали стрелять... Мы едва успели спрятаться в лесу, многих побило. Дружина попыталась отразить атаку, да куда там! — Молодой человек горестно махнул рукой. — У черных были жуткие излучатели, метатели молний... В общем, пришлось уходить. Теперь все, кто уцелел, живут на соседнем хуторе, в Дятьковичах. А я вот Дара дожидаюсь.

— Весело вы тут живете, — пробурчал Железовский.

Борята шмыгнул носом.

— Мы же не виноваты, что черные нелюди нападают на нас. Мы им ничего плохого не сделали.

— А мои вещи, которые остались у князя... где они? — спросила Дарья.

Приятель чистодея оживился.

— Картины у меня, я их в самый последний момент унес, обе свернутые были. Наверное, Дар свернул. Другие вещи тоже, в сумке лежат. Я только ножа не нашел. Наверное, Дар с собой взял.

— Летим за ними.

Борята спрятал руки за спину, отступил.

— Не-е, я подожду. Да и нехорошо забирать вещи в отсутствие хозяина.

— Он не хозяин...— начала Дарья.

Железовский остановил ее взглядом.

— Пойдем с нами, здесь оставаться небезопасно. Если Дар появится на хуторе, мы это почуем.

Борята с недоверием посмотрел на человека-гору, проникся его уверенностью, перевел взгляд на Дарью. Та кивнула:

— Не сомневайся.

— Тогда я не возражаю.

Все трое уселись в кабине куттера, и вскоре печальная картина разрушенного хутора ушла за корму, за лесную стену, исчезла.

Глава 8

Дар не считал себя авантюристом, предпочитая рассчитывать и анализировать свои действия, но в глубине души жила и вечно дергала за руку струнка познавательного интереса. Поэтому он часто отступал от своих планов, подчиняясь живому интересу, и делал ошибки. Пока что не фатальные, однако зачастую требующие напряжения физических и психических сил. В конце концов он добивался равновесия и верил, что всегда сможет справиться с обстоятельствами, теша себя иллюзией в ы д е л е н н о с т и из общечеловеческого поля возможностей. Наставник не раз предупреждал молодого чистодея об опасности резких отступлений от устоявшейся линии поведения и даже приводил примеры, главными действующими лицами которых были интрасенсы. Дар соглашался, обещал прежде думать, прогнозировать результат, а потом делать. Но в силу молодости, малого опыта и врожденного оптимизма продолжал накапливать опыт ошибок.

Стартовав из дома Дарьи после прощания с ее мамой в сеть орилоунского метро, он вдруг попросил оператора трансфера отправить его не в свое время, а в еще более далекое будущее, и вышел из «струны» метро на Земле сто первого века от Ветхой Эры, то есть спустя пять с лишним тысяч лет после своего рождения.

На первый взгляд здесь ничего не изменилось.

Вышел он из терминала метро Брянска, продолжающего работать, и с жадным любопытством окинул взглядом окружающий пирамиду метро ландшафт.

Зданий поубавилось, это стало заметно почти сразу. Многие разрушились, превратившись в холмы, многие напоминали решетчатые этажерки, готовые рухнуть в любой момент. На площади кое-где виднелись остовы каких-то машин, а сама она поросла странной пушистой травой сиреневого цвета.

Небо над городом стало густо-синим, чистым и глубоким, без обычных облаков, а солнце, висящее над горизонтом, светило все так же слабо, а грело еще слабее. Черного зрачка эйнсофа на нем видно не было. То ли он растворился в плазме верхнего слоя солнца, то ли переместился на противоположную сторону.

Температура воздуха держалась на уровне плюс шести градусов по Цельсию, цвет деревьев был зеленым, с коричневым и синим отливом, и нельзя было определить, какое сейчас время года: весна, лето или осень. Но дышалось легко, кислорода в атмосфере хватало.

Дар прошелся по площади, путаясь в густой траве, прислушался к пространству, пытаясь услышать звуки человеческой деятельности или хотя бы слабые следы мысли.

Кто-то п о с м о т р е л на него, причем с разных сторон, сверху и из леса за городом. Он поднял голову.

Из-за дальних уступов жилых зданий вытягивалась черная сетчато-прозрачная туча. Стая птиц. Вран! Это она «посмотрела» на человека, оценивая его поведение с подозрением и недоверием.

А вот из леса смотрели иначе, не очень дружелюбно, но и без угрозы, с любопытством и толикой страха. Это могли быть либо одичавшие домашние животные, либо лягуны, предоставленные сами себе и за пять тысяч лет вполне способные обрести разум.

— Эй, есть кто-нибудь? — позвал чистодей громко.

Эхо донесло обрывки слов, смолкло. Никто не откликнулся. Неизвестные наблюдатели не рискнули познакомиться с пришельцем, не зная, что от него ожидать. Гигантский вран — в стае было не меньше пяти тысяч ворон — протащился мимо, равнодушный к человеку и его желаниям. Возможно, вран тоже был разумен в какой-то мере, сформированный в своеобразную динамическую интеллект-систему. Но устремления и цели его существования были далеки от человеческих.

Если бы у метро нашелся хотя бы один плохонький действующий летак, Дар не преминул бы воспользоваться им для осмотра местности. А так как летающая техника, очевидно, давно пришла в негодность, от этой затеи пришлось отказаться. Захотелось поговорить с кем-нибудь, хотя бы с автоматом обслуживания уцелевших построек или с оператором метро. Все-таки интересно было выяснить, что сталось с людьми, выжил ли кто-нибудь, куда подевались хутора и общины интрасенсов, остались ли они на Земле или улетели в космос искать новое спокойное пристанище. Однако Дар вовремя вспомнил о Дарье, улетевшей в его время, и заторопился. Желание «погулять» по будущим временам осталось неутоленным, однако с реализацией идеи можно было подождать.

Трансфер послушно исполнил команду молодого человека и перенес его обратно в Брянск пятьдесят шестого века. Оператор системы уже свыкся с ролью гида, признал чистодея хозяином и не бубнил стандартное: «Иригути кэнкон, переход фиксирован...»

Дар вышел из кабины метро второго городского терминала... и на голову ему упала многотонная железная гора!..

В принципе он был готов к нападению и любому изменению обстановки, ответы на которые были заложены в его психике генами предков-интрасенсов. Но еще ни разу в жизни Дару не приходилось сталкиваться с жестким прямым п с и - н а п а д е н и е м с использованием суггесторов, психотронных генераторов. Противник, имя которого он узнал позже, применил мощный гипноизлучатель «василиск», пославший молодого чистодея в нокаут. Во времена оно были разработаны и специальные защитные устройства, блокирующие или отражающие импульс, но этих устройств у Дара, естественно, не было. Не знал он и характеристик излучения, чтобы впоследствии определить способы борьбы с ним. Поэтому удар пси-поля разом погасил сознание и разбалансировал подсознание, играющее роль сторожа организма.

В конце концов оно смогло нейтрализовать последствия нападения, очистило нервную и парасимпатическую системы от шлаков и включило сознание. Однако для этого потребовалось время, вследствие чего очнулся Дар уже в другом месте и не сразу понял, что произошло и где он находится.

Пещера.

Таким было первое впечатление.

Плохо освещенная «вздрагивающим и плавающим» синеватым светом пещера. Стены пещеры сложены из фиолетово-черных наплывов и бугров. С потолка свисают редкие черные сосульки, напоминающие сталактиты и коровьи соски одновременно. Пол тоже неровный, в буграх и рытвинах. Два бугра посредине похожи на бараньи лбы. Впечатление такое, что они живые и разглядывают человека.

Никаких дверей и люков. Каверна в недрах горы на Меркурии — если судить по слабой силе тяжести. Только материал этой горы не камень. И не металл.

Вспомнились тела отеллоидов, также состоящие из черного вещества наподобие «квазиметаллического» желе. Может быть, это и есть резиденция черных людей? Их база? Или вообще космический корабль?..

Дар попробовал шевельнуться и не смог. Он по грудь был погружен в черный выступ стены, свободными оказались только голова и плечи. Дернулся посильнее — никакого результата! Черная субстанция — ни холодная, ни горячая — держала тело крепко. Вот дьявольщина! Как он здесь оказался?!

Сквозь шум в голове протиснулся тоненький голосок озарения: пси-атака...

Сторож организма восстанавливал связи подсознания и сознания.

Понятно, на него было совершено нападение с помощью психотронного оружия. И сделать это могли только отеллоиды. Неужели они ждали его специально, в засаде? Или просто перекрыли все работающие станции метро? Тогда возникает вопрос: зачем? Кого они ловят на самом деле? О выходе сына князя в сеть метро черные люди знать не должны...

Дар напрягся, пытаясь вытащить руки из плотной субстанции.

Нет, не получается. Что же делать? Костюм захватчики с него не сняли, может быть, и личные вещи оставили? Тогда есть шанс вырваться из плена. Добраться бы только до трансфера...

В странном мигающем, синевато-сиреневом свете — световые всполохи бегали по стенам как живые — ориентироваться было трудно, но все же пленник заметил, как один из черных «сталактитов» вдруг засветился, сократился, как коровий сосок, и уронил на пол большую черную каплю. Эта капля ожила, начала обретать форму и превратилась... в черного человека, отеллоида!

— Здрасьте, я ваша тетя! — пробормотал Дар.

Отеллоид подошел ближе, плывя и качаясь, формируясь прямо на глазах. Окончательно превратился в «негра» с огромными белыми, без зрачков, глазами. Губы его шевельнулись:

— Задавать вопрос есть мы...

— Валяй, — кивнул Дар, чувствуя взгляд «бараньих лбов» в центре пещеры. Сосредоточился на вхождении в «параллельное» — клеточное сознание, закрывая свою мыслесферу. Аппаратура пещеры могла подслушивать его мысли и сравнивать с тем, что он станет говорить.

— Ты быть болото...

— Прежде чем вести допрос, представься. Кто ты, какое имеешь право задерживать и допрашивать людей без их согласия, что вы делаете на Земле.

— Мы йихаллах. Есть приказ. Мы делать. Ты быть болото...

— Я бывал на многих болотах. Откуда вы взялись? Почему преследуете и убиваете нас? Что ищете?

— Ты быть болото, — в третий раз проговорил черный недочеловек лишенным интонаций голосом. — Найти нужное... отдать...

— Да что вам нужно конкретно, черт побери?!

— Термин неизвестность... свернутый... много энерги... выход энерги вакуум... прямо сразу... много...

— Таких вещей у меня никогда не было!

— Ты взять болото... мы видеть... фиксировать... искать твой жилище... не найти — плохо быть... отдать...

Дар побледнел.

— Вы были на хуторе?! Искали артефакты?! — Он рванулся изо всех сил, до боли в костях. — Что вы сделали с хуторянами?! Убили?!

Отеллоид остался абсолютно равнодушным.

— Все уходить... уцелеть много... нет найти... где то свернутое? Мы искать... отдать иначе быть плохо...

Дар скрипнул зубами, страдая от бессилия.

— Я не знаю! Меня не было, когда вы напали. Все находки были дома.

— Их нет... думать где есть... давать ты время думать — одна ваша единица измерения...

Дар криво улыбнулся:

— Это сколько? Минута, час, сутки?

— Час... потом допрос плохо... быть не жить...

Отеллоид повернулся, точнее — вывернулся сам в себе спиной к пленнику, зашагал прочь, влился в стену пещеры, пропал.

— Чтоб ты сдох! — в сердцах произнес Дар, понимая, что искусственное создание вряд ли может «сдохнуть» как человек или животное. Попытался взять себя в руки, постепенно успокоился.

Итак, что делать, чистодей? У тебя всего один час, и за это время надо что-то придумать. Начнем-ка мы с ориентации...

Он сосредоточился на резерве пси-энергии. Заработало гиперзрение, проснулся пространственный «локатор». Поле зрения скачком расширилось, обнимая пещеру и то, чтобы пряталось за ее стенами.

Корабль!

Он находился в недрах исполинского космического корабля, висевшего в космосе недалеко от сверхмассивного горячего объекта. Не сразу пришло понимание, что объект этот — Солнце. Ощущалось оно не колоссальным шаром, а пышущим жаром тоннелем, начинавшимся над головой.

Как же он здесь оказался?! Неужели беспамятство было столь глубоким и долгим, что доставка не оставила в памяти никаких следов? Или отеллоиды тоже используют метро в своих целях?

Хорошо, допустим. Это корабль. Без единого живого существа на борту — если судить по отсутствию в спектре излучений биочастот, определяющих жизнедеятельность людей. Освободиться силовым путем невозможно. Склонить инк корабля к бунту также вряд ли удастся. Позвать на помощь родичей? Отца? Вдруг да услышит кто?..

Дар глубоко вздохнул, расслабился, переходя на уровень полевого оперирования. Шум в ушах пропал. Голову объяла глубокая космическая тишина. Тело перестало ощущаться вовсе. Дар превратился в эфемерный мысленный поток, устремившийся в обратную от Солнца сторону, к Земле.

Ответная реакция пространства была странной. Его явно услышали, удивились, заинтересовались, но при этом не ответили на зов, а как бы задумались и отдалились. Дар так и не понял, человек это был или некая коллективная разумная система, подобная мравлю или врану. Не дождавшись ответа, он вышел из общего энергоинформационного поля, обрел телесную форму и массу. Тело казалось тесным и мешающим свободно перемещаться в любых направлениях. К тому же оно само было заковано в панцирь черного квазиметалла, цепко держащий свою жертву.

Голова закружилась. Энергии он потратил много, а подпитаться было нечем. Так и с голоду помереть недолго. Неужели тюремщики не догадаются покормить или хотя бы дать воды?

— Эй! — позвал Дар. — Ты меня слышишь, оператор? Я хочу есть и пить.

— Вряд ли она исполнит твою просьбу, — раздался из воздуха чей-то хрипловатый тихий голос. — Твои желания и даже жизнь для нее ничего не значат.

— Для кого — для нее? — Дар завертел головой, пытаясь определить источник голоса, и увидел-ощутил стоящую в центре пещеры почти невидимую фигуру, оконтуренную световыми искорками. — Кто вы?

Фигура уплотнилась, превращаясь в человека средних лет, одетого в необычного кроя коричневый плащ с погонами и множеством металлических блях. На голове незнакомца красовался головной убор с козырьком и красной звездой на околыше. На ногах — сапоги. Лицо у него было иссечено морщинами, губы сжаты в полоску, тяжелый подбородок подчеркивал волевые качества, а синие глаза смотрели с любопытством и странной печалью. И таилась в них такая г л у б и н а знания, что у Дара перехватило дыхание.

— Мое имя тебе ничего не скажет, юноша, — проговорил гость, сделав несколько шагов и разглядывая зал с пленником. — Можешь называть меня Паломником, если хочешь. Обычно я не откликаюсь на просьбы о помощи. Как говорится: если вы поможете другу в беде, он непременно вспомнит о вас, когда снова окажется в беде. Но мне стало вдруг любопытно: ты ведь не из простых людей?

— Я сын князя...

— Речь не об этом. В тебе заложена некая программа, имеющая позитивный смысл, а также способы ее реализации. И тем не менее ты находишься в незавидном положении и просишь помощи.

— Я... я не могу... освободиться... — Дар покраснел. — О какой программе вы говорите?

Паломник с прежним любопытством во взоре оглядел чистодея, покачал головой:

— Интрасенсы и есть программа, улучшающая породу людей. А ты достаточно сильный маг, способный самостоятельно запускать механизмы резервных возможностей. Странно, что ты этим не пользуешься. Твои сородичи, с которыми я встречался, владели даже столь вредными способностями, как запуск генетических программ уничтожения любых биосистем, попадающих в сферу досягаемости. Возможно, ты тоже владеешь этими механизмами.

— Я не знаю...

— Очевидно, — согласился Паломник. — Тебя учили другому, — как стать мастером ж и з н и , и это правильно. Что ж, приятно было познакомиться. Прощай.

— Подождите! — испугался Дар, увидел веселые искры в глазах собеседника, с трудом приобрел видимость спокойствия. — Вы сказали, что встречались с моими сородичами... с кем именно?

— Я имел в виду не твоих ближайших родственников, а людей вообще.

— Разве вы... не человек?

— Скажем, в данный момент я — гуманоид. Но не человек в общепринятом смысле этого слова. Для встречи с тобой я просто принял облик одного из людей, с которыми я беседовал.

— Можно задать вам несколько вопросов?

— Вообще-то время моего пребывания в этом инварианте истекло, но для тебя я готов сделать исключение.

— Вы говорили — о н а... то есть что она меня не послушает...

— Разве ты сам не понял? Ты находишься внутри особой программы реализации чужого замысла. Эту программу можно назвать Триэс-маткой или системой сингулярного свертывания, а также исполнителем воли йихаллах. Естественно, она подчиняется тому файлу, который в нее вложен, а твоя жизнь и чувства никоим образом не влияют на ее работу. Это жесткая система, не способная искать компромиссы.

— И что ей надо... от меня?

— А вот этого я не знаю. Знаю только, что ты ей нужен, иначе на тебя не обратили бы внимания ее функционально ориентированные рабочие органы.

— Отеллоиды...

Паломник хмыкнул:

— Верно. Вы дали весьма меткое название для искусственников.

— Они хотят забрать артефакты.

— Какие артефакты?

— Я нашел их на болоте, точнее — в глубине... — Дар собрался было рассказать собеседнику историю знакомства с черными людьми, но тот прервал его жестом.

— Достаточно, я тебя услышал. Любопытно. — Паломник одарил чистодея непонятным — не то осуждающим, не то озабоченным — взглядом. — Я думал, что хроносрезы в этом инварианте существовать не могут, квантовые флуктуации вакуума должны их раскачивать, нейтрализовать. Впрочем, их ведь могли доставить сюда и из других инвариантов. А вот с человеком по имени Клим Мальгин я встречался. Очень далеко отсюда. Буквально перед Большим Разрывом.

— Вы не знаете, где он может быть? Дочь ищет его...

— Зачем его искать? Захочет — вернется.

— Дело в том, что у них какие-то проблемы...

— Эти проблемы вечны: радость — горе... жизнь — смерть. Не стоит забивать ими голову. А вот артефакты твои по-настоящему опасны. Особенно книга и чаша. Вернее, то, что за ними стоит. Обращайся с ними бережно. Возможно, черные недолюди охотятся именно за ними, а не за хрониками.

— Что в них опасного?

— Это своего рода порталы, входы в экзотические инварианты Вселенной. Не пытайся воспользоваться ими в одиночку, породишь катастрофу или погибнешь зазря, несмотря на то, что ты прямой потомок Вершителя.

— Кого?! — удивился Дар. — Мне говорили, что я потомок математика-интрасенса Аристарха Железовского.

Паломник улыбнулся:

— Вершителями иногда становятся и более экстравагантные личности. Твой прапрадед еще не знает о своем предназначении. А вот его друг Клим Мальгин знает. Однако мое время окончательно рассинхронизировалось с вашим. Прощай, чистодей. Надеюсь, ты не задержишься в этом неуютном сосуде, если захочешь изменить положение всерьез.

Фигура Паломника потеряла плотность, заколебалась струей нагретого воздуха, исчезла. Дар стиснул зубы, чтобы не крикнуть вслед: помогите освободиться! Путешественник по «инвариантам Вселенной», каким он и был в сущности, и так оказался чересчур терпеливым и внимательным, коль снизошел до беседы с попавшим в беду человеком. Что же он имел в виду, говоря об изменении положения «всерьез»? Уж не то ли, что стоит только пленнику по-настоящему з а х о т е т ь — он освободится?

Один из черных сосков-сталактитов пещеры начал подрагивать, засветился, собираясь выдавить из себя отеллоида. Время, данное пленнику для принятия решения, кончалось.

Дар приказал себе успокоиться, сосредоточился на теменной чакре, закрыл глаза. Вошел в состояние владения, проходя уровень за уровнем в темпе погони. Добрался до сатори — озарения. Решение пришло как бы само собой, без участия сознания. Внутренний эксперт и конструктор идей, опиравшийся на сконденсированный в подсознании опыт поколений, нашел способ освободиться.

Дар напряг мышцы и начал медленно вытаскивать, микрон за микроном, руки из черного «асфальта» стены. Ударное воздействие на этот массив не давало результата, так как его объем и масса были слишком большими. Но сверхпрочным этот материал не был, поскольку из него же лепились и тела отеллоидов, с которыми чистодей уже научился бороться.

Усилия не прошли даром. «Квазиметалл» выступа, в котором, как муравей в янтаре, сидел пленник, начал поддаваться, уступать давлению. Сначала Дар вытащил одно плечо, потом второе, локти и кисти рук. Открыл глаза.

С острия сталактита упала на пол пещеры бликующая черная капля, сформировалась в фигуру человека. Следом за ним таким же образом ожил еще один отеллоид. Оба воткнули руки в соседний сталактит, вытащили из него пистолеты — метатели молний. Матка отеллоидов намеревалась устроить пленнику допрос с пристрастием.

Однако Дар не собирался устраивать показательный бой. Он уже нащупал под уником карман с трансфером и мысленно-волевым усилием вызвал оператора. Через мгновение транслятор унес его из «камеры пыток» в сеть орилоунского метро.

Глава 9

До хутора он добирался кружным путем, не через Брянск, а через Гомль. К счастью, засада в городском терминале метро отсутствовала. Отеллоиды не знали, что он работает, либо не догадались перекрыть остальные работающие станции.

Дар вышел на центральную площадь Гомля, где бывал с друзьями детства не раз, нашел свободный летательный аппарат — четырехместный пинасс и стартовал на восток, в сторону Брянска. Правда, город он на всякий случай облетел стороной, не желая затевать очередную потасовку с отеллоидами. Не потому, что боялся их, а из соображений скорейшего возвращения домой. Сердце вещало, что за время его отсутствия произошло нечто нехорошее, да и отец не отзывался ни на мысленный зов, ни на запросы по рации.

Предчувствия сбылись.

Хутор Жуковец перестал существовать!

От него остались только завалы и кучи бревен, обломки печей и труб, груды деревянной щепы, кучи золы и углей да множество воронок разного калибра.

Закусив губу, Дар облетел территорию хутора, страшась увидеть трупы людей. Однако их не было. То ли жителям селения удалось-таки спастись в лесу, то ли они уже похоронили убитых.

— Святой наставник! — прошептал сраженный увиденным молодой человек, глядя на то, что осталось от их семейного терема. Сердце больно ворохнулось в груди. — Мама!.. Отец!..

В голове распустился призрачный цветок чужой мысли, сопровождаемый знакомым з а п а х о м ощущений:

«Привет, чистодей. Наконец-то ты соизволил появиться на родных болотах».

«Дарья?! — встрепенулся молодой человек. — Где ты?!»

«А ты?»

«Я на хуторе! — Возбуждение схлынуло, вернулось чувство горестной утраты. — Здесь все разрушено... никого не видно...»

«Твои все целы, не беспокойся. Твой друг спас артефакты, хотя отдавать их не спешит, тебя ждет. Сам найдешь нас или за тобой прислать транспорт?»

Душу охватило радостное волнение.

«У меня свой, я вас найду».

«Мы на хуторе Дятьковичи».

«Ждите!»

Дар от радости дал свечу, вонзая пинасс в небо, погнал аппарат на юго-запад, выдавливая из его двигателя все, на что тот был способен. Через десять минут ураганного полета он посадил едва не развалившийся пинасс на лобной площади соседнего хутора. И сразу попал в медвежьи объятия Боряты.

— Слава богу! Ты жив-здоров!

— Тебе желаю того же, — с искренней признательностью прижал приятеля к груди Дар. — Спасибо, что успел вынести находки!

— Да что там, обычное дело, — смутился Борята. — Твоя мама у Прохора Бажана остановилась, тебя ждет, волнуется.

— А отец?

— Князь с дружиной отправился на разведку куда-то под Питер, там якобы наши следопыты обнаружили базу черных ублюдков. Зато здесь тебя ждет сюрприз.

На крыльцо ближайшего терема вышли двое: улыбающаяся, уверенная в себе, безумно красивая Дарья и огромный мужчина с твердым, спокойным, суровым лицом. Очень знакомый мужчина, похожий на отца почти как одна капля воды на другую. Несколько мгновений они смотрели друг на друга: оценивающе — Железовский, с любопытством и смущением — Дар. Затем перед глазами молодого человека родилось видение: человеческое лицо из звезд на фоне космического пространства, напоминающее лицо отца, протянувшаяся рука из тающих звездочек, ощущение бездны, холодного ветра, полета, запах озона и одновременно полыни и застарелой пыли... Дар протянул в ответ свою руку — мысленно, звезды обеих ладоний соприкоснулись, образовали своеобразную галактику.

— Ну, здравствуй, праправнук, — пробасил Аристарх, сходя с крыльца и протягивая громадную сильную руку — настоящую. — Даша рассказывала, но одно дело — услышать, другое — увидеть. Примерно таким я тебя и представлял.

— Здравствуй, — пробормотал Дар.

Руки встретились, напряглись. Несколько мгновений оба сжимали ладони в полную силу. Потом по губам Аристарха пробежала усмешка.

— Узнаю родича.

Дар порозовел, ослабил хват.

Борята хлопнул его по плечу, сказал важно:

— Он мастер жизни, Испытание прошел, отеллоидов победил.

Дарья засмеялась, сбежала вниз.

— Рада тебя видеть, чистодей. Где был?

Дар усилием воли удержал спокойное выражение лица.

— Я был у вас дома, виделся с твоей мамой.

— Шутишь?!

Он качнул головой, чувствуя ветерок могучей воли Железовского, продолжавшего изучать его мысленно-чувственные д в и ж е н и я.

— Это было нетрудно. А потом меня захватили в плен отеллоиды.

Наступила короткая тишина. Встретившие молодого хуторянина молча смотрели на него с недоверием и сомнением во взорах. Только человек-гора смотрел иначе — с осуждением и одобрением одновременно.

— Как же тебе удалось освободиться? — первой задала вопрос девушка.

— Сынок! — раздался невдалеке тихий возглас.

Дар обернулся. К нему бежала мама, замедлила шаги, положив руку на грудь. Он метнулся к ней, обнял, шепнул: «Все в порядке, мам, я вернулся!» Отступил на шаг, глянул на разглядывающих эту сцену гостей.

— Вы уже знакомы?

— Почти сутки, — отозвалась Дарья.

— Тогда я приведу себя в порядок, и поговорим, не возражаете?

— Идем к Прохору, — сказала Веселина, беря сына под руку, — банька давно готова. Искупаешься, поешь.

— Есть мы будем вместе.

— Хорошо, как скажешь.

Дар помахал рукой остающимся, стараясь не ловить взгляды Дарьи, хотя его как магнитом влекло к ней.

Мать и сын удалились.

— Как же ему удалось вырваться? — задумчиво проговорила девушка.

— Отеллоиды для него не противник, — небрежно махнул рукой Борята. — Во время Испытания он наткнулся на целый отряд черных бродяг и одолел всех! Да и потом не раз побеждал их. Вот она свидетель.

Дарья кивнула:

— Подтверждаю. И все равно непонятно.

— Сильный мальчик, — прогудел Железовский с некоторой меланхолией. — Разве что когнитивного опыта не хватает да предвидения.

— Опыт дело наживное, — возразила девушка, — а с предвидением и у тебя, дядя Аристарх, не всегда все ладится.

— Уела, — добродушно усмехнулся Железовский. — Пойдемте куда-нибудь, не люблю торчать у всех на виду.

— К Бажанам и пойдем, — засуетился Борята. — Они люди хорошие, гостеприимные, и терем у них красивый и большой.

«Нам бы побыстрей разобраться со своими проблемами, — передал Дарье свою мысль Железовский, — и так потеряли двое суток».

«Нельзя же сразу требовать объяснений, — рассудительно ответила она. — Невежливо. Мы здесь всего лишь гости».

«Я гляжу, ты не прочь задержаться».

Щеки Дарьи порозовели, но она вздернула подбородок и сказала вслух независимым тоном:

— Кроме хуторских, помочь нам некому. Сам же говорил, что двоим нам не справиться.

Железовский молча направился вслед за оглядывающимся Борятой.

В тереме Бажанов их проводили в горницу, усадили за стол, предложили квас и медовый взвар. Вопросов не задавали, считая, что гости сами расскажут о себе, если захотят.

Вскоре появился Дар, переодетый в холщовые штаны и рубаху с вышивкой. Заговорили об отеллоидах. Дарья сообщила о встрече с черными псевдолюдьми на Меркурии.

Дар лаконично рассказал о походе в прошлое, во времена гостей, и о засаде, которую устроили в метро Брянска отеллоиды. Закончил беседой с Паломником. О том, как он освободился, распространяться не стал, сказал только, что удалось реализовать резервные возможности и воспользоваться трансфером.

— Откуда у отеллоидов гипноиндукторы? — подняла брови Дарья. — Взломали какой-нибудь спецхран с оружием?

— Очевидно, — буркнул Железовский. — Хотя случайно такие вещи не делаются. Чтобы взломать спецхран с оружием, надо еще знать, какое оружие там хранится. Значит, внучек, ты утверждаешь, что на твой зов откликнулся Паломник?

Дар пожал плечами, считая вопрос излишним.

— Это любопытно, — продолжал человек-гора, будто разговаривал сам с собой. — Клим тоже встречался с Паломником. Такое впечатление, что этот парень прямо-таки жаждет встреч с путешественниками по орилоунской «нервной системе».

— Какой системе? — не понял Дар.

— Он имеет в виду орилоунское метро, — улыбнулась Дарья. — Почему ты считаешь, что Паломник ищет встреч именно с пассажирами орилоунской Сети?

— С ним встречались Клим, Лондон, Маттер и я, и все мы пользовались услугами орилоунского метро. Надо поразмышлять над этим. Как он меня назвал, говоришь?

— Вершителем, — сказал Дар.

Аристарх почесал кончик носа, хмыкнул:

— С кем-то он меня спутал. Если бы я был Вершителем, мы бы не имели проблем, какие имеем.

— Наверное, он имел в виду твой рост, дядя Аристарх, — невинным голосом проговорила Дарья.

— Обидеть норовишь? — усмехнулся Железовский. — Всякий может обидеть слабого. Однако давайте думать, друзья, что делать дальше. Странным образом в проблему, которую мы решаем дома в свое время, оказались втянуты и потомки. Не знаю, к чему это может привести, но уверен, что ничего случайного не бывает. Отеллоиды становятся помехой не только для вас, живущих здесь, но и для нас. Чтобы помешать их планам, которые являются лишь частью чьего-то более серьезного замысла, направленного на попытку рождения черной дыры на месте нашего солнышка и всей Солнечной системы, надо решить две задачи. Первая: взорвать к чертям собачьим завод МК на Меркурии — в наше время. Задача вторая: ликвидировать центр управления отеллоидов в Системе, то есть их интеллект-базу, это уже здесь, в ваше время. Есть возражения? Другие варианты?

— Нет! — воскликнул Борята, поднимая обе руки. — Я — за!

— Я тоже не возражаю, — сказал Дар, глянув на мать, — но все же советую дождаться отца и объяснить ситуацию ему.

— Мы не можем ждать.

— Он улетел с дружиной к Питерским болотам, на Балтику, — тихо проговорила Веселина. — Там видели черных бродяг.

— Под Питером их база, — добавил Борята. — Князь хочет ее уничтожить.

— База отеллоидов на Меркурии, — возразила Дарья. — На Земле им нечего делать. Туда же доставили и тебя. — Она посмотрела на Дара.

— Я позову отца, — сказал чистодей упрямо. — Подождете?

Железовский посмотрел на спутницу.

— Подождем, — быстро сказала Дарья. — Если князь даст дружину, мы возьмем отеллоидов тепленькими, пикнуть не успеют!

Мужчины переглянулись. Мать Дара улыбнулась:

— Решительная девушка.

— Вся в отца, — сказал Аристарх неодобрительно. — Тот всегда был уверен в своих силах. Теперь вот ищи его у черта на куличках.

— А мне можно пойти с вами? — Борята прижал к груди кулак, умоляюще посмотрел на друга, мнение которого уважал больше других.

— Ты не воин, — сказал Дар. — Испытание пройти надо.

Веселина укоризненно посмотрела на него, заговорила с Борятой:

— Князь решит — пойдешь. Дружине тоже иногда целители нужны.

— Я всегда готов, — с надеждой и обидой пробормотал Борята; у него запылали уши. — Как за отеллоидами гоняться да тебя из болота вытаскивать — я гожусь, а как вместе идти на войну — так я не воин.

— Ну что, гости дорогие, наговорились? — появилась в горнице хозяйка, полная, дородная Степанида. Из-за ее плеча выглянул бородатый улыбчивый Прохор. — Сядем, поснедаем?

— Пожалуй, не откажемся, — погладил живот Железовский.

— Проходите в столовую.

Все потянулись к выходу.

Дар остался.

— Отца позову, — пояснил он в ответ на взгляд мамы. Оставшись один, сел поудобней, сосредоточился на внутренних «меридианах» — кровеносных сосудах, служащих не только для перекачки крови, но и для образования энергетического каркаса тела. Кровь — живое существо, любил говорить наставник, с ней надо жить в мире и согласии, и Дар старался следовать этому совету. Иногда он даже беседовал со своей кровеносной системой как с равным по уму человеком, и этот «вторичный контур» психики всегда отвечал ему — на уровне эмоций — и с готовностью отдавал энергию. Хотя к высокой энергетической отдаче Дар прибегал редко: при этом резко ускорялось старение организма, сжигалась такая удивительная тонкая субстанция, как л и ч н о е время.

Перестали волновать бытовые заботы и прочие проблемы.

Шумы хутора и голоса гостей в столовой растворились в тишине космоса, объявшего голову молодого интрасенса. Стали слышны иные шумы — мерные гулы и «волны прибоя» человеческих психосиловых эгрегоров. Люди еще населяли Землю, образуя коллективы, и эти немногочисленные коллективы «фонили», излучали мысли и тонкую энергию эмоций. Дар присоединился к общему пси-полю человечества, потерявшему и былую мощь, и былую агрессивность, стал одной из «нервных клеток» системы, связанной с другими «нервными клетками» в единую систему, что окутывала Землю незримой пелериной. Одно время казалось, что его сопровождает по пси-космосу Земли некое теплое эфемерное облачко, но ощущение быстро прошло. Сознание, опираясь на гораздо более широкие возможности подсознания, помчалось по узлам и волокнам системы, ища знакомые «цвето-психические» сочетания, и вскоре соприкоснулось с пульсирующим алым «угольком» родственной души.

«Уголек» развернулся трепещущим веером, отвечая целой гаммой биополей, каждое из которых соответствовало какой-либо человеческой эмоции или переживанию. Обла-

датель пси-ауры удивился, услышав зов, быстро проанали-
зировал мыслеголос, обрадовался и забеспокоился:

«Дар? Ты? Что стряслось?!»

«Ты нужен здесь, папа, — ответил Дар. — Прилетели
гости из двадцать четвертого века. У них есть соображения,
как покончить с отеллоидами».

«Мы сами справимся с черными бродягами».

«Я был у них в плену. Это очень большая разумная система, опирающаяся на нечеловеческую логику. С ней надо бороться сообща».

«Как ты себя чувствуешь?»

«Со мной все в порядке. Когда тебя ждать?»

Пауза.

«Через три часа. Мы нашли временную стоянку кораблей черных...»

«Их база находится возле Меркурия, вблизи Солнца».

«Откуда ты знаешь?»

«Я был там, видел».

Еще одна короткая пауза.

«Хорошо, мы вылетаем».

Космос пси-связи стремительно сжался в точку внутри
головы чистодея. Он открыл глаза, хватая ртом воздух, как
человек, вынырнувший из воды. Кто-то смотрел на него,
удивленно и даже с восхищением.

Дарья!

— Ну ты и даешь! — проговорила девушка низким голосом. — Я попробовала «пойти» за тобой, но провалилась.
Неужели ты «достал» отца?

— Он будет с дружиной через три часа.

Дар поднялся, чувствуя эйфорическую легкость во всем
теле.

Девушка пригляделась к нему, покачала головой.

— Похоже, парасвязь требует слишком большого расхода энергии. У вас что, нет раций?

— Есть, но они работают на короткие дистанции, до ста километров. От Брянска же до Питера тысяча. А спутниковой ретрансляционной сети уже давно не существует.

— Понятно. — Она взяла его под локоть. — Я тебя поддержу, если не возражаешь.

Он не возражал. Прикосновение девушки было так приятно, что хотелось продлить эти мгновения до бесконечности.

Они прошли в столовую, где на столе уже дымились блюда с едой: тушеный картофель, жареная капуста с луком, плов с фасолью, соленые грибы и горячий хлеб.

— Хлеб сами печете? — поинтересовался Железовский.

— На хуторе своя пекарня, — ответил Прохор Бажан, огладив бородку. — Зерно тоже свое, урожаи хорошие собираем. Грибы собираем, капусту и овощи выращиваем, от города практически не зависим. Так, кое-что берем из городских запасов, а можем и не брать.

Железовский кивнул.

— Город живет на трансгенных продуктах, оттого и люди там измельчали, полностью зависят от технологии. Вам не нужно повторять этот печальный опыт.

— Без технологии им все равно не обойтись, — заявила Дарья.

— А я и не призываю пользоваться ручным трудом, — усмехнулся Железовский. — Однако нынешним поколениям дан шанс жить в естественных условиях, в ладу с природой, отойти от киборгизации и искусственного содержания. Технику грех не использовать, но в разумных пределах, совершенствуя данные Творцом потенции.

— Кто же возражает, — сказал Прохор. — Мы так и жи-

вем. Если бы не банды кочевников, с которыми приходится воевать всерьез, жить было бы веселей.

— И часто вас банды тревожат?

— Обычно это хочушники и беривсеи, — вставил слово
Борята. — Налетают на вечерние посиделки, девчонок хва-
тают. Каждую неделю, почитай, безобразничают. С ними мы
не церемонимся, они редко с оружием являются. А вот кочевники из эскадронов жизни...

— Полные бандиты, — закончил Прохор. — Им человека убить — что муху прихлопнуть. С ними только дружина
справляется.

Дарья и Аристарх переглянулись.

— Будущее называется! — презрительно скривила губы
девушка.

— Какое было прошлое, таким стало и будущее, — проворчал Железовский. — Человек в массе своей остается существом стада, причем стада жестокого. Чему удивляться?

Где-то за стенами терема послышался колокольный
звон.

Все замерли.

Потом вскочили Прохор и Борята, за ними Дар.

— Тревога!

— Что случилось? — поднялся Железовский.

— Сторожа заметили кого-то, сейчас выясним. Поси-
дите пока, авось это просто пара любознатцев летит.

Хозяин, Дар и Борята исчезли за дверью.

— Что еще за любознатцы такие? — спросила Дарья.

— Семьями летают, путешествуют по миру как саран-
ча, иногда их еще цыганами называют, — ответила Степанида, собирая со стола посуду. — Шуму от них много, суеты,
крику, воровства, но долго они на хуторе не задерживаются.

— Что-то я не слышал о цыганах в наше время, — сказал

Железовский, прислушиваясь к своим ощущениям. — Пойдем-ка, Даша, не любознатцы это летят, сдается мне, посерьезнее деятели.

— Отеллоиды?

— Скорее всего.

Аристарх и Дарья вышли на крыльцо терема.

По улице к лесу бежали женщины и дети. Хутор пустел на глазах. На площадь рухнул с неба каплевидный куттер, из него выпрыгнул усатый мужчина в блестящем унике, закричал:

— Коряга летит! Все уходите!

— Что за коряга?! — не поняла девушка.

— Спейсер отеллоидов, — угрюмо сказал Железовский. — Я его вижу, километрах в пятнадцати отсюда. Сейчас будет здесь.

— Не по наши ли души?

— Отеллоиды ищут артефакты, это очевидно, и знают, что с хутора твоего приятеля их унесли.

— Откуда они знают?

— Боюсь, их кто-то наводит. Кто-то из людей.

— Хуторяне?!

— Предатели появляются в любой среде, такова природа человека.

— Что будем делать?

— Ты готова поиграть в войну?

— Всегда! — храбро расправила плечи девушка.

— Делай то же, что и я. Будь готова уйти на «струну» трансфера в любой момент.

Из-за терема на противоположной стороне улицы выбежал Дар, увидел гостей, круто повернул к ним.

— Уходите! Точно такой же дредноут разбомбил наш хутор!

— Где артефакты?

— Борята уже унес сумку в лес.

— Уходи один, мы останемся.

— Зачем?!

— Попробуем пообщаться с начальством этого дредноута. Возможно, выясним, кто из твоих соотечественников командует парадом.

— Никто! — уверенно заявил чистодей. — Никто из наших не станет сотрудничать с черными!

— Вот и проясним ситуацию. Уж больно оперативно отеллоиды вычисляют местонахождение твоих болотных находок.

Железовский зашагал к площади. Дарья последовала за ним, оборачиваясь.

Дар несколько мгновений размышлял, затем догнал обоих.

— Я с вами!

— Это опасно! — с излишней назидательностью заметила девушка.

Дар вспыхнул:

— Не опасней, чем нырять в болото. К тому же у меня есть трансфер.

— Не обижай родича, Дашка, — оглянулся Железовский. — Пусть идет. Чем нас больше, тем мощней воздействие. Задача ясна, чистодей? Объединяемся в потоке «триай»[1], ищем императив-центр дредноута и приказываем ему убираться ко всем чертям. Одновременно пытаемся подключиться к его информсистеме и скачать всю доступную информацию.

---

[1] «Триай» — объединение сенсорных полей в резонансный контур, своеобразный пси-интерферометр, позволяющий усиливать эффект локации и считывать информацию по интенсивности и модуляции биополей.

Дар не понял, что такое «поток триай», но признаваться в этом не стал. Ответил коротко:

— Хорошо.

Над лесом показался «дредноут» отеллоидов — двухкилометровой длины сооружение, похожее на облепленную кораллами и прилипалами плоскую морскую ракушку. Дар еще не встречал космических кораблей, столь далеких от эстетических требований воздушного полета, но для Железовского форма этого летающего монстра не стала неожиданностью.

— Не удивлюсь, если эти ребята являются далекими родственниками или потомками маатан, — сказал он. — Те же размеры, почти та же геометрия, та же эстетика... Приготовились! Начали!

В голову Дара хлынули два золотистых свето-волевых потока, отличающиеся лишь оттенками. Он вошел в них своим лучом, получил вдруг энергетический удар и потрясающе радостное ощущение с и л ы. Горизонт стремительно раздвинулся, все предметы вокруг — дома, деревья, машины, дредноут-ракушка отеллоидов — стали как бы прозрачными, оставаясь при этом плотными материальными образованиями.

«За мной!» — возник в сознании молодого человека мысленный призыв Железовского, воля которого вела за собой весь поток «триай».

Дар послушно последовал за ним, чувствуя пси-энергетический «локоть» Дарьи.

Корабль отеллоидов представлял собой по сути единую металлоорганическую молекулу, способную потрясающе быстро формировать внутри себя любой объем или технологически необходимое приспособление. В данный момент на его борту не было ни одного отеллоида. Кораблю-матке они были нужны только для выполнения работ и заданий вне корабля. Одновременно сам корабль представлял собой своеобразный мыслящий компьютер, имеющий довольно приличную степень самостоятельности решаемых задач. И все же Дар понял, что это только компьютер, такой же, что допрашивал его на Меркурии. Должен был существовать более мощный интеллект, управляющий подобными разумными машинами.

Столкновение объединенных воль трех интрасенсов с мыслесферой корабля породило причудливый, невидимый обычному глазу пси-энергетический вихрь, потрясший пространство. Дар не сразу разобрался в сложных видениях, обрушившихся на голову. Железовский сделал это быстрее и вывел общий пси-щуп в нужную зону сознания корабля. Внутренние психосоматические узлы людей, подпитываемые огромными «запасами смысла» подсознания, потряс глубокий, хриплый, мысленный бас:

«Нарушени граница... требовани прекращени... ответ — уничтожени проникши вирус...»

Поскольку это был мысленный голос корабля, люди перевели его по-разному, но смысл речи сводился к «требую» и «уничтожу».

«Не спеши с решением, — раздался в общем пространстве пси-контакта не менее глубокий и мощный бас Железовского. — Уничтожить нас ты всегда успеешь, равно как и мы тебя. Давай обменяемся информацией. Кто ты?»

«Исполнитель Программы... порядковый номер сто двадцать шесть».

«Что такое Программа?»

«Вопрос некорректность».

«Каковы основные положения Программы?»

Бесшумный взрыв видений, по большей части бесформенных, среди которых мелькнули знакомые геометрические формы: звезды, солнце, черные провалы, оконтуренные короной сияния.

«Доступ запрещени... информаци стратегически кодировани... вынужденность включени подавлени...»

«Успокойся, мы имеем право владеть этой информацией, так как ты находишься на н а ш е й территории незаконно. Отвечай!»

Еще один взрыв призрачных картин, закончившийся видением Меркурия и каких-то каруселью вертящихся вокруг него непонятных символов.

«Программа поиск детонатор... линия третий планета... запуск инициация многомерность грубо колыбель... уничтожени помехи...»

Какая-то судорога перечеркнула пространство пси-беседы. Корабль-матка отеллоидов, назвавший себя «Исполнителем Программы номер сто двадцать шесть», замолчал.

«Твоя прямая задача?!» — проревел Железовский.

«Поиск хранитель детонатор... уничтожени... — Пауза. — Опасность утечка инфо... приказ уничтожение помехи...»

«Полный пси-выплеск! — услышал Дар «параллельный» мыслеголос Аристарха. — Фрустируем его!»

«Отставить уничтожение помехи! Произошел сбой Программы! Поступившая команда — ложна! Слушай п р а в и л ь н у ю команду! Вернись на базу и уничтожь ее! Немедленно! Исполняй!»

Тихое «шипение» в пси-эфире, нерешительное шевеление призрачных световых струй, длинные свисточки...

«Исполняй!»

Чудовищный двухкилометровый монстр, зависший над хутором в нерешительности, качнулся, как человек, получивший оплеуху. Мозг корабля, раздираемый противоречивыми приказами, никак не мог решить, что делать.

— Пошел! — рявкнул Железовский вслух так, что лес отозвался гулким эхом.

Корабль медленно поплыл вверх, остановился, закружился кленовым листом, снова начал подниматься. Вот он уменьшился вдвое, втрое, превратился в палочку, в соринку... и вдруг на этом месте разгорелась яркая звезда! Выросла в радужный факел огня, едва не ослепивший людей, погасла.

Трое в немом изумлении смотрели на опустевшее небо и молчали. Потом Железовский глубокомысленно проговорил:

— Кажется, мы довели его до самоубийства.

— Бедный Исполнитель сто двадцать шесть! — в тон ему сказала Дарья.

Из леса на окраине селения вывалила толпа хуторян, первым — Борята, с криками «ура!» бросилась к площади. Люди радовались победе, еще не зная, что она временная.

Глава 10

Князь с дружиной заявился, как и обещал, через три часа после сеанса парасвязи с сыном.

Дарья впервые увидела вместе представителей трех разных поколений рода Железовских и поразилась их сходству и одновременно ярко выраженному в поведении и обличье опыту. Возраст Аристарха ненамного превосходил возраст старшего Железвича, всего на три года, но чувствовалось, что он мощнее, сильнее, значимее и гораздо с в о б о д н е е, а главное — мудрее. И тем не менее сходство всех троих бросалось в глаза: рост, разворот плеч, осанка, выражение лиц, твердые взгляды, твердые подбородки, ощущение уверенности и силы. Когда они стояли рядом, трудно было определить, кто из них является прапрадедом, кто отцом. Разве что возраст Дара говорил сам за себя. Он мог быть только сыном.

Впрочем, о сходстве судачили больше женщины, мужчины быстро приняли этот факт за данность и переключили внимание на волнующие всех проблемы.

Бояр Железвич выслушал гостей внешне невозмутимо. Лишь однажды укоризненно глянул на сына, когда речь зашла о секретах артефактов. Дар заерзал на стуле — беседа происходила на веранде семьи Бажанов — и сделал вид, что ничего особенного не утаил, хотя на душе скребли кошки: отец должен был знать, чем занимается его сын в свободное время.

— Значит, ты уже летал на этом... ножике? — Бояр скептически кивнул на нож Дара, лежащий на столе среди других удивительных вещей.

— Не успел, только развернул, — потупился чистодей. — Корабль был создан не людьми и не для людей, но управлять им можно.

— Как же ты уместился в ноже?

— У него такая форма, она не меняется при увеличении.

— Прямо-таки колдовство, — фыркнул князь.

— Не колдовство, особая технология, — сказал Железовский. — Если мы в свое время сумели одолеть принципы субмолекулярного сжатия, почему бы другим разумным не найти способы многомерной свертки объектов? Вот они и нашли. Другое дело, где Шаламов добыл все эти раритеты, в каких мирах и временах.

— Что же представляют собой другие вещи?

— Это Пантеон. — Аристарх дотронулся до фолианта с бронзовыми на вид застежками и непонятной надписью на обложке. — «Красная книга» исчезнувших цивилизаций. Кстати, там есть и страницы, посвященные Земле и человечеству в целом. Вы видите ее как книгу, другие — как друзу кристаллов или свиток папируса — в соответствии с воображением и опытом. Это устойчивый кластер хрононов — квантов времени. По крайней мере, так мне говорили.

Железовский перевернул голыш с мигающей желтой искрой, и тот исчез.

— Вектор этого кластера направлен не в будущее и не в прошлое, а «в сторону», как бы по касательной к «кругу времен», поэтому он скоро появится на этом же месте, сделав полный оборот.

— Триста шестьдесят градусов, — вставила Дарья.

— Это эмоциональный резонатор. — Аристарх указал на «свечу». — Правда, эмоции, на которые он реагирует, не принадлежат к диапазону человеческих страстей, создавали его существа с иной психикой. «Стакан» на самом деле — звездная система, эквивалентная по размерам и массе большой галактике. В данный момент она свернута в объем стакана.

— А что это за чаша? — Бояр взял в руки тускло блеснувшую металлическую на вид чашу с наростом внутри, взвесил. — Тяжелая! Золото? Платина? Или какой-то другой металл?

Железовский помолчал.

— Это вовсе не металл. Возможно, именно за ней и охотятся отеллоиды. Это скорее всего еще один «обломок суперструны», скомпактифицированный после обрыва реликтового стринга по всем измерениям, кроме трех. Примерно таким же был «значок» в виде бокальчика, развернутый нашими физиками на Меркурии и превратившийся в эйн-соф.

— Сферу Сабатини, — пробормотал Дар.

— Бесконечномерный объект, — эхом отозвалась Дарья. Они посмотрели друг на друга. Девушка сморщила носик, сын князя смущенно отвернулся. Бояр Железвич усмехнулся.

— Какие у нас образованные дети. Однако, Аристарх, вы рассказываете поразительные истории. Каким же образом эти вещи оказались в глубине болота?

— Отец спрятал их в тереме деда, — сказала Дарья. — Зачем — не знаю. Может быть, боялся, что они попадут в руки плохих людей. В наше время все мы живем как на вулкане из-за отношения властей к интрасенсам и спровоцированной против нас кампании. Простые люди в массе своей нас боятся и ненавидят, хотя мы...

— Дашка! — мрачно сказал Аристарх.

Дочь Клима Мальгина замолчала.

— Понятно, — кивнул Бояр. — Мы изучали исторические Хроники, в том числе и смутные времена Ветхой Эры. Все, что вы видите на Земле сейчас, есть результат ваших войн и психической деградации толпы. Но вернемся к нашим баранам. Я понял так, что эта молодая особа появилась у нас в поисках отца. — Взгляд на Дарью. — Каковы же результаты?

— Его здесь нет, — пригорюнилась девушка. — Надо искать в других временах.

— Понятно. — Князь посмотрел на Железовского. — Ну, а вы тоже ищете ее отца? Или у вас другие цели?

— Я представляю Сопротивление, — пробасил математик; лицо его, как и лицо старшего Железвича, редко оживляла мимика, и по нему нельзя было судить, о чем он думает. — Это структура, созданная интрасенсами для защиты Рода и сохранения жизни на Земле, как бы выспренне эти слова ни звучали. Мы пытаемся убедить власть не экспериментировать с эйнсофом, так как это может породить глобальную катастрофу. Но в ходе исследований ситуации выяснилось, что пути решения проблемы ведут в будущее. — Аристарх глянул на смутившуюся Дарью. — Возможно, деятельность ученых и их пастухов, инициаторов уничтожения Солнечной системы, в наше время — всего лишь отвлекающий маневр, а настоящая работа в этом направлении ведется здесь, в ваше время.

Бояр надул губы, скептически качнул головой.

— Но ведь этот ваш эйнсоф так и не взорвался, если Солнце с ним дожило до наших времен? Выходит, опасность миновала?

— Это говорит лишь о том, что мы в наше время свою главную задачу выполнили, — позволил себе улыбнуться Железовский. — Нашим врагам не удалось реализовать свой план. Хотя нам еще предстоит разрушить их замыслы. Взорвать завод МК на Меркурии. Что-то еще. Мы это сделаем. А вот здесь, в ваше время, положение серьезнее. Программа, управляющая флотом отеллоидов, действует практически свободно, никто ей не мешает, а удары по хуторам, которые она наносит, имеют скорее превентивный характер. Плюс поиски артефактов... информацию о которых она могла получить только от людей.

— От предателей! — вырвалось у Боряты, сидевшего тихо, как мышь, с горящими ушами: он боялся, что его вот-вот выгонят.

— Не обязательно, — возразила Дарья. — Существует много способов развязать язык любому человеку, да и в Сеть влезть, чтобы скачать нужную информацию.

— Зачем им артефакты? Эта чаша, к примеру?

— Чаша обладает скрытым энергетическим потенциалом, причем огромным. Если ее развернуть — может возникнуть еще одна глубокая «яма» в вакууме...

— Черная дыра?

Железовский пожевал губами.

— Вы очень проницательны, князь. Да, именно черная дыра. А насчет черных дыр у наших специалистов существует очень интересная гипотеза. Как-нибудь мы поговорим на эту тему.

— Буду чрезвычайно признателен. Итак, что вы собираетесь делать здесь, у нас?

— Едва ли мы убедим отеллоидов поменять свои планы, даже уничтожив их императив-центр. Уничтожение — необходимое условие, но не достаточное. И все же мы задержим экспансию Программы и отодвинем ее финал. А потом решим, что делать дальше.

— Вы уверены, что справитесь? У вас есть кто будет выполнять ваш план?

Железовский усмехнулся, на миг потеряв каменную твердость лица.

— Существует три способа сделать что-нибудь: нанять кого-то, сделать самому или запретить детям делать это.

По лицам беседующих пробежали улыбки. Все оценили шутку, по большому счету отражавшую человеческую психологию.

— Поскольку первый способ отпадает, — продолжал Аристарх, — придется использовать второй и особенно третий. Наши дети, как мне кажется, давно созрели для важных дел вроде спасения человечества, Солнечной системы и Вселенной в целом.

— Не сомневайтесь! — заносчиво подтвердила Дарья.

— Я и не сомневаюсь. — Князь скрыл улыбку под ладонью. — Могу предложить для реализации плана свою дружину. У меня есть очень хорошие бойцы и аналитики.

— Благодарю, — наклонил голову Железовский. — Пожалуй, я отберу в группу наиболее способных, с вашего разрешения.

— Можно, я пойду с вами?! — воскликнул Борята, умоляюще оглядев лица старших. — Я справлюсь! Вот увидите!

Женщины засмеялись.

Молодой целитель залился краской.

— Посмотрим, — сказал князь. — Может быть, засчитаем как Испытание.

«Ура!» — хотел крикнуть Борята, но заметил движение бровей друга и прикусил язык. Князь мог и передумать.

— Ну, а картины? — вопросительно посмотрел на гостей Бояр. — Что они представляют собой на самом деле?

— Открой, — кивнул Дарье Аристарх. Та взглядом позвала Дара.

Молодые люди вытащили из кейса свернутые для хранения в рулоны хроносрезы, развернули оба. Некоторое время все собравшиеся рассматривали светящиеся изнутри, как окна в иные миры, картины. Потом Железовский проворчал:

— Не вглядывайтесь в них слишком пристально. Их энергопорог достаточно низок, стоит его перейти — и вы окажетесь внутри. А выйти оттуда весьма проблемно.

— Дар выходил... — заикнулся простодушный Борята.

Все заинтересованно посмотрели на сына князя.

— Он вытаскивал нас, — поспешила заступиться за него Дарья. — Мы с Аумой были неосторожны и попались, а он вытащил.

— С его помощью, — кивнул Дар на приятеля, восстанавливая справедливость.

Борята гордо расправил плечи.

— Сорванцы! — в один голос проговорили Бояр и Аристарх.

Женщины снова засмеялись.

— Хорошо, что все кончилось хорошо, — сказала Веселина. — Неужели в эти картины действительно можно войти?

— Может быть, Клим тоже там сидит? — вместо ответа проворчал Железовский, глянув на Дарью.

— Мы так и подумали, — усмехнулась девушка, — и решили проверить. Нет его там. Он вытащил меня с мамой, когда я была еще совсем крохотная, а потом долго готовился...

— Чтобы вытащить Даниила. Он его каким-то образом вытащил, это мы знаем. Но куда девался потом — загадка. Не связана ли его пропажа с деятельностью Шаламова?

Дарья прикусила губу, задумалась.

— Папа не стал бы освобождать Даниила, будучи не уверенным в успехе. Он сильней его... и никого не боится.

— Так-то оно так, но когда он схватился с Даном двадцать лет назад, ему помогали.

— Это было двадцать лет назад. С тех пор папа изменился, стал сильнее. Я верю, что он жив!

— Никто не сомневается, успокойся. — Железовский послал девушке мысленный «букет» поднимающих тонус импульсов. — Да, если бы Клим сидел в хрониках, это было бы заметно. Его там и в самом деле нет. Сворачивайте, я заберу их с собой.

Дар и Дарья свернули картины в рулоны, уложили в кейс.

— Спасибо за гостеприимство, за угощение. Мы, пожалуй, пойдем.

Дарья с удивлением посмотрела на спутника.

— Как — пойдем? Мы же собирались уничтожить базу отеллоидов!

— Надо подготовиться. С нашим оружием это сделать не удастся, нужен по крайней мере «дыробой».

— Что такое дыробой? — поинтересовался князь.

— По сути это генератор свертки пространства в «суперструну», пробиватель «дырки» в пространстве. Но его вполне можно использовать и как оружие страшной разрушительной силы.

— В нашем хозяйстве есть оружие, в том числе и бомбы. Осталось в наследство от прежних времен. Особенно в тех зонах, которые мы называем черноболями. Предки не смогли или не захотели уничтожать арсеналы, запрятали в спецхранах, под силовыми завесами, однако наши чистодеи многие из них вскрыли. Дар тоже участвовал в таких операциях.

— Это он, между прочим, разминировал черноболь на Вщижских болотах, — важно сказал Борята.

— Тем не менее я хотел бы кое о чем посоветоваться с экспертами, — сказал Железовский. — А еще мне хочется проверить, кто еще, кроме нас, знал о существовании артефактов. Отеллоиды не могли сами вычислить их местонахождение — под силовым пузырем на дне болота, кто-то им сообщил координаты бывшего хутора. Уж очень целенаправленно они действуют. До встречи, князь. Мы вернемся, и очень скоро.

Мужчины встали.

— Может, я останусь? — с независимым видом спросила Дарья. — Разведаю, где располагаются основные силы отеллоидов, помогу готовиться десанту.

Железовский оценивающе посмотрел на неё, перевел взгляд на Дара.

— М-да... возможно, в этом есть свой резон. Хотя разведку я тебе запрещаю. Хорошо, оставайся. — Он еще раз глянул на Дара, еле заметно усмехнулся, проговорил задумчиво: — Интересно, что скажет Забава...

Только Дарья поняла недосказанное. Аристарх хотел сказать: «Что скажет Забава, когда узнает о существовании праправнука».

— Значит, я остаюсь?

— Значит, ты остаешься. Князь, поручаю эту даму вам, если не возражаете.

— Не беспокойтесь, Аристарх, — тонко улыбнулся Бояр. — За ней присмотрят.

— Я не маленькая! — возмутилась Дарья. — И сама в состоянии о себе позаботиться!

— Кто бы сомневался. — Железовский остался невозмутим. — Артефакты оставляю у вас. Тут неспокойно, однако обстановка у нас еще хуже. Прощайте пока. Буду скоро. Да, советую передислоцироваться с этого хутора в другое место, отеллоиды наверняка вернутся.

Он достал туманный шарик трансфера и исчез.

Князь пригладил вихор на затылке, вздохнул.

— Жить становится все занятнее. Никогда не думал, что буду разговаривать с живыми предками. Что ж, давайте займемся насущными делами. Есть идеи, как нам подобраться к базе отеллоидов незамеченными?

— Лучше бы вы их не трогали, — заметила Степанида. — Нам только войны с ними не хватает.

— Война с ними идет уже давно.

— Они же первыми полезли! — возмутился Борята. — Что ж нам, сидеть и ждать, пока всех перебьют?

— Идите-ка вниз, бабы, — стал выпроваживать женщин Прохор. — Без вас справимся. Ваше дело — детей беречь да в светелках порядок наводить.

Сквозь стены терема донесся звук колокола.

— Дьявол! — Прохор оглянулся на стремительно поднявшегося князя. — Неужто случилось что?

— Черные возвращаются, — сказал Бояр, тронув клипсу рации на мочке уха. — Прав был Аристарх, уходить всем надо.

Мужчины и женщины выбежали из терема на улицу.

— В лес! — махнул рукой князь. — Прохор, уводи всех!

С неба на улицу упала прозрачная капля флайта, из нее выскочил Боригор в пятнистом комбинезоне, с «универсалом» на плече.

— Я привез оружие: «огневики» и «стрелы»!

— Отлично, повоюем! — бросил князь, залезая в кабину аппарата. — Дар, Дарья, садитесь, попробуем сбить урода!

— А я? — пискнул Борята.

— В лес!

Молодой целитель изменился в лице, припустил рысью вслед за женщинами и стариками к лесу.

Флайт взлетел.

— Держи. — Боригор протянул Дару обтекаемую капсулу сигаровидной формы, с рукоятью и двумя ноздревидными отверстиями. — Умеешь обращаться?

Дар кивнул. Это был переносный зенитно-ракетный комплекс «стрела-ru», способный сбивать летательные аппараты на дальности до десяти километров. Правда, «ракетным» он назывался по традиции, так как его «ракетами» были плазменные сгустки большой энергетической мощности.

— А ты? — Боригор посмотрел на Дарью.

Та молча взяла оружие.

Витязь дружины положил себе на колени третий такой же комплекс.

Князю достался «огневик» — импульсный разрядник, в луче которого начиналась спонтанная реакция распада всех тяжелых химических элементов вплоть до железа. «Огневиками» разрядники прозвали за их способность прожигать любые препятствия.

Показался быстро снижающийся к хутору дредноут отеллоидов — не то исполинский гриб-трутовик, не то черная, вся в наростах и рытвинах, огромная морская раковина. Он был не лишен своеобразной эстетики, хотя и весьма далекой от человеческих критериев.

Летаки дружины — всего их взлетело десять штук — разошлись в стороны, охватывая подплывающий гигантский космический корабль пришельцев.

— По команде! — бросил князь в микрофон рации.

Блистер флайта отъехал назад. В лица сидящих ударил ветер, насыщенный запахами цветущего луга.

Дар нацелил «стрелу» на черно-фиолетовую тушу космолета. А затем вдруг интуитивно вышел в пси-поле, почуяв д ы х а н и е чьего-то недоброго ментального присутствия. И буквально наткнулся на удивленно-угрожающий ментальный в з г л я д! На борту космического левиафана присутствовал человек! Интрасенс!

Дарья посмотрела на Дара.

— Ты с л ы ш и ш ь?

— Там... человек!

— Вы о чем? — оглянулся на них князь.

— На борту корабля находится интрасенс!

Князь закрыл глаза, замер на несколько мгновений.

— Пора! — сквозь зубы процедил Боригор. — Иначе он не даст нам возможности начать первыми.

— Ребята, подключайтесь к моему лучу! — быстро сказал Бояр.

Дар и Дарья послушно соединили свои сферы внечувственного восприятия с полем князя. Снова произошел эффект выхода на больший объем зондируемого пространства и усиления возможности считывания информации.

В головах всех троих интрасенсов вспухло облако серого дыма, распалось на отдельные струйки-мысли:

«Кажется, тут еще обитают недобитые еретики! Тем приятнее будет выжечь это гнездо мракобесия!»

«Кто ты?» — гулким басом прорезался мыслеголос князя.

«Наместник Вершителя, — хихикнули в ответ. — Исправляю ошибки предков».

«Почему ты на стороне отеллоидов?»

«Потому что они делают благое дело. К тому же очень хочется посмотреть, как Солнце и вся его планетная семейка ухнут в черную дыру».

«Предатель!» — не удержался Дар.

В голове лопнула дымная «граната» презрения и угрозы.

«Щенок! Жаль, что мы больше не встретимся!»

«Еще встретимся!»

— Огонь! — вслух проговорил князь.

Больше десятка неярких молний ударили по кораблю черных людей с разных сторон...

Часть III

ЗАВТРА

Глава 1

О н связался с Ромашиным сразу после выхода из метро Москвы.

— Мы тебя ждем, — отозвался советник Службы безопасности. — Где Дарья?

— Осталась т а м.

Ромашин помолчал.

— Надеюсь, это оправданное решение. Удалось найти Клима?

— Нет, но у меня важная информация.

— Через час встречаемся у Джумы дома.

Железовский без лишних слов выключил связь. Огляделся, просканировал площадь у метро, слежки не обнаружил и сел в такси. Назвал адрес: ближайший отель. Снял номер, зарегистрировавшись под фамилией Марципанов. Через час, приняв душ и позавтракав, он вышел из такого же легкого аппарата на крыше жилого блока Ауримасан в Тегеране, спустился в лифте на девяносто первый уровень и остановился у двери квартиры Хана. Дверь бесшумно свернулась валиком. Аристарх вошел.

Жилой модуль четы Ханов он посещал неоднократно и в общем-то привык к неожиданным пространственно-цветовым эффектам, создаваемым встроенной интерьер-системой квартиры.

Иногда комнаты — всего их было четыре — будто таяли, растворялись в искристом мерцании, открывали «дальние дали» или «окна в космос», нередко внезапно сжимались в тесные «раковины» или превращались в заросли золотистых паутинных полотнищ. Кабинет Джумы и вовсе представлял собой площадку над обрывом каньона, с которой открывался великолепный вид на систему марсианских разломов либо — вид Солнца с поверхности Меркурия.

Все детали интерьера — кресла, диваны, столы, шкафы с личными вещами и безделушками — меняли форму в зависимости от настроения хозяев, что иногда шокировало гостей. Лишь два предмета в кабинете Джумы оставались неизменными при всех метаморфозах остальных вещей: столик с фруктами и напитками и витейр в рост человека — объемное голографическое фото Карой Чокой, жены Хана.

Однако на этот раз кабинет бывшего врача «Скорой помощи» представлял собой обычный модуль с медово светящимися ячеистыми стенами. Чтобы не отвлекаться на созерцание экзотических уголков Солнечной системы, Джума отключил видеопласт помещения, превращавший его в зал визинга космического корабля.

Здесь уже собрались почти все, от кого зависела судьба Сопротивления: Игнат Ромашин, подтянутый и сосредоточенный, выглядевший лет на тридцать моложе своего возраста, хозяин и хозяйка дома — Джума и Карой, смуглолицая красавица, и в свои пятьдесят три года не потерявшая привлекательности, толстяк Маттер, поглядывающий по сторонам с рассеянным видом (он, как всегда, был увлечен мысленной беседой с Умником — инком Института пограничных физических проблем), Калина Лютый, кряжистый, бородатый, основательный. Бывший руководитель обоймы риска Службы безопасности давно числился пенсио-

нером, хотя в Сопротивлении занимал важный пост коор-
динатора ситуаций. Не было среди гостей Джумы только
Саввы Баренца, верховного комиссара Сопротивления. Но
его присутствия и не требовалось. Он мог слышать все, о чем
говорили остальные, не появляясь на людях.

К своему удивлению, Аристарх увидел среди присутствующих и свою жену. Забава цедила из бокала какой-то
вишневого цвета напиток и на появление мужа отреагировала, подняв бокал. Он поздоровался со всеми, подошел к
жене, поцеловал в щеку.

— Я думал, ты улетела с сестрой.

— Я не могла улететь без тебя, — слабо улыбнулась Забава. — К тому же я узнала от Купавы интересную новость.

Он вопросительно поднял брови.

— Оказывается, у тебя есть правнуки?

Железовский наметил улыбку.

— Я только что хотел сообщить эту новость тебе. Может быть, пора подумать о детях?

— Не сейчас же?

— Главное — начать.

— Что?

— Думать. Я знаю твою позицию, но пришла пора ее
менять.

— Хорошо, я подумаю.

— Что вы там шепчетесь, как заговорщики? — оторвалась
от беседы с Ромашиным Карой. — Аристарх, мы ждем.

Железовский сел рядом с женой, застыл как изваяние.
В глазах его мерцал необычный огонь нежности и надежды. Затем они стали непроницаемы.

— Клима мы не нашли... пока. Зато выяснили кое-какие
настораживающие факторы. — Он лаконично, в обычной
своей манере, рассказал о путешествии в будущее с дочерью

Мальгина. Закончил эпизодом нападения на хутор Дять-ковичи корабля отеллоидов.

Некоторое время в кабинете было тихо. Слушатели пере-варивали полученную информацию.

Ромашин потер лоб ладонью.

— Напрашивается нехороший вывод...

— Я уже предупреждал, — хмыкнул Маттер, ставя на сто-лик пустой стакан и вытирая губы тыльной стороной ладо-ни. — Возня с эйнсофом в наше время — умелый отвлекаю-щий маневр воюющей с нами стороны.

— Недавно ты говорил обратное, — укоризненно замети-ла Забава, глядя на ксенопсихолога с неодобрением; она не любила его манеры.

— Я ошибался, — пожал плечами Маттер с великолеп-ным простодушием. — Кстати, часто ошибка более значима, чем правильное решение.

— Неплохо сказано, — похвалил его Джума.

— Это выражение принадлежит Дизраэли, — сказал Ро-машин. — Очевидно, нам придется пересмотреть свои стра-тегические планы и цели. Жаль, что у нас всего два трансфера, мы не сможем перебросить во времена заката большие силы и технические средства.

— Этого не потребуется, — сказал Железовский. — Ору-жие, средства и люди найдутся. Нужен эксперт по ксено-психологии и второй — по физике многомерных сингу-лярностей.

— Я могу пойти, — оживился Маттер. — Заодно прове-рю свои расчеты и выкладки. Очень хочется убедиться в истинности правила принципиальной невосстановимости событий при переносе масс в прошлое или будущее. Вы зна-комы с теорией включенного наблюдателя? Каждое наблюдение влияет на результат эксперимента или какой-либо физический процесс, и если не...

— Об этом потом, Герхард, — перебил ученого Ромашин.

— Я только хотел сказать, что возможны абсолютно немыслимые операции с нелинейными алгебрами, дающие очень большой спектр возможных состояний...

— Герхард!

— Молчу, — поднял ладони ксенопсихолог. — Кстати, я решил проблему выхода Сети орилоунского метро в Сеть нашего земного метро. Решение получилось простое, как выеденное яйцо.

Мужчины переглянулись.

— Ну-ка, ну-ка? — заинтересовался Джума.

— Земное метро было п р е д у с м о т р е н о орилоунами, только и всего. Они з н а л и, что человечество в определенный момент создаст собственную систему мгновенного транспорта, и сконструировали особый механизм перехода.

— Трансфер!

— Совершенно справедливо.

— Но тогда возникает другой вопрос, — сказал скептически настроенный Ромашин. — Если Вершители, о которых говорил Клим еще двадцать лет назад, создали орилоунов, а те, в свою очередь, — маатан с целью, как ты утверждаешь, инициации процесса генезиса черных дыр, то зачем орилоунам надо было создавать сеть метро, связывающую прошлое и будущее?

— Для контроля...

— Для ч ь е г о контроля? Сетью могут воспользоваться и противники идеи, ведь так? Люди, к примеру. Еще кто-нибудь.

— Это вопрос чисто человеческой психологии. Возможно, орилоуны были уверены, что помешать им никто не сумеет. С другой стороны, логика негуманов ориентирована на решение совсем иных задач, нежели человеческая. В ее словаре нет понятий «выживание» и «толерантность». Зато есть понятие «реализация Потенции». Могу объяснить...

— Не надо, в другой раз. Мы собрались не для теоретической дискуссии. У тебя есть конкретные соображения, Аристарх?

Железовский посмотрел на Маттера:

— Герхард, что дает запуск МК в эйнсоф?

Ученый в отличие от других вопросу не удивился.

— По мысли экспериментаторов, кратковременное мощное выделение энергии мини-коллапсара может нейтрализовать сферу Сабатини, тихо превратить ее в микрообъект типа максимона или кварка. Есть и другая точка зрения, которую предпочитают не афишировать: эйнсоф в какой-то момент «насытится до отказа» и взорвется, то есть схлопнется опять же в микрообъект, в сингулярность.

— В черную дыру, — добавил Джума Хан.

Маттер не обратил на реплику внимания.

— Я же считаю, что запуск очередей МК является своеобразным массажем уникального зародыша будущей черной дыры. Эйнсоф специально г о т о в я т к ее рождению.

Джума фыркнул, посмотрел на серьезные лица присутствующих, упрямо боднул воздух лбом:

— Никто меня не убедил, что за всеми нашими бедами стоят черные дыры. Не те масштабы. Насколько я знаю, черная дыра — это астрофизический объект, гравитация которого настолько сильна, что не выпускает наружу даже лучи света. Каким образом черная дыра может быть р а з у м н ы м объектом? И зачем ей бороться с человечеством, обладающим энергией на много порядков ниже собственной?

— Отвечаю по порядку, — сказал Маттер. — Да, черная дыра действительно является сверхмассивным объектом, прячущим за гравитационным горизонтом и н у ю физику. И тем не менее существует глубокая аналогия между характеристиками черных дыр и человеческой деятельностью. Еще до моих изысканий было установлено, что черные дыры являются носителями не только информации, но и психики. Могу показать на примерах.

— Не стоит, — поморщился Ромашин. — У нас мало времени.

— Хорошо, не буду, хотя примеры впечатляют. Что касается второго вопроса — з а ч е м черные дыры борются с представителями других разумных систем, так они и не борются! Просто единственный возможный путь их размножения — содействие возникновению массивных объектов, не обязательно звезд, способных превратиться в новые черные дыры.

— Но ведь в Солнечной системе нет таких объектов, даже само Солнце не в состоянии самостоятельно преодолеть предел Шварцшильда и сжаться в черную дыру.

— Уже есть — сфера Сабатини. Этот «бесконечномерный объект», свернутый в суперкольцо «обломок» реликтовой «суперструны», способен фазово перевести вакуум в состояние с б р о с а энергии, и «акушерская служба» черных дыр это засекла. Поэтому и началась гонка с инициацией эйнсофа. Ваши отеллоиды — суть «акушеры», для которых наша цивилизация если и имеет какое-то значение, то лишь как источник информации.

— Который и становится базой интеллекта черной дыры.

— Совершенно правильно.

— Но в таком случае черные дыры являются самыми настоящими потомками разумных цивилизаций?

— И это справедливо.

— Вот уж не думал, — засмеялся Джума, — что мы когда-нибудь станем предтечами черных дыр.

— Давайте не будем устраивать здесь философские диспуты, — вмешался Ромашин. — Для нас важнее разрешить существующую конфликтную ситуацию. Повторяю вопрос: есть соображения?

— Надо уничтожить базу научников и МК-завод на Меркурии, — пробасил Железовский мрачно. — Это в качестве первоочередной задачи. Во вторую очередь следует взорвать базу отеллоидов во времени Дара Железвича. — Математик бросил мимолетный взгляд на жену. — Моего праправнука в сто семьдесят пятом поколении. Потом будем думать, что делать дальше.

— Стратег ты, однако. Взорвать базу и при этом избежать жертв не удастся.

— У нас есть штаб, военные советники и эксперты, пусть раскинут мозгами, как избежать жертв.

— Хорошо, допустим, мы справимся с этим делом здесь, в наше время. А в будущем?

— Нам поможет дружина князя. Операцию возглавлю я. «Акушерская служба» — то есть отеллоиды, если принять концепцию Герхарда, все же не контрразведка, науськанная на ловлю диверсантов и шпионов. Мы ее обыграем. — Железовский ухмыльнулся. — Человечество обладает в этой области таким опытом, что запросто может обучать разумников всей Галактики искусству войны и диверсии.

— Решили. — Ромашин хлопнул себя ладонями по коленям и встал. — Джума, я подключу к разработке операции твою личную обойму.

— Без проблем.

— Пошли, Герхард.

— Если позволите, я еще посижу, — лениво сказал ксенопсихолог. — Джума обещал лунным медом попотчевать.

— Я с ним побеседовать хочу, — улыбнулся Хан. — О психологии негуман. И о распространении разума именно негуманоидного типа. Чертовски интересная тема.

— Разум должен заполнять в с е масштабные уровни Вселенной, — мгновенно завелся Маттер. — Микромир, макромир и мегамир. Мы топчемся на крохотном интервале макромира, а о разуме элементарных частиц и галактик в целом ничего не знаем. Я работаю над теорией масштабной гармонии разумных систем, идею которой, между прочим, подал Клим Мальгин после путешествия в очень далекое будущее. Помните, он рассказывал о м е д л е н н ы х — по сравнению с человечеством, не говоря уже о микромире, — разумных системах?

— Помним, — сказал Ромашин, кидая сочувственный взгляд на Джуму. — Приятной беседы, теоретики.

— Может быть, попьем чайку? — предложила Карой, провожая гостей.

— В другой раз обязательно, — успокоила ее Забава. — Нет настроения чаевничать, когда тут такие дела творятся.

Внезапно Ромашин замер, получив по рации «спрута» какое-то сообщение. Железовский тоже получил это же сообщение, посмотрел на Игната.

— Ее никто не охранял, что ли?

— О чем вы? — тихо спросила Забава.

— Купава...

— Что Купава?!

— За ней пришли дознаватели Службы и забрали с собой.

Сейчас она находится в третьем следственном изоляторе Копенгагена.

— Боже мой! Ее-то за что взяли?

— Шли, наверное, за Дарьей, а может быть, следили за квартирой, и когда в гостях Мальгиных побывал наш праправнук Дар, Служба решила задержать парня. Что будем делать?

— Я лечу в Управление, — заторопился Ромашин.

— Тогда я направлю в Копенгаген обойму Саши Золотько. Пусть изучит местность на всякий случай.

Из кабинета вышел хмурый Джума.

— Слышали новость?

— У тебя есть знакомые в датской полиции?

— Навскидку не скажешь, надо подумать.

— Ищи, встретимся вечером у меня.

Мужчины вышли из квартиры Хана, разошлись в разные стороны.

Железовский отправил домой жену, занятую горестными размышлениями, а сам полетел в Рязань. Он имел право работать с Большим Умником ВКС, обладающим колоссальной базой данных и связями с сетью других больших инков Земли. Возникла идея вычислить предателя, снабдившего отеллоидов гипноиндукторами, с помощью которых те захватили Дара Железвича. Только человек, имеющий доступ к спецхранам с оружием, мог передать черным псевдолюдям суггесторы, и он же научил их пользоваться психотронным оружием и устраивать засады в станциях метро.

Начальство статуправления привыкло к свободному графику работы главного математика и обычно не предъявляло претензий, если Железовский не появлялся на рабочем месте несколько дней кряду. Но на этот раз, стоило только Аристарху сесть за свой стол, к нему лично заявился председатель Всемирного Координационного Совета Тойво Маттикайнен.

Семидесятипятилетний финн был хмур и озабочен. Пожав хозяину кабинета руку, он вспушил седые бакенбарды и сказал, не глядя на него:

— Меня допрашивали дознаватели криминального отдела Службы. Интересовались, чем ты занимаешься и где находишься в данный момент.

Железовский не шевельнулся, глядя на председателя.

— Я сказал, что ты являешься ведущим специалистом, — продолжал Маттикайнен, — поэтому имеешь право пользоваться Сетью из любого места и с любого терминала.

Железовский продолжал молчать.

— Я сказал, что ты занимаешься проблемой линеаров в области виртуального детерминизма.

Железовский молчал.

— Я сказал, что ты находишься в трехдневном отпуске по состоянию здоровья, — закончил председатель ВКС.

Аристарх, по обыкновению, дернул уголком губ, что у него означало улыбку.

— Это верно. Если принять во внимание, что речь идет о здоровье всего человечества. Чего ты так разволновался, Тойво? Ты же знаешь, я законопослушный гражданин России и Земной Федерации и не состою на учете в кримотделе.

— Ты интрасенс, — впервые прямо посмотрел в глаза математика председатель ВКС. — Со всеми вытекающими. Не знаю точно, как долго я смогу защищать тебя. Хотя видит бог — хочу.

— Что ж, могу смело утверждать, что ты не алкоголик.

Седые брови Маттикайнена полезли вверх.

— Почему?

— Потому что только алкоголик точно знает, чего хочет.

До председателя наконец дошел смысл шутки. Он раздвинул сухие губы в легкой улыбке.

— Рад, что ты в хорошем настроении.

— А вот тут ты ошибаешься, Тойво, я в отвратительном настроении. Если бы ты знал, насколько сложна ситуация!

— Почему ты думаешь, что я не знаю? Мы везде, где можно, уперлись в тупики: социальный, творческий, интеллектуальный, психологический и так далее. Плюс почти полная потеря интереса общества к научным изысканиям. Плюс абсолютно беспринципная борьба за власть. Плюс новый всплеск терроризма... Так что я в курсе, дорогой мой товарищ.

— И все же ты не все знаешь, старик. Оказывается, в ближайшем будущем нас ждет не только ксенореволюция, но еще и смена властных приоритетов. Начнет работать так называемый «тотализатор смерти», позволяющий на совершенно законных основаниях отстреливать политиков и вообще людей с максимально отрицательным рейтингом. Так что наша возня-война с Орденом еще не самое страшное.

Маттикайнен пошевелил губами, подергал себя за бакенбарды.

— Надеюсь, я до этого времени не доживу.

— Я тоже. Но результат «тотализатора» скажется уже в ближайшие полсотни лет. А тут еще опасные игры с эйнсофом.

— Что это тебя так беспокоит? Ну погибнет человечество, тебе-то что? Оно ведь воюет с такими, как ты!

— Я все же больше человек, — усмехнулся Железовский, — чем индивидуал-интрасенс, мне жалко добрых людей, а их много.

— Ну-ну, гуманист-пацифист, эти добрые люди тебя не пожалеют, попади ты им в руки, все они зомбированы пропагандой Ордена.

— Я не пацифист, — поморщился Аристарх. — И не гуманист. Я сын планеты Земля и носитель своего рода, и я хочу, чтобы род выжил. Несмотря ни на что!

— Ну-ну, — повторил председатель Совета, поворачиваясь к двери, пробурчал: — Работай, я предупрежу, ежели что.

Ушел.

Железовский задумчиво проводил его мысленным взглядом до кабинета, очнулся, включил обратный канал связи с инком и начал работу. Через час он выяснил, где хранится психотронное оружие — суггесторы «дерк» и «дега», гипноиндукторы «удав», «удар», «марина» и «сияние», а также парализаторы «меланхолия» и «василиск».

Всего спецхранов набралось больше восьми десятков, все они принадлежали Службе безопасности, отделениям криминальной полиции, Погранслужбе и некоторым медицинским учреждениям. Последние, естественно, оружие не хранили, но стационарные и переносные гипноустройства вполне могли послужить оружием.

Поскольку Дар рассказал о своих ощущениях в момент пси-нападения, Железовский знал, что искать. В руки отеллоидов попали скорее всего гипноиндукторы «удав» и парализаторы типа «василиск». Применять их имели право только инспекторы Погранслужбы и командиры обойм риска Службы безопасности. И хранились «удавы» и «василиски» лишь в федеральных центрах, таких, как Лондон, Париж, Хельсинки, Москва, Вашингтон и другие. Хотя и центров насчитывалось не менее трех десятков, на проверку которых требовалось много времени.

Осознав, что с наскоку проблему не решить, Железовский соединился с аналитиками Сопротивления и попросил проверить все спецхраны на предмет утечки психотронных излучателей, а сам занялся разработкой операции по уничтожению МК-завода на Меркурии.

Вечером к нему без объявления пришел начальник службы охраны Сопротивления полковник Карл Золотько, чей сын — майор Саша Золотько, командовал обоймой контрразведки. Александра Железовский знал мало, только как хорошего оперативника, а с Карлом их связывала многолетняя дружба. Хотя старший Золотько интрасенсом и не был. Зато он был прекрасным собеседником, имел три образования, в том числе математическое, и писал неплохие стихи.

— Мы все под колпаком Службы, — заявил он, переступив порог кабинета Аристарха. — Только что директор СБ подписал секретный указ о наблюдении за интрасенсами и их семьями. Кроме того, мы выяснили, что в наших рядах сидят «кроты» Службы.

— Этого следовало ожидать, — пожал плечами Железовский. — Орден знает о Сопротивлении и должен был давно внедрить своих шпионов в нашу сеть.

— Мы пока выявили одного, точнее, одну — она женщина, умная и красивая, работала с магистром Ордена в Саудовской Аравии. Но остался главный резидент, а он, судя по всему, интрасенс.

Железовский остался невозмутим.

— И этого следовало ожидать. Интрасенсы тоже люди, и зачастую амбициозные, страдающие манией величия. Не получив должного, по их мнению, признания, некоторые из них вполне способны пойти к власти по головам остальных. Кстати, проанализируйте, нет ли таких среди тех, кто в последнее время ушел из нижнего звена Сопротивления.

— Хорошая мысль, — кивнул Золотько, погладив совершенно гладкий череп; облысев, он принципиально не выращивал волосы. — Мы займемся этим немедленно.

— Одного я могу назвать хоть сейчас.

— Не шутишь?

— Вацек Штыба, бывший комиссар налоговой полиции Польши. Он почему-то крутится на Меркурии, и после встреч с ним меня и Игната пытались задержать. Проверьте его по всем каналам.

— Проверим, не беспокойся. Больше никого не подозреваешь?

— Ищу одного приятеля... — Железовский наконец оторвался от рабочего стола, по которому ползли строки бланк-сообщений, прошелся по кабинету, ступая легко и бесшумно, несмотря на свои габариты и вес. — Есть подозрение, что кто-то вынес из спецхрана партию суггесторов и передал их отеллоидам. Если эту ниточку потянуть, возможно, выйдем и на главного «крота».

— Я сейчас же...

— Сиди, я уже дал команду, задействовал твоего сына. Ребята ищут утечку. Ты лучше скажи: как это вы умудрились оставить жену Мальгина без прикрытия?

Золотько поморщился, снова погладил череп сухонькой ладошкой. Сын был похож на него только лицом, в то время как фигура у отца представляла собой не телосложение, а «теловычитание», по образному выражению самого Карла. Александр же выглядел атлетом и был известен как хороший мастер рукопашного боя.

— Виноват один из моих замов, решил, что до утра Купава никуда не денется... В общем, я разберусь и сделаю выводы. Она сейчас в СИЗО...

—— Копенгагена, знаю. Как вы собираетесь ее вызволять?

— Думаем, считаем варианты. Комиссар копенгагенской полиции Штерн — давний знакомый Рене, они должны встретиться в девять утра. Может быть, он поможет.

— Подключи к этому делу всех, кто имеет вес и может что-то сделать. Не хотелось бы освобождать ее с помощью десантной операции, нас и так плохо переносят в Европарламенте. Вой поднимется — до небес!

— Я понимаю.

— Дарья узнает, что мать задержана, не простит.

— Это я переживу.

— Ну не скажи. Дашка — особа решительная и импульсивная, может и по фейсу врезать. Так что советую подсуетиться.

Золотько криво улыбнулся.

— Кто-то сказал: женщина прощает только тогда, когда сама виновата. А Даше нечего на меня обижаться, я и так делаю все, что в моих силах. Мы вытащим Купаву, обещаю. У тебя выпить что-нибудь имеется?

Железовский залез в бар в стене, достал початую бутылку армянского коньяка, молча налил в рюмку, протянул гостю.

Золотько пригубил коньяк, подержал на языке, зажмурившись, поднял палец.

— Гут!

Допил коньяк глотком.

— Еще? — покачал бутылку Аристарх.

— Хорошего должно быть мало. В следующий раз. Я мог бы всю информацию выдать тебе и по виому, но захотелось убедиться, что есть люди, которые ничего не боятся. Это не фимиам, это мое восприятие тебя. Будь здоров, интрасенс.

— Спасибо.

Золотько пожал руку Железовского, вышел.

«Пошла обойма прикрытия», — мысленно доложил инк кабинета.

«Как обстановка?»

«Не нравится мне обстановка, слишком много незнакомых людей шастает по коридорам без конкретной цели».

Железовский почувствовал беспокойство.

И тотчас же на столе разгорелся стебелек виома, развернулся в световой веер, протаял в глубину.

— Меня просят задержать тебя на пару минут, — сказал появившийся в виоме Маттикайнен. — Служба перекрыла все выходы из здания, блокировала метро. Могу дать личную линию.

— Спасибо, Тойво, не нужно. — Железовский сделал прощальный жест. — Видимо, придется на какое-то время уйти в подполье. Прощай.

— Звони, если понадоблюсь.

Железовский переключил канал связи, сказал возникшей в глубине виома Забаве:

— Срочно собирайся и уходи к сестре!

— Что случилось?! — всполошилась жена.

— Служба накрыла ВКС, меня хотят задержать. В этой ситуации лучше перестраховаться.

— Может, я дождусь тебя?

— Уходи без меня. Я тебя найду.

Аристарх еще раз переключил канал, чувствуя приближение холодного ветра угрозы.

— Что? — подобрался возникший в виоме Ромашин, мгновенно оценив состояние математика.

— Началось, — коротко ответил Железовский.

— Понял. Помощь нужна?

— Нет.

— Переходим на вариант «П». Контрольная связь — через каждые два часа. В двенадцать по среднесолнечному встретимся на совете у Карла.

Железовский без лишних слов выключил виом, приказал инку кабинета стереть все файлы при попытке взлома базы данных и достал туманно-текучий шарик трансфера.

Когда в кабинете появились люди в спецкостюмах с эмблемами Службы безопасности на рукавах, их встретила тишина.

— Ушел, бугор! — констатировал командир группы захвата, оборачиваясь к вошедшему вслед за оперативниками бледнолицему высокому человеку с капризно-презрительной складкой губ.

— Значит, у старика все-таки есть трансфер, — отозвался человек с бледным лицом. — Объявите его в розыск.

— У нас нет санкции прокурорского надзора.

— Напрягу папашу Леона, санкция будет.

— Привет, Вацек, — заговорил вдруг мигающий редкими огоньками «кактус» вириала на столе. — Похоже, наши дороги пересекаются не случайно. Я найду тебя в ближайшее время, коль уж ты жаждешь общения со мной. Будь готов.

Бледнолицый перехватил взгляд командира обоймы, криво улыбнулся.

— Испугал, бугай... видали мы таких в гробу в белых тапках!

— О нем ходит слава человека дела, — пожал плечами командир. — Если он чего сказал — сделает непременно. К тому же он мастер боя. О нем легенды в Сети складывают.

— Отставить базар! — сверкнул глазами Вацек Штыба. — Загляните лучше в его комп, пошарьте там хорошенько, может, найдете что-нибудь интересное.

Вириал инка издал смешок и в то же мгновение превратился в облачко огня и дыма.

Бах!

Отшатнувшиеся оперативники молча смотрели на дыру в столе — все, что осталось от инка хозяина кабинета.

Глава 2

День закончился хорошо, без тревог и волнений.

После того, как дружина отогнала дредноут отеллоидов — сбить его не удалось, все дыры и кратеры на его корпусе от попаданий плазменных ракет тут же затягивались черной «смолой», — над хутором Дятьковичи не появился больше ни один чужой корабль. То ли главный отеллоид (матка, императив-центр, управляющий компьютер — не суть важно) осознал тщетность попыток уничтожения непокорных хуторян, то ли готовил новую, более мощную атаку.

Как бы то ни было, люди вздохнули с облегчением, хотя на хутор возвращаться не спешили. Князь пообещал расселить женщин, детей и стариков по другим хуторам общины и подключил к этому делу опытных проводников. Сам же занялся вопросами снабжения мужского населения оружием и продуктами питания.

Дар оказался предоставленным самому себе, поэтому держался рядом с гостьей из прошлого и с удовольствием отвечал на ее вопросы, касающиеся жизни общины в нынешние времена упадка цивилизации.

В беседах принимал участие Борята, не потерявший надежды войти в сводный отряд охотников за отеллоидами. Он так загорелся этой идеей, что поссорился со своей девушкой и нагрубил родителям, поэтому Дар с трудом сдерживался, чтобы не послать его подальше.

К вечеру Дарья выяснила все, что хотела, и согласилась ответить на вопросы друзей. Дара интересовали социально-бытовые аспекты жизни людей двадцать четвертого века, Боряту — больше технические и научные проблемы.

Беседовали у костра, разведенного на поляне в лесной чаще. Хуторяне не решились возвращаться домой, предпочитая переждать еще одну ночь на природе, а не вздрагивать от каждого шороха в теремах и прислушиваться — не заорет ли сирена. Дружинники привезли несколько палаточных комплектов, где и укрылось население хутора, не избалованное прежним комфортом.

Разошлась по палаткам и молодежь хутора. Последней ушла Слава, так и не дождавшаяся внимания со стороны княжича. Девушка все поняла, видя, как Дар увивается вокруг гостьи из прошлого, но все еще надеялась, что это временное явление.

Костер постреливал угольками, дышал языками огня, завораживая взор. Небо вызвездило, ночь опустилась достаточно холодная, но молодые люди не замечали холода. Все они умели свободно регулировать температуру тела и не мерзли даже в лютые морозы.

— Тихо у вас... — проговорила Дарья, не сводя глаз с танцующего пламени. — У нас так не посидишь.

— Вот чего я все-таки не понимаю, — оживился Борята, посчитав реплику девушки за продолжение беседы. — Как вам удается попадать точно в свое время, в тот же день и час? Кто корректирует временное перемещение?

— Законы хроноконтинуума корректируют, — рассеянно ответила Дарья. — Каждая точка пространства «плывет» в будущее с одной и той же скоростью. Выходы линий метро — тоже. Поэтому «хронорасстояние» связанных между собой станций остается неизменным. На сколько времени ушел в будущее один объект, на столько же и второй. Но я не сильна в хронотеории, знаю лишь общие постулаты. Вот дядя Аристарх ответил бы намного глубже, а его друг Герхард Маттер и вовсе классный специалист. Он знает все.

— Хотелось бы познакомиться. А как работает метро? Всю жизнь слышу одно и то же — метро, мгновенный транспорт, «суперструнные технологии», а наглядно вообразить эту технологию не могу.

— Линия метро — это действительно своеобразная «суперструна», то есть, образно говоря, «трещина» вакуума, способная распространяться практически с любой возможной скоростью. А вот основы «суперструнных технологий» я знаю совсем плохо.

— Звездолеты ведь используют тот же принцип?

— Наши спейсеры используют векторные «струнные» генераторы с конечной и контролируемой длиной «трещины». Метро работает на постоянном поддерживании квазистабильности «струн». Это все, что я знаю.

— Все равно интересно. Нам в гимнасии этого не давали. А что это у тебя за духи? Такой классный запах!

Дарья оторвалась от созерцания костра, улыбнулась.

— Это духи «Шарм». Нравится?

Оба слушателя одновременно кивнули.

— Наши женщины любят цветочные запахи, а этот какой-то неземной, космический. А почему ты все-таки решила искать отца именно здесь, у нас?

— Это длинная история.

— Намекни хотя бы.

— Двадцать лет назад мы с мамой — тогда я была совсем маленькая — попали в хроник...

— Каким образом?!

— Мама хотела уйти... в общем, это действительно длинная история. Она не знала, что время на плоскости хроносреза в нашем пространстве останавливается. Отец вытащил нас оттуда. А когда он куда-то пропал, два года от него ни слуху ни духу, я и решила найти хроники. Надеялась, что он сам влип в один из них и не смог выбраться. К сожалению, мои надежды не оправдались. И я действительно не знаю теперь, где его искать.

— Ничего, найдется, — утешил девушку Борята. — Через день, через месяц или год, через двадцать лет — но найдется.

— Оптимист, — усмехнулся Дар, сидевший совершенно неподвижно. — Может быть, ты не там и не так его ищешь?

— А где его надо искать? И как?

— Через оператора кэнкона... э-э, трансфера. Он ведь должен отслеживать своих пользователей, куда они направляются?

— Оператор трансфера — конкретный инк конкретного устройства, он знает только то, что в него вложили создатели. Координаты посылов должен знать оператор орилоунской Сверхсети метро, но связаться с ним мне не удалось.

— Давай сделаем это вместе.

Дарья с сомнением покачала головой.

— Вряд ли нам это удастся сделать. Оператор Сети сам выбирает, кому какую информацию выдать. Он ведь не человек и создан не людьми, а орилоунами. Что такое орилоун, знаешь?

— В Хрониках есть кое-какие сведения, я читал. Орилоуны были «живыми» математическими формулами...

— Правильно. А ты пробовал беседовать с формулами?

— Н-нет.

— А мой отец беседовал. Их логика и психика настолько отличаются от человеческих, что найти предмет контакта удается один раз из миллиона.

— Почему же твоему отцу это удавалось? — скептически посмотрел на собеседницу Борята.

— Он был... он очень сильный экзосенс... даже маг... дядя Аристарх называет его иногда Вершителем.

— Почему?

— Ну, двадцать лет назад ему удалось остановить катастрофу, которую едва не учинил его друг Даниил Шаламов.

— Расскажи! — загорелся Борята.

Дарья перевела взгляд на Дара. Тот сказал тактично:

— Если тебе неприятно это вспоминать, то и не надо.

— Хорошо, я расскажу, но больше на вопросы отвечать не буду. Пора делом заняться. — Она подумала и рассказала хуторянам историю превращения Дана Шаламова в «черного человека». Закончила: — Теперь вы понимаете, как важно найти отца? У нас сейчас творится черт знает что! Интрасенсов преследуют, лишают гражданских прав, ограничивают свободу, даже убивают! А тут еще возня ученых с эйнсофом, которая может привести к рождению черной дыры. В общем, целый котел проблем.

— Ты думаешь, отец поможет?

— Уверена! — отрезала Дарья. — И хватит об этом. Я не хочу сидеть здесь сложа руки и ждать возвращения дяди Аристарха. Предлагаю разработать план активных действий, а для начала провести разведку базы отеллоидов на Меркурии. Есть возражения?

— Нет! — поднял руку Борята. — Но я с вами!

Дар помолчал.

— Надо посоветоваться с отцом.

— Боишься? — изумленно глянул на него Борята. — Ты же Испытание прошел!

На щеки чистодея легла легкая краска, но тон его не изменился:

— Я не боюсь, но такие вещи надо готовить. Отец опытней и может дать хороший совет.

— Не думала, что ты так зависим от отца, — сделала пренебрежительную гримаску Дарья.

Дар упрямо сжал губы.

— Я имею право на самостоятельные действия, но все равно хотел бы сообщить отцу о наших намерениях.

— Когда ты искал меня в прошлом, тоже спрашивал разрешения отца?

Дар с трудом унял поднявшееся со дна души раздражение.

— Не спрашивал...

— Ну и прекрасно! Неужели мы не в состоянии что-либо сделать без подсказки старших? Но если ты считаешь, что мы не справимся...

— Конечно, справимся! — заявил Борята.

Дар посмотрел сквозь него, решая, что делать. Трусом он не был, просто считал такие действия неправильными, но и возражать не хотелось. Во-первых, Дарья не поняла его колебаний и всерьез могла посчитать их проявлением слабости. Во-вторых, внутренний голос давно подзуживал, что пора делать дело без оглядки на взрослых.

— Может, начнем утром, на свежую голову?

— Чего тянуть? — отмахнулся Борята. — Чем раньше начнем, тем быстрее выясним обстановку.

— Но у нас только два трансфера...

— Зачем нам трансферы? У тебя же есть ножик, который превращается в космический корабль. Сядем на него и полетим.

Дар и Дарья переглянулись.

— Устами младенца глаголет истина, — проговорила девушка. — Почему бы нам не использовать чужую технику? Сможешь управлять негуманским спейсером?

— Не знаю... не пробовал...

— Вот и потренируемся. В случае чего — я тебе помогу. Не получится — будем думать, что делать.

Дар почувствовал возбуждение и растущее нетерпение.

— Ладно, давайте попробуем. Только надо переодеться в защитные костюмы.

— Я и так в «заскоке», — отказалась Дарья.

— В чем? — не понял Борята.

— На мне защитный спасательный комплект — «кокос», или на жаргоне пограничников — «заскок». Вряд ли у вас есть такие, найдите хотя бы уники.

— На хуторе должно быть все, — сказал Дар. — Каждое селение общины имеет собственную службу обеспечения всем необходимым. Попрошу старосту, он не откажет.

— Пошли, я с тобой, — вскочил Борята.

Они нашли палатку старосты хутора Дятьковичи, кривоносого, седоголового Вачагановича, и тот без лишних слов отдал им ключ от амбара с амуницией и хозяйственными принадлежностями.

От лагеря в лесу до хутора было всего три километра по прямой, поэтому молодые люди, предупредив охрану о походе на хутор, преодолели это расстояние меньше чем за час. Нашли хозяйственный амбар, открыли, обшарили весь склад, в том числе подвал, и переоделись. «Заскоков» здесь действительно не оказалось, но уники, способные превращаться в герметичные скафандры и защищать хозяев от огнестрельного оружия, имелись.

Критически оглядели друг друга.

— Нам бы еще вооружиться, — заикнулся Борята.

— Оружие не понадобится, — твердо заявил Дар. — Не воевать идем, а на разведку.

— Разведчикам тоже приходится отстреливаться, — не поддержала его Дарья. — Летим же мы, между прочим, к отеллоидам, которые не станут колебаться, убить нас или сохранить жизнь.

— Он не имеет права носить оружие, — кивнул Дар на приятеля. — Только после Испытания...

— Оставь свой формалистский подход! — возмутился целитель. — Ты же знаешь, что я умею стрелять.

Дар подумал, махнул рукой, соглашаясь.

— Возьми «универсал». Хотя я уверен, что воевать нам не придется.

Повеселевший Борята побежал в оружейную палату и

вернулся с «универсалом» и запасным энергомагазином. Пистолет, стреляющий плазменными «пулями», электрическими разрядами и шариковыми гранатами, он закрепил в плечевой турели, магазин приладил на поясе уника.

— Вот теперь другое дело! Кстати, где мы будем испытывать нож? То есть, я хотел сказать, увеличивать?

— Надо большое пространство, поле или луг.

— Зачем? — фыркнула Дарья. — Корабль сам сделает себе поле, раздвинет деревья. Другое дело, что нас услышат хуторские.

— Давайте отойдем подальше, — предложил Борята. — Или вообще возьмем летак.

— Молодец, светлая голова, — похвалила его девушка, посмотрела на Дара. — А ты не хотел брать его с собой.

Дар усмехнулся, уловив в тоне гостьи из прошлого ироническую нотку, но заострять на этом внимание не стал.

Они нашли свободный летак, стоящий у терема школы, и взлетели в ночное небо, сверкающее алмазной россыпью звезд. Фонарей не зажигали, Дар прекрасно ориентировался в темноте, пилотируя аппарат, и он же первым обнаружил в двадцати километрах от хутора поляну в лесу, размеры которой позволяли «выращивать» из ножа космический корабль.

Опустились, вылезли, путаясь в густой ползучей траве. Дар прошел на середину поляны, унял поднявшееся в душе волнение, оглянулся.

Из темноты прилетел «пушистый букет» видений-ощущений, смысл которых сводился к слову «смелее»! Дарья пыталась поддержать княжеского сына, понимая и разделяя его чувства. Тогда он положил нож на камень, сосредоточился на в х о ж д е н и и в материальные структуры ножа и включил процесс трансформации. Дождался первой пульсации, увеличившей размеры ножа вдвое, бросился к лесу.

— Ну, что?! — встретил его возбужденный Борята.

Дар оглянулся, чувствуя на локте пальцы девушки, также испытывающей нетерпение и сомнения.

В центре поляны вспыхнул свет, приобретая контуры некоего объекта высотой в три метра. Затем с гулким треском и волной горячего воздуха этот объект разом превратился в глыбу раскаленного стекла размерами с терем и тут же снова увеличил габариты, превращаясь в гору высотой в сто метров и длиной в триста. Поляна оказалась маленькой для него, поэтому нос и корма гиганта вдвинулись в лес, валя и ломая деревья как спички.

— Мама родная! — с дрожью в голосе проговорила восхищенная и слегка оторопевшая Дарья. — Ну и утюг!

Алмазная гора вздрогнула в последний раз, вырастая до высоты в триста метров, и окончательно замерла, остывая, одетая со всех сторон в кисею из струек пара.

— А мне нравится! — живо возразил Борята. — Огромный, мощный... от него так и веет дракой!

— Вот и я почувствовала то же самое. Вам не кажется, мальчики, что это в о е н н ы й корабль? Крейсер, так оказать?

— Почему ты так решила? Пушки увидела? — пошутил Борята.

Дарья, прищурясь, посмотрела на младшего Железвича.

— Что скажешь?

Дар вспомнил свои ощущения при первом знакомстве с чужим космолетом. «Мозг» исполина реагировал на вторжение человеческой воли, как фагоциты в крови человека на проникновение вируса. И хотя так должны были реагировать на взлом защиты и другие подобные машины, в реакции звездного корабля действительно чувствовалась «военная выправка».

— Возможно, ты права, мы это проверим.

— Давай объединим усилия, легче будет управлять этой махиной.

— Не возражаю.

Дар сосредоточился на гиперзрении, вошел в состояние просветления и почувствовал прилив сил: это подсоединился пси-энергетический поток, генерируемый волей девушки.

Стали видны внутренности корабля, поразившие когда-то Дара необычной эстетикой форм, переходов, связок, тоннелей, стен и полостей. В глубине искусственной горы «вздернул голову и тихо зарычал клыкастый зверь» — проснулся инк гиганта, почуявший проникновение «мысленного вируса» людей. Однако Дар уже знал, как можно успокоить умную машину, и предъявил свою «визитную карточку» — психопортрет. «Зверь» присмотрелся к мыслесфере человека, узнал своего нового хозяина и расслабился. Ломать его волю не понадобилось.

В борту корабля, под левой «скулой», на высоте двадцати метров протаяло отверстие, заполненное светящимся туманом. Корабль открыл люк, приглашая людей войти.

— Интересно, как мы туда залезем? — нерешительно оглянулся Борята. — Он что, не может открыть вход пониже?

Дар поискал нужные операционные контуры, вежливо попросил управляющего опустить люк пониже.

Отверстие исчезло и появилось почти у самой земли.

— Кажется, он тебя признал, — с уважением сказала Дарья. — А ведь создавали его негуманы. Я не могу понять, где этот инк располагается и как работает.

— Он везде, — сказал Дар. — Его нервные связи пронизывают весь корпус корабля. По сути — это одновременно и мозг и тело. И он действительно предназначен для военных действий, судя по арсеналу на борту.

— Какому арсеналу? — живо заинтересовался Борята. — Что у него за оружие?

— Я не знаю, но вся оболочка утыкана энергетическими «карманами» и узлами.

— Не уверена, что он способен трансформироваться, как наши спейсеры, — сказала Дарья, — но если это и вправду единый организм, то стрелять он может любым участком корпуса.

— Чего мы ждем?

— Пошли, — сказал Дар, преодолевая внезапный приступ нерешительности.

Люк слегка расширился, пропуская молодых людей.

Вошли, остановились, разглядывая лоснящиеся медвяной желтизной вздутия и каверны, превращавшие помещение в огромные объемные соты.

— Жуть! — вполголоса заметил Борята; он чувствовал себя не в своей тарелке и нервничал. — Вам не кажется, что нас тут ждут неприятности?

— Можешь вернуться, — рассеянно заметила Дарья.

Борята криво улыбнулся, признался простодушно:

— Страшно...

— Куда надо идти? — посмотрела Дарья на проводника.

— В принципе можно никуда не ходить, лифт доставит нас в любую точку корабля. В самом кончике «лезвия» располагается нечто вроде рубки управления, куда сходятся все энерголинии и нервные связи, оттуда управлять этой машиной проще. К тому же стенка рубки представляет собой один общий полиэкран. Но если хотите, можете прогуляться по коридорам пешком.

— Хотим, — поднял руку Борята.

— Некогда, — отрезала Дарья. — Мы и так потеряли много времени на развертку спейсера. Успеем еще полюбоваться на его интерьеры. Сначала займемся тем, ради чего все это затеяли.

— Согласен, — кивнул Дар.

Пол тамбура под ногами молодых людей конвульсивно дернулся, образовал нечто похожее на чашу с невысоким бортиком. Тихий свист коснулся ушей. Мигнули запрятанные в толще стен лифта светильники. Возникло ощущение движения, хотя инерции не ощущалось. Творцы звездолета знали секреты безынерционного движения.

Через минуту своеобразный лифт доставил пассажиров в помещение, форму которого трудно было оценить и описать словами: по сути, все оно состояло из пересекающихся наплывов и ложбин. Посреди помещения в гнезде из металлических на вид прутьев возвышалась растопырчатая стеклянно-фарфоровая глыба, напоминавшая по форме грубую скульптуру насекомого. По «скульптуре» бродили темные и светлые тени, стягиваясь в черные точки или вспыхивающие и тут же гаснущие звезды.

— Ух ты, красавец! — восхитилась Дарья. — Прямо-таки скульптура шмеля! Кстати, эта штуковина немного похожа на маатанина. Вы не находите?

— Мы не видели маатан.

— Ах да, я и забыла. — Дарья сморщила носик. — Амбре здесь, однако... будто на конюшне.

— Скорее как на сгоревшей пасеке.

«Привет, — мысленно поздоровался Дар. — Как поживаешь?»

В голове в ответ родилось ощущение в о п р о с а. Инк чужого космолета мыслил иными категориями и по-прежнему не воспринимал мысленно-вербальные вопросы, а также отвлеченное выражение вежливости в качестве важной информации. Он привык получать вводные для решения той или иной задачи и прямые приказы.

— Это... инк? — спросил Борята.

— Скорее устройство связи с инком, — сказала Дарья, быстро разобравшись в обстановке; она уже освоилась с положением командира, имеющего право отдавать машине команды, и демонстрировала отличную адаптацию к условиям чужого космического корабля. — Она только передает и воспринимает мысленные приказы. Пусть включит обзор.

Дар объяснил инку, чего они хотят, — на сей раз это далось легче, чем в первый, — и гладкие, в складках и кавернах, стены рубки посветлели, стали полупрозрачными, как матовое стекло, а в глубине каждой каверны образовалось окно с видом на окружающую корабль природу. Все каверны соединялись вместе в необычный вогнутый фасетчатый глаз, и привыкнуть к такой подаче видеоизображения было непросто.

— Глаза разбегаются... — пробормотал слегка осоловевший и притихший Борята. Только теперь он осознал, что находится на борту чужого космического корабля, довольно резко отличавшегося от известных ему земных сооружений. Чужеродность, таинственность, необычность пропорций корабля подавляли молодого целителя.

— Не знаю, кто на нем летал, — сказала Дарья, чувствуя себя в отличие от Боряты почти как дома, — но они должны были на чем-то сидеть.

— А если они полностью заполняли телами отсеки? Вдруг корабль строили какие-нибудь разумные слизняки?

— Даже если хозяева спейсера слизняки, они вряд ли набивались в отсеки как сельди в бочку. В рубке должна быть система жизнеобеспечения пилотов и командира, давай попробуем включить ее.

Дар сосредоточился на диалоге с инком корабля, нарисовал ему мысленную картину: вылезающие из пола «бутоны» кресел, садящиеся в них люди. Инк «задумался», но через несколько секунд все же сообразил, что от него требуется.

В потолке рубки набухли две голубовато-прозрачные груши, пролились на пол такими же стеклянными на вид перепонками, образовавшими самые настоящие соты-коконы, только размером со слона. В каждой ячейке такого кокона — всего их насчитывалось семь штук в каждом коконе — вполне мог разместиться человек.

— Мама родная! — ахнула Дарья. — Я поняла! Вот кто строил корабль — осы! Галикты!

Дар промолчал. Ему стало стыдно, что не он первый догадался, кому принадлежит нож-спейсер.

— Почему осы? — попытался возразить Борята. — Может быть, муравьи или термиты. Или пчелы.

— Нет, осы, я чувствую. Не такие, как у нас, но близкие к ним по коллективной психике и отношению к миру. Хищники, одним словом.

— Осы не хищники, — возразил теперь уже Дар. — Воры — может быть, так как нередко крадут готовый продукт, вместо того чтобы собирать нектар с цветов, но не хищники. Они нападают только в том случае, когда чувствуют угрозу.

— Пусть будет по-твоему, — махнула рукой девушка. — Сути это не меняет. Корабль строили осы или их родственники, к примеру, шершни. Здесь жил рой. Однако мне такие «кресла» не очень нравятся, сидеть в них неудобно. Попробуем объяснить инку, что нам надо?

— Давай.

Объединив усилия, молодые люди начали новый психдиалог с «мозгом» космолета и в конце концов добились успеха. Осиные коконы убрались в потолок, а пол превратился в самые натуральные соты, ячейки которых представляли собой чашевидные конструкции шестиугольной формы. В каждой такой ячейке мог разместиться один человек.

После десятиминутных консультаций с инком пассажиры окончательно подогнали форму трех ячеек под размеры своих тел и повеселели. Корабль все лучше реагировал на мысленные команды и быстрее соображал, что от него хотят новые хозяева.

Расселись по «пилотским» ячеям.

— Взлетаем? — посмотрела на спутника девушка.

— Поехали, — отозвался он.

Короткий приглушенный звон донесся из глубин космолета. Он скачком взвился в воздух, завис над поляной на высоте сотни метров. Затем сделал еще один скачок и вынесся в космос.

Ни гула, ни грохота, ни рева реактивных двигателей, никаких неприятных ощущений — ни удара ускорения, ни невесомости. В рубку хлынул голубоватый свет атмосферы Земли, освещенной сбоку Солнцем.

— Класс! — щелкнула языком Дарья. — Джамп-режим! Этот «осиный» монстр ничем не уступает нашим спейсмашинам! Жаль, что с ним нельзя разговаривать, как с нашими инками. Те предупреждали бы о появлении опасности, а тут все придется делать самим.

— Справимся! — беспечно отмахнулся Борята. Он уже пришел в себя и чувствовал боевой азарт. — Вперед, молодцы, на абордаж! Йо-хо-хо и бутылка рома!

Дар и Дарья переглянулись, улыбнувшись такому проявлению чувств. Оба подумали об одном и том же: чем закончатся «ходовые испытания» корабля?..

— Куда летим?

— К Солнцу! Точнее — на Меркурий.

— Не возражаю. Пристегните ремни безопасности, господа.

Корабль прыгнул...

Глава 3

— Тебе надо уехать вместе с остальными, — сказал Железовский, не выпуская из объятий жену.

Они лежали на кровати в полной темноте, даже ночник не горел в толще потолка и не прыгали по стене цифры-мотыльки универсальных часов. Аристарх отключил их, чтобы ничто не мешало беседе. Но беседы не потребовалось, Забава отдалась с необычной жаркой страстью, словно душа ее ощутила тоску и призыв, надежду и жажду любви, и Аристарх теперь з н а л, что у них будет ребенок.

— Почему ты все-таки женился на мне? — еле слышно выдохнула она.

Он помолчал, ощущая себя необычно счастливым. Проговорил наконец:

— Потому что люблю.

— По любви обычно женятся слабые люди.

Он понял шутку, улыбнулся.

— Помнишь, как ты испугалась, когда я пришел к тебе и сказал, что не могу без тебя?

Забава тихонько рассмеялась.

— Еще бы не помнить. Пятнадцать лет понадобилось тебе, чтобы понять это. А ведь я влюбилась в тебя сразу, с первого взгляда, как девчонка, хотя старше тебя на много лет.

— Прости...

— Не могу. Женщина прощает только тогда, когда сама виновата. А я виновата лишь в том, что люблю тебя.

Он поцеловал ее в ложбинку на шее.

— Я был груб и недалек. До сих пор не понимаю, за что ты меня полюбила. Не за красоту же?

— Ты был и остаешься мальчишкой, несмотря на свой возраст, опыт и самолюбие. Во всяком случае, рисковать своей жизнью, где надо и где не надо, ты не перестал.

— Это состояние души.

— Жаль, что в этом состоянии тебе никто не нужен.

Он не обиделся, еще раз поцеловал жену, провел пальцем по груди, по животу.

— Наверное, так было. Но не всегда. Ты нужна мне, и ты это знаешь. И он, которого еще нет, — Аристарх нажал пальцем на живот Забавы, — тоже з н а е т.

Она зябко вздрогнула, прижалась к мужу сильней.

— Мне страшно!.. За нас, за его судьбу... Я ведь не хотела ребенка именно потому, что впереди — один мрак. Человечество гибнет, деградирует, уходит и никогда не вернется, если верить Климу. Он-то видел, каким будет наш финал. Не потому ли не хочет возвращаться домой?

— Он видел финал конкретной популяции хомо вульгарис. Я верю, что человек разумный сохранится, разве что найдет другую среду обитания.

— Под человеком разумным ты имеешь в виду самого себя? — тихонько рассмеялась Забава.

— Будущее за интрасенсами. За теми, кто с рождения занимается сознательной эволюцией. За нами. Но в данный момент мы переживаем очередной кризис. Сколько их было и сколько еще будет? Тебе придется перебраться с Земли на Голгофу вместе с остальными. Хотя бы на время.

— Не хочу.

— Придется. Подумай о сестре и племяннице. После гибели мужа Власта нуждается в поддержке. На Земле вам оставаться нельзя, Служба начала планомерный отстрел интрасенсов.

Забава снова вздрогнула.

— Они не ведают, что творят... Неужели наверху не понимают, что уничтожением инакомыслящих только усугубляют ситуацию?

— Увы, история развивается по сценарию Маттера. Поход Клима в будущее, да и наши с Дашкой путешествия железно доказывают, что он прав. Человечество действительно являет собой спусковой механизм развития черной дыры техногенным способом. Все факты говорят об этом.

— Какие?

— Существует бесспорный факт поворота человеческой цивилизации на технологический путь развития. Магический путь, путь самосовершенствования и реализации возможностей был свернут, нейтрализован, извращен, и теперь мы имеем отдельно человека и отдельно технику, без которой он жить уже не может. За редким исключением. А дальше будет еще хуже: человек обыкновенный, паразитирующий на системе супертехнологий, будет этой же системой доведен до состояния полной безответственности, что, естественно, приведет к гибели вида.

— Это дьявольский план!

Железовский улыбнулся.

— Дьявол сидит в каждом человеке. Мы сами творцы своего будущего, которого вполне достойны. Знаешь, кто-то очень остроумно заметил: «Есть люди, в которых живет бог. Есть люди, в которых живет дьявол. А есть люди, в которых живут только глисты»[1]. Так вот последних — большинство.

Забава не выдержала, рассмеялась.

— Ты несправедлив к большинству.

— Что поделаешь, никогда не любил большевиков.

— Думаешь, меньшевики лучше? Впрочем, давай не будем философствовать в постели. Ты еще способен... на подвиги?

— А то!

Он осторожно повернулся к ней, губы их встретились...

Через час они расстались.

Забава пообещала к обеду забрать Власту с дочерью, встретиться с Карой, женой Джумы Хана, и другими женами интрасенсов и переселиться по секретной линии метро на Голгофу, планету неяркого оранжевого солнца в созвездии Ящерицы, где уже был готов к приему беженцев хорошо оснащенный лагерь. Аристарх же направился на остров Завьялова в Охотском море, где находилась база Сопротивления. Оттуда планировалось начать операцию по уничтожению МК-завода на Меркурии, снабжающего энергоконсервами, к сожалению, не только все космические флоты человечества, но и научно-исследовательский центр Института пограничных физических проблем, запускающий мини-коллапсары в глубины эйнсофа.

Остров Завьялова представляет собой самый крупный из островов Охотии. В северной его части рельеф альпинотипный, как говорят географы, то есть изрезан ущельями и усеян горами, самая высокая из которых достигает тысячи

---

[1] Приписывается Ф. Раневской

ста метров над уровнем моря. Южная часть острова сглаженная, равнинная, поросшая кустарником, кедровым стлаником и низкорослой березой.

База Сопротивления располагалась в северной части острова, в долине, образованной тысячи лет назад отступавшим заливом. Собственно база — пластилитовый бункер, оборудованный по последнему слову техники, — пряталась в глубине скального массива, где когда-то, более трехсот лет назад, находилась база атомных подводных лодок России. На самом плато стоял только старинный пост гидрометслужбы, используемый туристами в качестве своеобразной гостиницы. Он работал до сих пор — в автоматическом режиме, выдавал информацию о состоянии атмосферы и северных морей и не доставлял земной метеослужбе никаких хлопот. Его стометровая антенна в форме крестообразной решетки вызывала у туристов умиление, потому что стояла на вершине горы более двухсот лет. На самом деле это была многодиапазонная нелинейно-фазированная антенна невиданных параметров, прослушивающая вакуум всей Солнечной системы, способная поймать сигнал, сравнимый по мощности с горящим светлячком, на расстоянии в два миллиарда километров. Естественно, знали об этом только специалисты Сопротивления, многие из которых перешли на сторону интрасенсов из Службы безопасности и поэтому понимали, как нужно маскировать и хранить в тайне работу столь совершенного технического сооружения.

Железовский не стал рисковать и «светиться» перед аэроконтролем Северных территорий, добираясь до острова на обычном летательном аппарате: по официальным данным, на острове не было станции метро. Реальная картина выглядела иначе, база, конечно же, имела свой портал, линии которого пересекали не только Солнечную систему, но и Галактику. Аристарх вошел в кабину метро в Рязани и вышел уже в недрах острова, в отсеке метро базы.

Его ждали Ромашин, Хан, оба Золотько со своими обоймами риска и потирающий от волнения руки Маттер. Ксенопсихолог был оживлен и болтал без умолку.

— Мы в лаборатории поглядели на «обломок струны», — сказал он, увидев мощную фигуру Железовского. — Это не реликтовый стринг, каким был эйнсоф, скорее всего чаша является неудачной попыткой орилоунов бросить «струну» в черную дыру. У нее настолько необычные параметры, что я просто балдею.

— Потом, — перебил его Железовский, глянул на Ромашина. — Где Долинго?

— Уже на месте, ждет команды, — вместо Ромашина ответил Карл Золотько. — Все готовы, ждали только тебя.

— Я вычислил, кто добыл отеллоидам суггесторы и парализаторы.

В отсеке стало тихо.

— Милослав Торопов, — добавил Аристарх хладнокровно.

Ромашин сжал кулаки и сунул в карманы брюк.

— Ты... уверен?!

— Да. В спецхране Тайбея списана партия гипноиндукторов, якобы для уничтожения «устаревших образцов». Забрал ее именно Торопов, как председатель комиссии по разоружению СЭКОНа. Однако ни по одному ведомству, связанному с ликвидацией оружия, информация об уничтожении не проходила.

— Не могу поверить! — помрачнел Хан. — Он же бывший командор Погранслужбы, муж Власты...

— Бывший муж.

— Все равно.

— Неисповедимы пути завистливого, — поднял вверх палец Маттер. — Милослав всегда всем завидовал и таил амбиции. Вот и вырвался на волю весь его запас нелюбви к нам. Я еще хотел ему сказать...

— Не отвлекайся, Герхард, — перебил его теперь уже Ромашин. — С Милославом будем разбираться позже. Сначала решим две задачи: нанесем удар по МК-заводу и вызволим из СИЗО Купаву. Сверим часы.

— Семь ноль семь по среднесолу[1], — сказал Железовский, не глянув на часы. — Отсчет пошел...

Завод мини-коллапсаров — «энергоконсервов» для нужд звездного флота человечества и энергоемких производств на других планетах — располагался на дневной стороне Меркурия, на плато Жары. Верхний слой энергоконденсаторов завода занимал площадь в тысячу триста квадратных километров, но собственно сердце завода — генератор упаковки энергии в капсулы МК — прятался в недрах плато, на глубине два километра.

Завод имел собственную систему безопасности, управляемую общим контроль-инком, а также «живую» человеческую охрану, контролирующую выходы метро завода и стартовые зоны разной космической техники, куда прибывали и откуда отправлялись грузоматы, транспортирующие партии МК, а также спейсеры космофлота. Всего в смене «живой» охраны числилось двадцать шесть человек, в том числе — четыре оператора на центральном мониторе контроля.

В семь часов пятнадцать минут по среднесолнечному

---

[1] Имеется в виду среднесолнечное время, отсчитываемое по нулевому меридиану Земли и принимаемое для координации работ во всей Солнечной системе.

времени один из операторов вдруг почувствовал себя плохо. У него заболел живот, резко повысилась температура, началась рвота.

Вызвали штатного врача завода, но его не оказалось на месте. На работу он почему-то в это утро (условно-независимое, но на Меркурии это «утро» совпадало с утром на Земле в районе Гринвича) не вышел. Дежурный вызвал Управление аварийно-спасательной службы, и уже через три минуты в зале метро завода появились медики — двое мужчин и женщина, врачи «Скорой помощи». Они поднялись в зал контроля, развернули медкомбайн.

Операторы с любопытством наблюдали за их работой, на время забыв о своих обязанностях, что, конечно же, было ошибкой. Никто из дежурных не заметил, как в метро появились еще двое мужчин в серо-синей форме спасательного флота и в течение нескольких мгновений усыпили охранников.

Тотчас же один из медиков, огромный, как чемпион по сумо, только не в пример мускулистый и быстрый, достал из недр медкомбайна парализатор «василиск» и тремя выстрелами успокоил дежурных.

— Готово! — сказал он басом в каплю микрофона на губе; это был Аристарх Железовский.

Его спутник — Джума Хан — сел за пульт монитора, уверенно оглядел виомы контроля, показывающие главные участки завода, где находились «живые» охранники.

— Внимание! В связи с угрозой террористического акта производится экстренная эвакуация персонала! Всем работникам немедленно прибыть в отсек метро! Охране обеспечить явку и ждать приказа!

Произошла секундная заминка, охранники не сразу осознали свою роль, но лишь один из них решил переспросить, что случилось, и потребовал дополнительных инструкций.

— Сейчас к вам спустится сменщик, — отреагировал Хан. — Оставайтесь на месте.

Александр Золотько, стоящий за спинами руководителей операции, молча вышел из зала контроля. Ему не надо было объяснять, что делать.

Через две минуты к запасному пронзающему лифту, выходящему на поверхность плато, где дежурил непонятливый охранник, прибыл «сменщик», и дежурный уснул, не успев сообразить, что происходит.

Остальные охранники покинули свои посты и начали обходить посты операторов, чтобы проводить тех к залу метро. Никто из них не стал допытываться, кем проводится замена дежурных и кто руководит спасателями. Но если кто-нибудь и захотел бы позвонить своим друзьям или начальникам, чтобы выяснить истинную подоплеку эвакуации, им это не удалось бы сделать. Над заводом завис модуль широкодиапазонного подавления радиосвязи, не пропускающий ни одного сигнала. А рубка «струнной» связи завода была уже в руках диверсантов.

Оставалось убедить начальника смены завода, имеющего свои линии связи, техобеспечение и сеть контроля, что эвакуация проводится с ведома таких крупных организаций, как СЭКОН. Уговорами занялся сам Железовский, в то время как специалисты Золотько тихонько перекрыли возможные каналы утечки информации о проводимой втихую операции.

Начальник смены, пятидесятилетний марокканец Йосеманта, так и не узнал истинных причин происходящего. Он вообще не получил сообщений о «теракте», занятый игрой с инком своего кабинета в трехмерное домино.

Железовский не стал мудрствовать лукаво, изобретать способы убеждения марокканца в необходимости немедленного бегства с Меркурия и подтверждать свои полномочия. Он просто взломал замок кабинета — мысленно, переиграв обслуживающий помещение компьютер, и выстрелил в начальника мысленно-волевым приказом: спи! Гипноиндукторы ему были не нужны.

Йосеманта, повернувший голову к двери, послушно закрыл глаза и обмяк в кресле. Аристарх взвалил его на плечо и отнес к лифту, передал в руки оперативнику из группы Золотько.

Спустя восемь минут с момента начала операции эвакуация работников завода и охранников закончилась.

В зону слингера компактификации, как головоломно назывался генератор свертки МК, проникли взрывники и установили три вакуум-бомбы, в то время как инконики[1] отряда меняли программу в главном процессоре завода. Это заняло еще шесть минут.

— Готово! — доложил по рации Карл Золотько.

— Запуск! — скомандовал Ромашин.

— Отсчет пошел!

— Уходим!

Отход группы занял всего три минуты. Завод обезлюдел, продолжая работать в автоматическом режиме, и спасти его было уже невозможно.

Служба безопасности УАСС Меркурия почуяла неладное, получив странное сообщение об эвакуации завода от кого-то из его работников, но предпринять ничего не успела.

В семь часов тридцать пять минут по среднесолнечному времени посреди плато Жары вдруг возник фонтан огня,

---

[1] И н к о н и к — специалист по интеллект-компьютерам.

дыма и осколков солнечных конденсаторов, вытянувшийся на высоту около ста километров. Он уничтожил три спутника планетарной метеослужбы и едва не задел станцию «Марго-2», на которой располагался центр управления исследовательской группой Института пограничных физических проблем, занимающейся экспериментами с эйнсофом.

К счастью, обошлось без человеческих жертв, о чем стало известно позднее. Однако завод МК перестал существовать, превратившись в провал в пространстве. На его месте образовалась внушительная воронка глубиной в три и диаметром в пятнадцать километров.

* * *

— Меня смущает один маленький нюанс, — произнес Джума Хан, в нерешительности потянув себя за ухо. — Если мы уничтожили МК-завод здесь, в нашем времени, то каким образом он воскрес там, в будущем?

Сидящие в кают-компании базы мужчины переглянулись.

Операция прошла исключительно успешно, и все ее руководители собрались на базе Сопротивления, чтобы обсудить детали операции и дальнейшие планы. Настроение у собравшихся было мажорное, поэтому многие позволили себе налить по бокальчику вина, а Карл Золотько даже не отказал себе в удовольствии пропустить стопочку водки и теперь находился в состоянии легкой эйфории. В отличие от отца младший Золотько пил только сок. Он был молод, целеустремлен и старался выглядеть самостоятельным.

Больше всех захмелел Герхард Маттер, отчего пристал к Золотько-старшему, найдя в нем родственную душу, и проникновенно поделился с ним результатами своих научных изысканий.

Начал он издалека — с открытия Маата, планеты, оказавшейся искусственным объектом, инкубатором черных людей. Карл еще не беседовал с ксенопсихологом и слушал его с интересом, узнав, что маатане — изделия других негуманоидов — орилоунов, накапливали энергию и информацию не зря, так как являлись, по сути, зародышами черных дыр. Но когда Маттер заговорил о масштабных уровнях Вселенной, каждый из которых должен был иметь свой тип разума, Ромашин прервал ученого:

— Герхард, отстань от человека. Пусть отдохнет от умных речей. Скажи-ка лучше, что ты думаешь о богоиде? Наши наблюдатели засекли его над Меркурием во время взрыва завода.

Речь шла о «глазастом фантоме», странном объекте в форме прозрачного облачка с тысячей мигающих вразнобой внимательных глаз. Этот фантом, названный богоидом, появился впервые в Солнечной системе двадцать лет назад, после развертки «обломка суперструны» в эйнсоф, затем исчез и вот объявился снова.

— Богоид — всего лишь реализованный кем-то принцип оптимизации реальности, — небрежно сказал Маттер. — Не только наблюдатель, но еще и корректор, каким-то образом влияющий на события на макроуровне. Там, где он появляется, квантовые флуктуации вакуума ныряют под порог «шума», уменьшают амплитуду. Это зафиксировано статистически. Зачем он это делает, вопрос другой.

— Когда появляется богоид — жди беды. — Ромашин посмотрел на Железовского. — Может быть, мы не все сделали? Я имею в виду — взрыва МК-завода мало?

— Я бы еще грохнул «Марго» с базой физиков, — сказал Джума Хан. — Чтобы надолго отбить у них охоту заниматься экспериментами с эйнсофом.

— Совет рассматривает эту идею, — сказал Ромашин. — К сожалению, реализовать ее будет сложно. На станции работает около ста человек, это вам не завод-автомат.

— Доверьте это дело моему сыну, — предложил Золотько-старший. — Он справится.

Александр Золотько смутился, но промолчал.

— Как решит Совет, так и будет, — буркнул Железовский, глядя на Маттера исподлобья. — Ты что-то там говорил о втором «обломке струны» — в форме чаши.

Ксенопсихолог оживился.

— Пока вы бегали по временам, я с ребятами еще раз покрутил чашку в нашей лаборатории. Оч-чень интересная вещь, скажу я вам! Она находится в «перекинутом» состоянии и довольно опасна.

— Что значит — в перекинутом?

— Ее «обломали» намеренно, свернули по шести измерениям, поэтому она крайне неустойчива.

— Так избавься от нее!

— Зачем? — ухмыльнулся Маттер. — Лучше подбросьте ее отеллоидам, пусть порадуются. Они ведь за ней охотились в мире ваших потомков?

— Ты с ума сошел! — хмыкнул Джума Хан.

— Ничуть. Пусть запустят ее в эйнсоф. Любопытно будет посмотреть, что получится.

— А что может получиться?

— Если «обломок» развернется — сделает из эйнсофа натуральную «суперструну», упрятанную под «шубу» из максимонов в глубинах вакуума. Если же он свернется — образуется микродыра, которая заберет часть энергии эйнсофа, но не станет ядром большой черной дыры. Получится большой энергетический вейвлет, который слегка разогреет атмосферу Солнца — на пару миллионов градусов. Но кратковременно, так что катастрофы не будет. Зато в обоих этих случаях грандиозной развертки эйнсофа не произойдет и черная дыра не родится.

— Ты уверен?

— Я ни в чем не уверен, — радостно объявил ксенопсихолог, — даже в собственной непогрешимости. Но расчеты говорят, что я скорее всего не ошибаюсь. Пусть Аристарх проверит, он хороший математик. Кстати, я сделал карту распределения черных дыр вокруг центра Галактики. Не хотите полюбоваться?

Присутствующие в кают-компании переглянулись.

— Может, в другой раз? — поднял бровь Ромашин.

— Пусть покажет, — буркнул Железовский.

Маттер с готовностью поднялся, сунул иглу компакта в гнездо ввода на «кактусе» вириала. Над полом в углу помещения сформировался сферический объем изображения с галактикой внутри, красивой, состоящей из трех ярко выраженных спиралей и одной слабенькой. Это был Млечный Путь, звездный дом человечества.

— Вот, обратите внимание.

Вокруг ядра галактики с черным шариком в центре загорелось ожерелье огоньков алого цвета.

— Это Стрелец А, так называемый балдж, сердце Млечного Пути. — Палец Маттера коснулся ядра с черным зрачком. — В пределах одного светового года от него бродят около десяти миллионов звезд. Черная дыра там, формирующая движение звезд, обладает массой в два с половиной миллиона масс Солнца. А вот эти красные огоньки — черные звезды меньшей массы, от трех до сотен масс Солнца. Ничего не замечаете?

В комнате некоторое время было тихо. Потом шевельнулся Александр Золотько.

— Дуги...

— Верно, молодец! Скопления черных дыр образуют дугообразные комплексы, которые, в свою очередь, напоминают нейронные кластеры в мозгу человека. Но даже если это просто совпадение, подобные необычные конфигурации из экзотических космических объектов вроде черных дыр заставляют предположить, что это искусственные образования.

— Или проявление физического закона, какого мы еще не открыли, — проворчал Железовский.

— Не спорю, — согласился Маттер. — Но лично я считаю эти дуги признаком разумной деятельности, тем более что сами черные дыры вполне претендуют на роль разумных объектов. Пусть и чудовищно далеких от человека.

— Вот здесь нет черных дыр... — показал внимательный Джума Хан.

— Правильно, это локальное нарушение второй дуги, или, как говорят кристаллографы, нарушение дальнего порядка. Но как раз здесь и находятся коричневый карлик Шив Кумар и наше солнышко. Понимаете, о чем речь?

— Строительство дуги не завершено...

— Именно! Вот почему Солнечная система продолжает оставаться объектом пристального внимания всякой нечисти. Сначала были черные люди, маатане, теперь отеллоиды. Тот, кто организовал процесс ускоренного онтогенеза черных дыр в Галактике, все еще не теряет надежды на превращение нашего Солнца в черную дыру. Эйнсоф по-прежнему остается самым перспективным объектом для запуска процесса рождения сингулярности.

— Я не понял, кого ты подразумеваешь под «тем, кто все это организовал», — с сомнением посмотрел на ксенопсихолога Джума. — Уж не сами ли черные дыры?

— Есть два варианта. Всем управляет черная дыра в центре Галактики — это первый. Она создает команду, и та уже непосредственно занимается исполнением плана. Отеллоиды — это и есть такая команда. Второй вариант: разработали всю эту бодягу с черными дырами еще Вершители, о которых мы знаем только то, что они когда-то существовали и что они крутые негуманы. Их деяния нельзя мерить мерками человеческой логики, психологии и морали, они находятся по другую сторону добра и зла.

— Нам от этого не легче, — хмыкнул Джума.

— Насчет Вершителей можно поспорить, — сказал Железовский. — Помнится мне, двадцать лет назад ты утверждал, что Клим при успокоении Шаламова стал Вершителем.

— Теперь я так не думаю. Возможно, Вершитель — на самом деле последовательность состояний высшего разума, проявляющегося иногда и на уровне человеческого бытия. Но над этой проблемой еще работать и работать.

— Ладно, друзья, договорим в следующий раз, — подвел итог беседы Ромашин. — Отдохнули? Пора заняться делами. На повестке дня два вопроса: освобождение Купавы и эвакуация наших семей.

— Три, — качнул головой Джума Хан.

Ромашин вопросительно посмотрел на него.

— Торопов, — добавил бывший врач «Скорой помощи». — Он может весьма ощутимо навредить Сопротивлению, если переметнулся на сторону врагов.

— Я займусь им лично, — мрачно проговорил Железовский.

— Тебе надо лететь к Даше, — возразил Игнат. — Трансфер у нас только один, и только ты знаешь, что делать.

— Успею.

— Предоставьте это дело моему сыну, — снова предложил Карл Золотько. — Он найдет Торопова и ликвидирует.

— Ликвидировать его не надо, мы с ним сначала поработаем, выясним все обстоятельства дела и уж потом решим, насколько он опасен.

— Тогда разошлись. — Ромашин встал. — Я займусь Купавой. Джума со мной.

Поднялись и остальные. Сидеть остался лишь Железовский.

— Я свяжусь с Умником института отсюда, — пояснил он свою медлительность. — Буду нужен, «спрут» меня найдет.

— Можно, я тоже останусь? — посмотрел на всех по очереди Маттер. — Мне все равно, где жить, а машина здесь хорошая.

— Только не мешай, — буркнул Железовский.

— Не буду! — клятвенно пообещал Маттер.

— До связи. — Ромашин кивнул и вышел вслед за Джумой.

Глава 4

Власта Боянова, сестра Забавы, жила с дочерью в пилон-башне на Луне, на семьдесят третьем этаже. Ее бытовая капсула, состоящая из трех комнат — одна над другой, могла поворачиваться вокруг оси, поэтому хозяйка квартиры имела возможность выбирать пейзаж, видимый сквозь прозрачные изнутри стенки капсулы. Правда, разнообразием лунные пейзажи не отличались: горные складки, кратеры, ущелья, Земля над горизонтом либо Солнце в зените — вот и все детали, оживляющие ландшафт естественного спутника

Земли. Почему Власта после окончания карьеры комиссара безопасности выбрала местом постоянного проживания именно Луну, никто не знал, даже родная сестра. Сама Забава никогда не поселилась бы здесь, предпочитая родные природные условия.

В это утро девятнадцатого сентября она прибыла на Луну по ветке метро, взяла лунный куттер и оставила его у подножия пилон-башни, построенной по проекту Ханса-Юргена Ромбата из Роттердамской архитектурной академии. Затем поднялась на лифте на семьдесят третий этаж.

Пилон-башня представляла собой трехсотметровой высоты ажурную стрелу-каркас, в которой висят жилые капсулы — капли, напоминающие космические корабли. Летать эти капсулы не могли, но в случае разрушения башни от удара метеорита или по другим причинам плавно опускались на почву, сохраняя хрупкий человеческий багаж. Кроме того, каждая капсула имела собственную систему обслуживания, подачи тепла, энергии, воздуха и воды, удаления мусора, а также специальные тренажеры и генераторы гравитации, позволяющие подгонять силу тяжести в квартире близкую земной.

Власта встретила Забаву в черном платье и в черной косынке. Она все еще ходила в трауре после гибели и похорон мужа. Сестры обнялись.

— Как ты? — спросила Забава.

— Все так же, — ответила Власта ровным голосом. Отстранилась, разглядывая лицо сестры. Брови ее приподнялись. — А вот у тебя, по-моему, что-то случилось. Или я ошибаюсь?

— Не ошибаешься, — слабо улыбнулась Забава. — Мы с Аристархом решились на ребенка.

— Ну и ну! В лесу дуб повалился! Ты же была против?

— Была. А потом он вдруг предложил и так волновался... как обыкновенный мальчишка... и я поняла, что была не права. Нельзя жить только для себя, ссылаясь на объективные проблемы, мешающие иметь детей. Ты же воспитываешь дочь и не жалуешься.

— Не знаю, что бы я делала, если бы не Карина. Ей уже двадцать шесть, но мы вместе и не собираемся расставаться.

— Когда-нибудь придется, когда у нее появится парень. Где она? Пора собираться.

— Прощается с подругами, обещала скоро вернуться.

Забава прошлась по гостиной, разглядывая безделушки за прозрачными панелями стенных шкафов, остановилась у витейра: Власта, ее дочь, уже взрослая, и симпатичный мужчина с шапкой вьющихся светлых волос и голубыми глазами. Это был Дмитрий Столбов, бывший инспектор-официал криминального розыска СБ, муж Власты. На витейре он улыбался, не зная, что ждет его впереди.

— Он знал, что его убьют, — сказала приблизившаяся Власта. — Прощался так, будто навсегда.

Забава оглянулась. Глаза сестры сухо блестели. В них стояли печаль и удивление, все слезы она давно выплакала.

— Мы скоро узнаем, кто это сделал.

— Какая разница? — скривила губы Власта. — Диму уже не воскресишь.

— У него была, я помню, любимая поговорка: если жена молчит, лучше ее не перебивать.

Власта с грустью улыбнулась.

— Он был удивительно терпелив. Ты же знаешь, какая я бываю иногда ужасная, несдержанная, но Дима всегда стоически переносил мои капризы. Ладно, не хочу воспоминаний, не хочу слез... Давай собираться. Ты без вещей? Или мы потом зайдем к тебе?

— Аристарх рекомендовал не набирать лишнего, там все есть. Я взяла лишь самое необходимое.

— Тогда я тоже возьму только личные вещи.

В прихожей прозвенел звонок.

Женщины переглянулись.

— Ты кого-нибудь ждешь? — нахмурилась Забава.

— Нет. Это, наверное, Карина.

— Карина могла бы и не звонить, домовой открыл бы ей дверь сам.

Забава привычно включила сферу гипервидения, глаза ее расширились.

— Господи!

— Что?! — испугалась Власта; в отличие от сестры она не была интрасенсом и не могла видеть сквозь стены. — Это за нами?! Служба?!

— К тебе гость.

— Кто?!

— Милослав.

— Какой Милослав? — не сразу поняла женщина.

— Торопов, твой бывший муж, отец Карины, кто же еще.

— Зачем он пришел?!

— Это ты у него спроси.

Звонок повторился.

— Будешь с ним говорить?

— Нет! Нам не о чем разговаривать!

— Ну хоть выслушай, что он скажет. Даже интересно, столько лет прошло, вспомнил.

— Он мне часто звонил, каждые три месяца, а иногда заходил домой.

— Да? Ты мне не говорила. При Диме тоже звонил?

— Вычислял, когда я одна, и звонил. Предлагал забыть

старые обиды и начать снова жить вместе. Кстати, Карина иногда с ним встречалась, отец все же, я не препятствовала. Но никогда не приглашала его к себе. Он приходил сам.

— Давай откроем, послушаем, что запоет. А я позвоню Аристарху и буду рядом.

Власта заколебалась.

— Ты думаешь, это необходимо?

— Я слышала, что Милослав работает на Службу и вроде бы является инициатором похищения гипнотронного оружия. Его надо задержать.

— Хорошо, как знаешь. — Власта окликнула домового: — Миша, открой дверь.

Забава быстро спустилась на третий уровень капсулы, в спальню, вызвала мужа:

— Аристарх, я у Власты. К нам заявился Милослав. Что делать?

Железовский размышлял ровно две секунды.

— Задержите его!

— Я уже поняла.

— Ждите.

Связь прервалась.

Забава снова настроилась на гиперчувствование и превратилась в слух.

Торопов был не один. С ним пришли двое молодых людей мощного телосложения, одетые в стандартные кокосы Службы, но Власта их не впустила, и по знаку Торопова они остались у входа в капсулу-квартиру Власты, на холл-площадке. Сам же Милослав спустился в прихожую на лифт-подъемнике.

Некоторое время Власта и бывший муж, с которым она не жила уже больше двадцати лет, разглядывали друг друга.

Милослав, прежде тонкий и стройный, как юноша,

явно пополнел, обрел животик, но выглядел хорошо. Шапка седых волос не портила его, а вот капризно изогнутые губы придавали лицу выражение недовольства и холодности.

— Ты одна?

— Как видишь. Зачем пришел?

— Ты все такая же, — прищурился Торопов. — Не меняешься. Разве что одета не по моде. Черный цвет тебе не к лицу.

— Черный цвет к лицу тебе, — сухо отрезала Власта, сдерживаясь, чтобы не нагрубить. — Тебе разве не известно, что мой муж погиб?

В глазах бывшего командора Погранслужбы мелькнули злые огоньки.

— Он сам виноват... — Торопов запнулся.

Власта раздула ноздри, глаза ее сузились.

— Что значит — он сам виноват?! Ты знаешь подробности гибели Димы?!

Глаза Торопова вильнули.

— Мне рассказывали... ему предложили работать на Службу, он отказался...

— За это не убивают. Но его убили!

— Ну... не знаю... меня там не было.

— Где — там?!

— Ты сама все знаешь. Он попытался утихомирить банду «эскадронов жизни» в Судане... не понимаю, какого черта его туда понесло. Короче, речь не об этом. Твоего Столбова уже не вернешь. Предлагаю забыть его и начать все сначала.

Власта покачала головой.

— Как это легко у тебя получается — забыть. Я люблю его, понимаешь? До сих пор люблю! Никто мне не нужен! И дочери моей тоже. Мы прекрасно обойдемся без мужа и отца, появляющегося раз в году и забывающего о днях рождения.

— Я тоже люблю тебя!

— Наверное, любишь, — согласилась она. — Только по-своему, эгоистически, властно и бесцеремонно. Ты хочешь, чтобы я была твоей комнатной женщиной, согласной с любым твоим решением, принимающей все твои игрища и прощающей все похождения. Мне такая однобокая «любовь» не нужна!

— Ты не понимаешь...

— Почему же? Чего я не понимаю?

— Все изменилось... только я могу помочь тебе в нынешние времена. Тебя никто не защитит! Даже твоя сумасшедшая сестричка и ее муж-амбал! А я — могу!

— Ты уверен?

Торопов гордо приосанился.

— Я работаю в Службе, председатель комиссии по контролю за ликвидацией устаревших вооружений, это большая должность! В моей власти казнить и миловать, через мои руки проходят большие деньги...

— И гипногенераторы, — добавила Забава, поднимаясь из спальни в гостиную на щите подъемника. — Не так ли, господин б ы в ш и й пограничник?

— Забава! — пробормотал Торопов, меняясь в лице. — И ты здесь... Вы все знаете...

— Не все, — качнула головой Боянова-старшая. — Мы не знаем, зачем тебе это понадобилось — красть списанное гипнотронное оружие и передавать черным негуманам.

— Чушь! Я передал суггесторы своему сыну... — Торопов прикусил язык.

— Значит, и твой сын замешан в этом неблаговидном деле? Просто замечательно! А зачем ему оружие? Твой сын —

эксперт по оружию? Ликвидатор? Разработчик новых видов оружия? Неужели ты не понял, что похищенные тобой суггесторы предназначены не для добрых дел? Как они оказались у отеллоидов?

— У кого?

— Ты не знаешь, кому твой сын передал генераторы? Поистине прав Аристарх, говоря, что у одних оба полушария защищены черепом, у других — штанами. Неужели ты потерял нюх пограничника? Или совесть?

Торопов потемнел. Рука его дернулась к поясу с держателем «универсала».

— Вы не понимаете, с кем связались! Я вас...

— Убьешь? — насмешливо приподняла бровь Власта. — Как Диму? Ты же только что клялся в вечной любви и готов был сделать для меня все возможное и невозможное.

— Вы слишком далеко зашли...

— Это ты далеко зашел. Уходи! Мы с Кариной прекрасно обходились без тебя все двадцать лет, проживем и дальше.

— Вам придется пойти со мной.

— Это еще зачем? — усмехнулась Забава. — Ты решил взять нас в качестве заложников?

— Вы пойдете со мной!

— Не пойдем.

— Тогда я... — Скрюченные пальцы гостя легли на рукоять «универсала».

Забава выпрямилась, глаза ее метнули молнии.

Торопов отшатнулся, бледнея.

В то же мгновение за его спиной сгустился воздух, пропуская огромную фигуру, которая сгребла его одной рукой за шиворот, а второй вырвала из руки оружие. Отшвырнула бывшего командора погранслужбы к стене.

— Вовремя, — с облегчением сказала Забава. — Там с ним были двое парней.

— Не двое, а целых четверо. Они уже практически отдыха-ют. — Железовский спрятал «универсал», оглядел женщин. — С вами все в порядке?

— Он хотел забрать нас с собой, — вздохнула Власта. — Все его слова о любви яйца выеденного не стоят. Это всего лишь попытка оправдаться перед самим собой. Любит он только себя.

В комнате появились Александр Золотько и оперативник из его группы.

— Уведите, — кивнул на Торопова Железовский, — и допросите. Он много знает.

— Я ничего не скажу! — гордо вскинул голову Торопов. — Вы ничего не сможете сделать! За мной придут... — Он сделал усилие и умолк.

— Придут, — согласился Аристарх. — Мы будем ждать. Особенно мне хотелось бы встретиться с твоим сынком и моим давним приятелем Вацеком Штыбой. Я знаю, что партию суггесторов, предназначенную для ликвидации, вы продали именно ему. Много он заплатил?

— Не твое дело!

— Согласен, не мое. Это уже дело трибунала. Уведите!

— Не имеете права! Я представитель СЭКОНа! Вы все предстанете перед судом! Я вас уничтожу!

— Вот цена его слова, — грустно улыбнулась Власта. — А ведь как хорошо начинал, слеза просилась.

— Он всегда хорошо говорил, — презрительно скривил губы Железовский. — Я шоколадный заяц, я ласковый мерзавец... Была такая песенка много лет назад.

Торопова, несмотря на его яростное сопротивление, скрутили и унесли.

Железовский прошелся по гостиной, мысленно общаясь с оперативными службами, принимавшими участие в операции. Повернулся к женщинам:

— Собирайтесь, я провожу вас.

— Мы ждем Карину, — сказала Забава.

— Она с Аумой и Карой ждет вас на базе.

— Почему же не позвонила? — огорчилась Власта. Раздался тихий свист домового.

— Уже звонит.

Власта включила виом, заговорила с дочерью, радуясь, что с ней все в порядке, и укоряя ее за то, что не дала о себе знать.

Забава подошла к мужу, обняла, запрокинув лицо.

— Я так рада, что ты не меняешься... в отличие от него. Надеюсь, вы оставите его в живых?

— Мы не бандиты, — усмехнулся Железовский. — Нам не нужна его смерть. Пусть живет. Если сможет. Мне жаль его.

— Мне тоже. Куда ты потом?

— Есть небольшое дело. Надо освобождать Купаву.

— Будь осторожен. Я знаю, ты не привык щадить себя во имя дела, но все же ты не бессмертен, сенс.

— Уже бессмертен, — серьезно сказал он, погладив жену по животу. — Вот оно, мое бессмертие. Но обещаю, что буду очень осторожен.

— Я люблю тебя!

Железовский поцеловал жену, обнял за плечо, посмотрел на Власту:

— Идем, сестренка, у нас мало времени.

Власта выключила виом, подхватила сумку, и они поднялись наверх, где их ждали оперативники Золотько.

* * *

В двенадцать часов дня по времени Копенгагена в городское полицейское управление позвонил комиссар земного сектора общественной безопасности Люк Розенбаум и предупредил, что комиссия СЭКОНа по правам человека намерена провести проверку состояния копенгагенских учреждений исполнения наказаний.

Начальник полиции Копенгагена господин Ливр Колбасс воспринял сообщение без энтузиазма, но уточнять, кто принял такое решение, а тем более возражать не стал. Спросил лишь, кто назначен ответственным за мероприятие от комиссии. Ответственным оказался советник СЭКОНа Рене Борда, семидесятилетний француз, бывший когда-то комиссаром безопасности земного сектора.

В принципе ничего сверхъестественного в работе комиссии не было, и начальник полиции отдал подчиненным приказ всячески содействовать высоким гостям, от оценки деятельности ГУИН которых зависело многое, в том числе прочность положения самого Ливра Колбасса.

Комиссия прибыла в Копенгаген оперативно — уже через час после предупреждения. В нее входило восемь человек в возрасте от двадцати пяти до сорока лет. Возглавлял ее бодрый на вид толстячок с румяным лицом и прицеливающимися умными глазками. Это и был Рене Франсуа де Шампольон Борда, имевший на руках сертификат советника СЭКОНа и карт-бланш — документ особых полномочий, разрешающий ему доступ к самым секретным материалам спецслужб Дании.

Работу комиссия начала с посещения Лимбургского централа, где отсиживали свой срок террористы и уголовники Центральной Европы, прославившиеся пренебрежением как к жизни рядовых граждан, так и к своей собственной.

Здесь члены комиссии не задержались, так как централ содержался образцово, заключенные ни в чем не нуждались и требовали только одного — выпустить их на свободу. Хотя многие из них отбывали пожизненные сроки.

В половине пятого малоразговорчивая группа СЭКОНа добралась до Восточного следственного изолятора, заключенные которого обвинялись в посягательстве на закон и порядок, а также в попытках изменения существующего общественного строя. Члены комиссии прошлись по камерам, затем начали вызывать заключенных в кабинет начальника изолятора — для «определения нуждающихся в работниках реабилитационной службы». Начальник изолятора попытался было возражать, но руководитель комиссии показал ему карт-бланш, и главный тюремщик СИЗО благоразумно отступил.

Третьим заключенным, вызванным в кабинет, была женщина, Купава Мальгина, в документах на которую значилось, что она «сотрудничала с опасными антисоциальными элементами и готовила правительственный переворот». Никого из тех, кто ее допрашивал, она не знала и сразу потребовала адвоката, а также заявила, что ни в чем не виновата.

— Все они так говорят, — криво улыбнулся начальник изолятора, — а на поверку выходит все наоборот.

— Кто занимается этим делом конкретно? — осведомился Рене Борда, с лица которого ушло все его благодушие. Бодрым старичком он уже не выглядел, скорее — имеющим большие властные полномочия чиновником.

— Особый отдел Службы безопасности, — нехотя ответил начальник изолятора. — Она уличена в связях с... э-э, психически ненормальными людьми.

— То есть с интрасенсами? Вы их имеете в виду? Но ведь за это не преследуют. Многие из нас контактируют с интрасенсами, а Служба даже пользуется их услугами. Да и не только СБ, но и правительственные, и научные учреждения.

— Это не мое дело, — сухо сказал начальник изолятора. — У вас большие права, обратитесь к вышестоящей инстанции. Я отвечаю лишь за порядок и содержание заключенных во вверенном мне учреждении, чтобы они ни в чем не нуждались. Остальное не в моей компетенции. Жалобы у вас есть на условия содержания? — обратился он к подследственной.

— Нет, — отрезала Мальгина, — но я ни в чем не виновата и требую немедленного освобождения!

— К сожалению, я не в силах решить...

— Мы заберем ее, — перебил начальника руководитель комиссии. — Приготовьте сопроводительные документы. Поскольку она является гражданкой России, ее будет судить российский суд и ее делом будут заниматься российские правоохранительные органы.

— Вы не имеете права! — изумленно возразил начальник изолятора. — Для ее экстрадиции требуется решение Европарламента.

— Не требуется, — равнодушно сказал сопровождавший руководителя комиссии смуглолицый усатый мужчина в форме инспектора-официала прокурорского надзора и выстрелил в хозяина кабинета из парализатора «василиск».

— Время пошло! — сказал второй, седой и прозрачноглазый, с твердой складкой губ. — У нас всего две минуты! Видеокамеры выдают информацию охране каждую вторую минуту.

— Кто вы?! — опомнилась Купава.

— Друзья, — улыбнулся Рене Борда. — Вы в состоянии передвигаться самостоятельно?

— Конечно!

— Ну и прекрасно. Нас ждут в другом месте, и у нас очень мало времени.

— По-моему, я вас где-то видела.

— Я друг Аристарха Железовского и Джумы Хана. Рене Франсуа Борда к вашим услугам. — Глава комиссии поклонился. — Идемте.

Через минуту группа мнимых представителей СЭКОНа (не считая самого Борда) прошла два блокпоста со спящими на местах охранниками и скрылась в бункере метро. Вызванная по тревоге обойма спецназа европейского ОБРа обнаружила в собственном кабинете парализованного начальника изолятора, полтора десятка спящих охранников и надзирателей, однако накрыть или догнать похитителей подследственной из России не смогла.

Глава 5

Музыка лилась широко и свободно, вызывая ассоциации раздольных степей, великих лесов и могучих рек, текущих медленно и величаво, бескрайнего простора неба и ветра, овевающего разгоряченное лицо. Но вот она стала слабеть, уходить за горизонт, разбилась на десятки прозрачных ручьев и ушла в землю, осыпалась росой на траву, поднялась к небу струйками пара, оставив ощущение печали и ожидания...

Джума Хан закрыл синтезатор, потянулся всем телом, встал.

— Прошу прощения за издевательство над классикой.

Слушатели зааплодировали.

— Тебе надо было стать музыкантом, — пророкотал Железовский одобрительно, рассматривая рассеянно-задумчивое лицо друга, — а не врачом «Скорой помощи» и уж тем более не безопасником.

— Что поделаешь, не угадал я с выбором профессии, — пожал плечами Джума, поймал взгляд жены. — Правда, вот она считает, что я не ошибся.

Карой подошла к мужу, поцеловала в щеку, повернулась к Аристарху:

— Тебе тоже надо было стать не математиком, а по крайней мере комиссаром безопасности.

— Я мог стать художником, — не обиделся Железовский. — Лень помешала.

— Есть хорошая поговорка на этот счет, — засмеялась Карой. — Лень простого русского человека — это не грех, а совершенно необходимое средство нейтрализации кипучей активности руководящих дураков.

На лицах присутствующих замелькали улыбки.

На базе Сопротивления собралось около тридцати человек — все, кто собирался переселяться на другую планету, к другому солнцу, в основном женщины и дети интрасенсов. Настроение у людей было подавленное, никому не хотелось ломать сложившийся образ жизни, покидать родину, прощаться не только с природой, но и с друзьями. Если бы не обстоятельства. Музыка и шутки старших немного разрядили обстановку.

— Все, пора, — сказал Ромашин. — Квартирьеры ждут.

Люди, нагруженные ручной кладью, потянулись к отсеку метро базы. Кают-компания почти опустела. Остались трое: Железовский, попрощавшийся с женой, Ромашин и Маттер. Джума проводил жену и вскоре вернулся с мрачным лицом. Мужчины молча посмотрели друг на друга.

— Мне тоже пора, — буркнул Аристарх.

— Аума просилась с с тобой, — улыбнулся Джума. — Утверждала, что Дарья без нее не справится.

— Она хорошая девочка, — кивнул математик, — и я взял бы ее с собой, будь у нас еще один транслятор.

— Взяли бы лучше меня, — проворчал Маттер. — Что пользы от девчонки, какая бы она ни была красивая и умная.

— Она неплохо показала себя в первом походе с Дашкой.

— Все равно. Я бы смог оценить состояние эйнсофа, это важнее.

— Ты бы смог определить материал, из которого слеплены отеллоиды? — перевел разговор Железовский.

— Дайте образец — определю. Но, судя по вашим рассказам, это квантовая смола.

— Какая смола? — удивился Джума.

— О квантовой жидкости и квантовых кристаллах вы, наверное, слышали, их свойства изучают в институтах. К примеру, сверхтекучий гелий — это квантовая жидкость, а вакуум — квантовый кристалл. Квантовая смола — очень интересная метастабильная субстанция, способная поддерживать форму как кристалл, накапливать энергию и превращаться в жидкость при определенном запороговом воздействии. Мало того, она энергетически нестабильна и при опять же определенном импульсе может полностью перейти в энергию.

— То есть взорваться?

— Это не взрыв, процесс больше напоминает аннигиляцию, хотя с антиматерией никак не связан.

— Каков энерговыход процесса?

— Почти точно по формуле: Е равно эм цэ в квадрате. Все посмотрели на Железовского.

— Представляешь, что может произойти? — нахмурился Ромашин.

Аристарх поморщился:

— Мне надо было самому дотумкать.

— Ходячие ядерные бомбы! — фыркнул Джума Хан. — Ни фига себе!

— Отправляйся немедленно, — сказал Ромашин. — Они все там в большой опасности! — Он хмуро глянул на Маттера. — Почему не предупредил раньше?

— Меня никто не спрашивал, — огрызнулся ксенопсихолог.

— Все взял? — обошел Железовского кругом Джума Хан.

— По максимуму. К сожалению, трансфер сможет перебросить груз массой не более двухсот килограммов. Я вешу сто двадцать четыре, вот и считай.

— Маловато будет. На оружие почти ничего не остается.

— Там добуду.

— Возьми «обломок струны», — сказал Маттер. — Подсунь отеллоидам, пусть порадуются... какое-то время.

— Ты абсолютно уверен, что чаша не послужит ядром коллапса? — осведомился Джума. — Вдруг твои расчеты неверны и мы получим в будущем черную дыру вместо «струны»?

— Я редко ошибаюсь в таких случаях, — меланхолически заявил Маттер.

— Не знаю, стоит ли рисковать, — качнул головой Ромашин. — У нас нет никаких гарантий, что чаша развернется именно так, как мы себе представляем.

— Чаша физический объект, а не магический жезл, не подчиняющийся законам физики. Законы же эти универсальны для любого района Вселенной.

— До определенных условий.

— Не спорьте, — сказал Железовский. — Я возьму чашу и попытаюсь найти Клима, он должен знать, чем грозит развертка чаши в «струну».

— Тогда бывай здоров.

Мужчины обнялись, похлопали друг друга по спинам. Железовский включил трансфер и исчез.

Оставшиеся некоторое время смотрели на то место, где он стоял, испытывая противоречивые чувства.

— Ему придется отдуваться за нас всех, — вздохнул Джума.

— Да уж, отдыхать будет некогда, — помрачнел Ромашин.

— Берегите Землю, отдыхайте за ее пределами, — хохотнул Маттер.

Все посмотрели на него. Он виновато отвел глаза.

— Я пошутил... Обидно, что меня никто не воспринимает всерьез, даже друзья. А, между прочим, я мастер спорта.

— По какому виду? — поинтересовался Джума.

— По бегу на коньках.

— Да, мы как-то упустили из виду это обстоятельство.

— Я серьезно! — обиделся ксенопсихолог.

— Нам нужна твоя голова, а не твои ноги.

— Поехали, — бросил Ромашин, направляясь к выходу. — Вы мне до чертиков надоели оба своей пикировкой.

Все трое скрылись в кабине метро.

Мысль еще раз побеседовать с оператором орилоунского метро возникла у Железовского уже во время перехода в Сеть.

Он задержался с командой, собираясь назвать время — пять тысяч пятьсот пятидесятый год — и точку выхода — метро Смоленска, мысленно окликнул оператора:

«Э-э, любезный, какова степень твоей информированности?»

«В пределах тезауруса», — любезно сообщил инк трансфера.

«Этого мне будет мало. Кто обладает большей базой данных? Я имею в виду вашу Сеть».

«Информарий Сети».

«Как мне на него выйти?»

«Вы имеете доступ?»

«Я имею право задавать вопросы! — сказал Железовский с мрачным нажимом. — Дай мне связь с тем, кто способен это оценить».

Возникла пятисекундная пауза. Оператор трансфера решал, как ему поступить в данной ситуации. Наконец он ответил:

«Я доставлю вас в учреждение контроля Сети. Там вы сможете задать любые вопросы».

«Валяй».

Аристарху показалось, что в мысленном голосе инка проскользнули иронические нотки, но вряд ли оператор, обслуживающий созданный орилоунами транслятор перехода в Сеть метро, обладал сугубо человеческой сферой эмоций.

Короткая темнота, алая вспышка света, снова темнота. Невесомость. Полное отсутствие воздуха. Температура — под минус пятьдесят по Цельсию. Слава богу, не космический холод. Это и есть то самое «учреждение контроля»? Или оператор тестирует пассажира, определяя, имеет ли он право быть здесь?

Темнота не отступала, но в ней появились дырочки, объединились в красивую звездную россыпь. Под ногами эта россыпь образовала удивительной красоты спираль — галактику. Над головой загорелась более яркая звезда, испускающая цветные лучи.

Железовский понял, что он и в самом деле находится в космосе или же в сферическом помещении с прозрачными стенами, открывающими панорамный обзор космического пространства. Что ж, мы готовы к беседе, несмотря на отсутствие воздуха. Минут пять продержимся, а там посмотрим, что делать.

«Слушаю вас, землянин», — раздался в голове густой бархатный баритон.

«С кем имею честь разговаривать?» — осведомился Аристарх.

«Я архиватор информария, обслуживающего систему контроля местного метагалактического домена».

«Имя у тебя есть?»

Пауза.

«Я понял. Вы оператор конечной разумной системы под названием человечество, всегда требующей определенности. Можете называть меня Сущность. Или Архангел. В какой-то мере эти понятия отражают смысл моей деятельности, хотя я искусственно созданная индивидуальность».

«Под Архангелами мы понимаем нечто иное, — хмыкнул Железовский. — Я буду называть тебя Сущностью».

«Не имею возражений».

«Где я нахожусь? Внизу, подо мной, моя Галактика или нет?»

«Вы находитесь в одном из узлов реперной сети передачи информации. К сожалению, ее деятельность в настоящий момент существенно ограничена. Галактика, о которой вы говорите, действительно включает в себя звезду Солнце, где была выращена цивилизация людей».

«Будь у меня время, я непременно поговорил бы с тобой на эту тему, но времени у меня как раз и нет. Как оператор контроля ты имеешь информацию о перемещаемых по Сети грузах и пассажирах?»

«В пределах определенного периода времени».

«Что это значит?»

«По отрицательному вектору — в прошлое — я контролирую Сеть до начала ее функционирования, в будущее — до разрыва Сети».

«Назови цифры».

«В человеческих единицах измерения — двенадцать миллиардов лет назад и десять миллиардов лет вперед».

«Неплохой диапазон. Тогда тебе легко будет ответить, когда и где выходил человек, житель планеты Земля по имени Клим Мальгин. В прошлом он экзосенс, если тебе это что-то говорит, и он же — ипостась Вершителя. Если опять же тебе понятен этот термин».

«Нам известен этот человек. Вам действительно необходимо знать его перемещение по Сети контроля?»

«Вопрос жизни и смерти! — убежденно заявил Аристарх. Добавил тем же тоном: — Он мой друг. И намерения мои нравственно оправданны».

Пауза.

«Я имею данные всего о четырех выходах Мальгина из Сети в объективно существующие причинно-связанные узлы реальности».

«Назови даты и координаты точек выхода».

«Точка отсчета?»

«Две тысячи триста сорок второй год по земному летоисчислению».

«Первый выход человекосущности по имени Клим Мальгин — две тысячи шестьсот сорок третий год. Узел выхода — город Брянск на территории Российской Федерации. Второй выход — тысяча лет спустя, объект — коричневый карлик Шив Кумар. Третий выход — десять тысяч лет спустя, узел выхода — искусственный объект, созданный разумной системой типа «Рой», вращающийся вокруг ядра вашей Галактики на расстоянии в девятьсот световых лет. Четвертый выход Мальгина — десять миллиардов лет спустя.

Узел выхода неизвестен. Наша Сеть к этому моменту практически перестала существовать».

«Вот как... — пробормотал Аристарх, анализируя поступившую информацию. — Клим ушел в будущее... не потому ли не вернулся, что в ы п а л из Сети?»

Собеседник не ответил; человек говорил сам с собой.

«Спасибо, любезный, — поблагодарил архиватора Железовский. — Ты мне очень помог. Однако нет ли более осведомленной Сущности в вашем ведомстве? Которая знала бы о судьбе Мальгина?»

«Есть, — вежливо ответил Архангел-Сущность. — Живущий-за-Пределами, к примеру, или кто-нибудь из его Носителей. Однако у меня нет доступа к их интерфейсам, и соединить вас с ними я не могу».

«Спасибо и за то, что сделал. В таком случае отправь меня в первую точку выхода Мальгина... нет, подожди! Как ты выглядишь?»

Звезды мигнули. Рядом с Железовским — руку протяни — возникло прозрачно-переливчатое облачко с тысячью мигающих глаз.

— Богоид! — вслух проговорил Железовский, вернее, пошевелил губами, не слыша своего голоса: воздух внутри сферы контакта так и не появился.

«Я всего лишь одно из виртуально-реальных проявлений закона поддержания вектора развития жизни в данном инварианте Вселенной».

«Я встречал твоего собрата. Правда, он играл другую роль и помог Мальгину справиться с... другим экзосенсом».

«У меня хранится информация об этом событии».

Железовский почувствовал, что запасы кислорода в крови подходят к концу. Пора было покидать зону контакта.

«Еще раз благодарю... Архангел. Отправь меня в первую

точку выхода Мальгина. Год две тысячи шестьсот сорок третий, узел выхода — Брянск».

На голову упала глыба темноты.

Оператор орилоунской Сети метро не знал, что такое благодарность, и беседовал с человеком из других побуждений, как с р а в н ы м, оценив пси-мощь и волю представителя человечества.

* * *

Сначала Аристарх не заметил особых изменений в окружающем его городском пейзаже. Потом пригляделся и начал улавливать разницу. Все-таки прошло ни много ни мало — триста лет, и мир изменился, несмотря на явную стагнацию технического прогресса.

Люди по-прежнему спешили по своим дневным делам — в Брянске шел третий час дня, — но их было не в пример меньше, чем во времена захвата власти Орденом.

Летательных аппаратов в небе над городом тоже заметно поубавилось.

Многие здания выглядели иначе, их построили уже после срока жизни поколения Железовского. Многие же — и он узнал их — сохранились даже спустя три тысячи лет, во времена Дара Железвича. Уменьшилось количество орбитальных лифтов, видимых даже днем по туманно-белым столбам габаритной подсветки. Кое-где выросли очень высокие, до километра высотой, ажурные башни, то ли жилые комплексы, то ли постройки административного назначения.

Но все же главным впечатлением от всего пейзажа было странное ощущение у г а с а н и я. Аристарх, прекрасно чувствующий психологическую атмосферу в любом уголке пространства, ощутил нечто вроде тоскливого ожидания, печать которого лежала на всем: на строениях города, на природе, на лицах людей, в большинстве своем сосредоточенных на внутренних переживаниях. Улыбки на этих лицах мелькали редко.

А вот особых перемен в одежде и внешнем виде людей Железовский не заметил. Почти все носили удобные уники — комбинезоны разных расцветок, в том числе женщины, поэтому отличить их от мужчин, зачастую носивших такие же пышные прически удивительных форм, было непросто.

Аристарх поискал глазами полицейских, которые должны были нести службу по охране общественного порядка. Нашел одинокую фигуру в серо-синем мундире, увешанную различными атрибутами полицейского, от наручников до электрошокового хлыста и пистолета, в шестиугольной фуражке с красным козырьком. Пожал плечами. В его времена шагу нельзя было ступить, чтобы не наткнуться на работников Службы общественной безопасности.

Что ж, по крайней мере, никто мной не заинтересуется, подумал он. Клим выбрал удачный период времени, когда Орден уже наигрался в свои игры, подведя цивилизацию к обрыву над пропастью.

Аристарх нашел свободное такси-автомат, назвал конечный пункт назначения — хутор Вщиж.

К его удивлению, инк-пилот не стал уточнять координаты хутора. Очевидно, Вщиж в эти времена еще существовал.

Однако Аристарх ошибся в своих предположениях.

Такси доставило его в названный район через десять минут, но он ничего не увидел, кроме опушки леса, выходящей на край заболоченной низины, и ржавого остова какой-то машины, наполовину утонувшего в толстом слое мха.

— Ты куда меня привел, Сусанин? — проворчал Железовский.

— Хутор Вщиж, — прошелестел динамик аппарата ломким голоском. — Сто шестой репер, двадцать седьмой километр по вектору северо-западного триангуляра...

— Где ты видишь хутор?

Инк помолчал, снова забубнил свое:

— Хутор Вщиж, сто шестой репер...

— Заткнись! — Железовский поискал глазами хоть какой-нибудь знак, указывающий на то, что здесь когда-то стоял хутор. Автопилот такси едва ли имел злой умысел, отвозя пассажира к черту на кулички. Очевидно, координаты хутора были записаны в его базе данных и давно не пересматривались. Сам же хутор просто умер от старости. Хотя... что это там черненькое белеется?..

Железовский перешел в режим гипервидения, раздвинув диапазон зрения вдесятеро.

Хутор — пять-шесть деревянных домиков — был на месте. Но, во-первых, домики полуразвалились от старости и ушли в болотистую почву. Во-вторых, вся территория небольшого селения заросла густым дерябником — колючим кустарником пополам с хвойными деревьями. В-третьих, на краю хутора наличествовала концентрация энергии, характеристики которой явно указывали на силовое поле. Не оставалось сомнений: Мальгин уже был здесь и упрятал дом отца под силовой колпак. Обнаружить захоронение сверху не представлялось возможным, да и едва ли кому-нибудь из представителей местных властей это могло прийти в голову.

Конечно, можно было попытаться пройти внутрь силового пузыря, Клим наверняка оставил мембрану входа. Однако гарантий, что он уже поместил в доме артефакты, не было. А времени на осмотр дома терять не хотелось. Артефакты находились уже в руках Железовского, а Мальгина в данном районе и в данное время не было. Надежда Аристарха встретить его в момент укрытия дома под защитное поле не оправдалась.

«Ладно, еще не вечер, — мрачно сказал он сам себе. — Я все равно найду тебя, Вершитель хренов! Что ты скажешь, когда это случится? Как оправдаешься? Я ведь чую, что ты жив...»

Такси покружило над лесом, поднялось повыше, к облакам. Стали видны огоньки и блики мчавшихся в разных направлениях аппаратов. Один из них вдруг повернул в сторону флайта с пассажиром. Похоже, это патруль безопасников. Пока, парни, знакомиться нам ни к чему. Мало ли что у вас на уме.

Аристарх активировал трансфер.

«Любезный, отправь меня в этот же район, только на семьсот лет вперед по плюс-хронолинии».

«Узел данного участка Сети неустойчив».

«Спасибо за предупреждение. Включай мотор».

Оператор трансфера не понял, что такое мотор, но команду выполнил.

Вышел Железовский из той же кабины метро Брянска и сразу почувствовал, что на сей раз изменения в городском ландшафте и особенно в темпе жизни более заметны.

Люди входили и выходили из зала метро небольшими ручейками. Толпы не было. Обычного многоголосого шума не было. Откуда-то на площадь перед куполом метро доносилась тихая музыка, и это было все, что слышали уши. Никаких феерических цветомузыкальных полотнищ между зданиями, если не считать светящихся объемных надписей над ними, объявляющих о предназначении последних. Никаких потоков летающих машин — редкие сверкающие ртутью и золотом капли, скользящие в вечереющем небе. Никто никуда не спешил, никто не смеялся и не жестикулировал, не дурачились стайки юношей и девушек, не размахивали руками спешащие по своим делам клерки, не звала законопослушных граждан в рестораны и бары свето- и звукореклама, не предлагали свои услуги церкви, эротические и спортивные клубы. Жизнь здесь не била фонтаном и не неслась головокружительным потоком, как в прежние времена, тысячу лет назад, а шагала медленно и задумчиво, погруженная в полусонное состояние.

Железовский заметил двух молодых людей с торчащими во все стороны оранжевыми волосами, очнулся. Парни, одетые в дырчатые балахоны со множеством сверкающих блях, смотрели на него, нехорошо ухмыляясь. Переглянулись, бросив друг другу пару слов, направились к нему. Аристарх заметил на груди одного из них черную пятиконечную звезду, кроме того, у обоих были выбриты левые брови — знак принадлежности к «эскадронам жизни». Видимо, эта агрессивно-террористическая организация дожила и до нынешних времен.

Связываться с ними не хотелось.

Железовский включил трансфер и исчез прямо на глазах изумленных и разочарованных «всадников». В принципе на Земле ему делать было нечего, просто одолело любопытство — как выглядит родная планета в тридцать четвертом веке. Его ждал коричневый карлик Шив Кумар, который, по словам Архангела-Сущности, посещал Клим Мальгин.

Свет в глазах померк, сознание сжалось в двумерный лист, в линию, в точку и развернулось вновь, как голографический мираж.

Железовский оказался внутри большого конуса с диаметром основания около пятидесяти метров и высотой в двадцать. Включились невидимые светильники, заливая помещение неярким приятным светом.

Основание конуса представляло собой металлический, отливающий синевой круг, окольцованный материалом, напоминающим пористый коричневый туф. Стены конуса серебрились инеем, да и сами были сложены из материала, похожего на толстый слой льда. Температура внутри помещения держалась на уровне минус десяти градусов по Цельсию, сила тяжести не превышала земной.

— Однако, — хмыкнул Железовский, прислушиваясь к звукам, долетавшим внутрь конуса из-за стен помещения. — Это и есть коричневый карлик Шив Кумар?

— Вы находитесь в терминале метро станции «Джей-Джей Шепли», — раздался объемный басовитый мужской голос. — На станции поддерживаются оптимальные рабочие условия.

— С кем я имею честь беседовать?

— Меня зовут Джил, я инк обслуживания станции.

— Кто-нибудь из людей есть на борту?

— Разумеется, смена исследователей в количестве двадцати двух человек. Половина отдыхает, остальные занимаются научными изысканиями.

— Какими?

— Под поверхностью Шив Кумара, — любезно сообщил словоохотливый инк, — обнаружен экзотический объект, предположительно — орилоунский искусственник. Ученые запускают к нему зонды и подземоходы.

— Ну и как?

— Уточните вопрос, пожалуйста.

— Есть результаты? Удалось добраться до этого... искусственника?

— Объект представляет собой сферу диаметром около

пяти километров, которая постепенно погружается в недра карлика. Удалось установить, что внутри нее живет колония маатан. Однако проникнуть в нее пока не смог ни один зонд.

— Понятно. Маатанам гости не нужны. Интересно, зачем они закапсулировались, да еще внутри звезды?

— У меня нет ответа на ваш вопрос.

— А я тебя и не спрашиваю. Ты контролируешь посетителей станции?

— Пассивно.

— То есть считаешь, кто прибыл и зачем?

— Они не докладывают мне, зачем приходят сюда. Все сведения почерпнуты мной из разговоров исследователей.

— Все равно ты должен помнить всех, кто посещал станцию. Меня интересует человек по имени Клим Мальгин.

— Такой человек мне неизвестен.

— Он мог не представиться. Он выглядит так... — Аристарх описал портрет Мальгина.

— Да, припоминаю, такой человек посещал станцию.

— Давно?

— Два года назад. Он беседовал с прежним руководителем смены, с учеными, летал над Шив Кумаром в одиночку на «големе» и даже погружался в него на подземоходе. Потом исчез.

— Куда он направился?

— Я не знаю. В терминале метро он больше не появлялся, и я его не провожал.

— Фокусник... — пробормотал Железовский. — Если не предположить, что у него был трансфер... Ладно, прощай, Джил. Чтобы поднять тебе настроение, могу сообщить, что ты проживешь вместе со станцией очень долго, по крайней мере еще две с лишним тысячи лет.

— Операторы моего класса не способны ощущать эмоции.

— Это я образно выразился. Будь здоров.

Железовский собрался было включить трансфер, и в это время в центре металлического круга возникла сотканная из мигающих звездочек фигура. Миг — и она превратилась в человека в странном наряде, напоминающем лётные костюмы начала двадцатого века в России.

— Паломник... — пробормотал Железовский, не зная, радоваться ему этой встрече или огорчаться.

Глава 6

Корабль-нож слушался пилота все лучше и лучше.

Когда Земля и Луна остались за кормой, Дар уже ощущал себя и корабль как единое целое, несмотря на огромную разницу в подходах к технике разумных ос, построивших военный космолет, и людей. Инк корабля — он уже начал откликаться на имя Шершень — быстро усвоил смысл мысленных команд человека, разобрался в терминологии и уже не путал «лево» с «право», «вперед» с «назад» и «вверх» с «вниз».

Дарья тоже захотела поупражняться в управлении гигантским кораблем, считая его своей собственностью, и у нее это получилось почти так же хорошо, как у Дара. Последний сначала отнесся к данному факту ревниво, потом вспомнил, что корабль принадлежал рою неземных ос, которым должна была управлять матка. Возможно, мозг космолета настроился на подчинение женщине быстрее именно в силу данного обстоятельства, то есть в силу близости — в какой-то степени — параметров мышления женщины Земли и осиной матки.

К удивлению Дара, Борята не стал требовать, чтобы и ему разрешили побыть какое-то время в шкуре пилота.

— Не мое это дело, — сказал он с легким смущением, — командовать космическими летаками. Я лучше останусь пассажиром.

— Давайте махнем к Венере, — предложила азартная Дарья, — посмотрим, сохранились ли там наши поселения или нет.

— Мы и так потратили больше часа на тренировку, — не согласился Дар. — Если отеллоиды наблюдают за пространством, они наверняка заинтересуются, кто это крутится возле планет Системы. Тогда мы потеряем фактор внезапности и скрытности.

— Жаль, что это военное корыто не умеет уходить в невидимость, как наши спейсеры.

— Очевидно, владельцам корабля это было не нужно.

— Военная техника должна уметь маскироваться.

— Логика ос должна отличаться от нашей.

— Ты умен не по годам.

Дар покраснел. К счастью, каждый из них расположился в своей «пилотской» ячейке, и видеть друг друга они не могли.

— Хватит вам препираться, — сказал Борята. — Мы все равно не узнаем, о чем думали осы, создавая этот дредноут. Полетели дальше.

— Я поведу, — быстро проговорила Дарья.

Дар хотел возразить, но одумался. Не хватало только поссориться с гостьей из прошлого, привыкшей командовать окружающими у себя дома.

— У Меркурия управлять кораблем буду я.

— Посмотрим. — Дарья помедлила немного и скомандовала вслух: — Включай разгон, Шершень! Курс — на первую планету Солнечной системы, ближайшую к Солнцу.

— Меркурий, — добавил Борята.

Инк «осиного» космолета, конечно же, не знал названий, данных планетам людьми, но смысл команды понял, оценив ее мысленно-образное «сопровождение». А поскольку пилот не задал характеристик полета: ускорения, режима, времени на преодоление расстояния, — то и врубил двигатель на полную мощность. Что едва не погубило экипаж.

Осы, очевидно, могли выдерживать гораздо большую силу тяжести, нежели люди. Во всяком случае, рой этих разумных насекомых чувствовал себя комфортно и при двадцати «же» — именно таким был удар ускорения, буквально вплющивший пассажиров в податливо-упругое ложе «пилотских» ячеек.

Дарья и Борята потеряли сознание мгновенно. Дар продержался на долю секунды больше и успел метнуть мысль-команду:

«Стой!»

Корабль, собравшийся сделать очередной прыжок, послушно остановил разгон. Свою ошибку он осознал позже, когда ему почти вежливо объяснили, в чем дело. Впрочем, эту ошибку смело можно было переложить на пилотов, которые должны были учесть разницу в допустимых пределах жизненных условий ос и людей. К счастью, удар ускорения длился недолго, всего полсекунды, но и этого хватило, чтобы неопытные водители чужого космолета провалялись в беспамятстве несколько минут.

Дар пришел в себя первым. Ощутил боль в сдавленных сосудах, в сердце и легких, испугался за суставы, но с облегчением констатировал, что ничего не сломано и не разорвано. Хотя продлись импульс ускорения еще секунду, и все могло закончиться печально.

Зашевелилась Дарья, прошептала:

— Что это было?!

— Нас едва не размазало ускорением, — мрачно ответил Дар.

— Боже мой, какая я дура!

Дар невольно улыбнулся, прощая девушке ее амбиции.

— С каждым может случиться. Ты в порядке?

— Надо же, совсем из головы вылетело!.. Да, руки-ноги целы... прости, что я не подумала... больше не повторится.

— Надеюсь. — Дар помедлил и великодушно признался: — Я сам поздно спохватился.

— Хорошо, что никто об этом не узнает. Ох и влетело бы мне от дяди Аристарха!

— От моего предка?

— От кого же еще. Он ошибок не делает и не прощает. Ну, как там наш целитель?

— Нормально, — послышалось кряхтение Боряты. — Такое впечатление, что по мне слон прошелся. Может, не будете больше экспериментировать? Так недолго и загнуться.

— Мы не экспериментировали.

— Это я виновата! — заявила Дарья. — И этот паразит Шершень! Мог бы предупредить. Все пришли в себя, никого лечить не надо?

— Нет.

— Тогда вперед! Шершень, при любых режимах ты должен поддерживать земную силу тяжести, ни больше ни меньше. Понял?

В голове Дара (и Дарьи тоже) бесшумно развернулся сложный букет видений-ощущений: инк корабля докладывал, что готов повиноваться.

— Где мы?

Перед глазами пилотов проявилось черно-звездное поле космоса с шариками планет и огненным клубком Солнца. Бе лая стрелочка указала на маленькую искорку недалеко от линии орбиты Венеры.

— Ничего себе! — хмыкнул Борята. — За один прыжок мы преодолели семьдесят миллионов километров?!

— Хорош спейсерок! — с уважением сказала Дарья. — Наши корабли даже на шпуге не смогли бы так быстро перепрыгнуть с орбиты на орбиту! Разве что по «струне». А ведь мы не включали «струнный режим».

— Поехали дальше, — сказал Дар.

Корабль начал следующий прыжок.

Чтобы добраться до Меркурия, ему потребовалось еще два гиперпрыжка и пять минут времени. Свой драгоценный хрупкий груз — людей — он сохранил в целости и сохранности. Это и в самом деле был высокотехнологичный и мощный звездный корабль, хотя создавали его в незапамятные времена и — не люди.

Бывшие хозяева корабля — осы использовали иные принципы зрения, схожие со зрением земных насекомых. Тем не менее Дару удалось объяснить Шершню, что такое бинокулярное зрение, инк корабля подстроил свои видеосистемы должным образом, и новые владельцы космолета не чувствовали дискомфорта, «выпадая» из него в космос при включении обзора.

Добравшись до Меркурия, они потратили полчаса на рекогносцировку и осмотр окрестностей планеты в поисках космофлота отеллоидов. Сильно мешало Солнце, заполнявшее пространство яростными потоками света. Дневная сторона Меркурия тоже сверкала, как потрескавшаяся корка металла, затрудняя поиск. Ночная же утопала в темноте, расцвеченной вихревым электрическим сиянием сродни земному северному.

— Ничего не вижу! — сдался первым Борята, утомленный световой феерией.

«Шершень, — мысленно окликнул Дар мозг корабля, — здесь должны крутиться звездные корабли наподобие нашего. Помоги их обнаружить».

Реакция инка — «зернисто-ячеистая» пси-передача — последовала незамедлительно, и смысл ее сводился к небрежному ответу профессионала-человека: «Нет ничего проще».

Солнце пригасло. На его кипящем боку появилась черная оспина — эйнсоф. Люди стали различать детали на поверхности Меркурия, похожие на пчелиные соты поля солнечных конденсаторов, башни завода МК, купола станций, плоскогорья и ущелья, долины и кратеры. На равнине возле одной из контрольных башен сгустились странные наросты, напоминающие гигантские земные ракушки. Скопление таких же ракушек обнаружилось и над эйнсофом, на высоте около миллиона километров над фотосферой Солнца.

— Вот они! — обрадовалась Дарья. — Странно, что мы их не увидели сразу.

— Они совсем черные, поглощают свет, — догадался Борята. — Вообще удивительно, что мы их видим с такого расстояния.

— Не мы — аппаратура корабля.

— Хорошая у него аппаратура.

«Шершень, можешь поймать их передачи? — спросил Дар. — Они должны обмениваться информацией».

«Попробую», — ответил инк на своем метафоричном «осином» языке.

Конечно, фразы-слоганы этого языка звучали не как слова человеческого языка, но их эмоционально-смысловое наполнение уже вполне позволяло молодым людям понимать чужую машину.

Картина перед их глазами изменилась.

Солнце еще более сгустило цвет — до багрового, Меркурий почти перестал быть виден, звезды и вовсе исчезли. Зато раковиновидные корабли отеллоидов оделись в многослойные «шубы» призрачного сияния, соединенные вспыхивающими и гаснущими пунктирами света. Впечатление было такое, будто они обмениваются очередями крупнокалиберных трассирующих пуль.

— Интересно, в каком диапазоне работает их связь? — поинтересовалась, ни к кому в особенности не обращаясь, Дарья. — Это явно не лазеры и не радиоволны. Гамма-излучение? Нейтрино? Пакеты «струн»? Спин-торсионы?

Никто ей не ответил.

Корабли отеллоидов продолжали выстреливать световые «пули», чаще всего обращаясь к самой большой «ракушке», да и не «ракушке» вовсе, а конгломерату из «ракушек», напоминающему по форме колючий плод каштана. Очевидно, он представлял собой базу флота, таинственную «матку» отеллоидов. Именно на ней когда-то и держали в плену Дара.

— Эх, знать бы, о чем они говорят! — с сожалением посетовал Борята.

«Шершень, включи перехват передач!» — осенило Дарью.

«Слушаюсь!» — браво отозвался инк.

Центральный ком «ракушек» внезапно засиял ярче, испустил цепочку тающих световых колечек, уносящихся в космос.

«Передача, — доложил Шершень. — Направление — центральное ядро данного звездного скопления. Длительность импульса — арбаарба, мощность — арбадарба, информационное насыщение — дараабра...»

— Ничего не понял, — хмыкнул Борята. — Абракадабра какая-то!

— Мы не знаем систем оценок и единиц измерения, какими пользовались Галикты, — возразила Дарья. — Вот научимся понимать их язык, будем знать и терминологию. Ясно лишь одно: база только что передала сообщение куда-то в центр Галактики.

— Стрелец А, — вставил слово Дар. — Там, кстати, черная дыра.

— Значит, там же располагается и родина отеллоидов. Вот бы удалось уточнить координаты!

— Вряд ли это возможно. Нужна колоссальной чувствительности техника пеленгации.

— Папа смог бы это сделать и без техники, — вздохнула Дарья.

Дар не стал спорить, хотя сомневался в возможностях отца девушки, даже если они и превосходили возможности других интрасенсов.

— Смотрите! — воскликнул вдруг Борята.

От стаи отеллоидских кораблей, кружащих над эйнсофом, ныряющих в атмосферу Солнца и тут же возвращающихся обратно, отделилась одна черная «ракушка», хищно метнулась от Солнца по направлению к дрейфующему над Меркурием «осиному» космолету. Одновременно с ним стартовали с поверхности Меркурия еще две «ракушки»; также направляясь к кораблю разведчиков.

— Похоже, нас заметили, — пробормотал Дар.

— Боевая тревога! — темпераментно воскликнула Дарья.

«Слушаюсь!» — отреагировал Шершень. Он отлично понял значение приказа, не по словам — по эмоциональному сопровождению слов.

— Ты что, серьезно? — не поверил Дар.

— Почему нет? Мы увидели главное — расположение базы отеллоидов на поверхности Меркурия и флота в пространстве. Теперь надо проверить боевые возможности нашего спейсера. Пусть попробует отбиться. В крайнем случае сбежим, уж, по крайней мере, скоростью создатели его не обделили.

— Я бы лучше не стал связываться с ними, — проворчал Борята. — Вдруг оружие у них превосходит защиту нашего звездолета?

Словно услышав его речь, корабли отеллоидов, успевшие приблизиться на расстояние в пятьсот километров, разошлись в разные стороны, как бы охватывая корабль-нож кольцом, и метнули в него извилистые молнии.

Однако инк «осиного» космолета оказался на высоте.

Молнии ударили по пустому месту. Корабль сделал прыжок и оказался в тылу нападающих. Третий отеллоидский космолет заметил этот маневр, скорректировал вектор своего полета, однако был еще далеко. Шершень решил пренебречь им на какое-то время, обратив внимание на ближайшего противника.

Дар не понял, что произошло в следующее мгновение.

Корабль выстрелил дважды, но чем — осталось тайной для пилотов.

Сгустки или лучи неведомой энергии ударили по разворачивающимся «ракушкам» отеллоидских машин и превратили их в длинные хвосты брызг, обломков и пыли, протянувшиеся на десятки километров.

— Ух ты, мать честная! — шепотом воскликнул Борята. — Чем это он их?!

— Молодец, Шершень! — не сдержала чувств Дарья. — Отменный удар! Пусть знают наших!

— Надо уходить, — сказал Дар, не поддавшийся эйфории успеха. — Зашевелился весь флот отеллоидов. Видите? Там почти сотня кораблей. Со всеми нам не справиться.

— Не дрейфь, княжич! Давай проверим, разнесем их базу ко всем чертям!

— Нет! Шершень, разворачивайся обратно, к Земле. Летим домой.

Инк «осиного» корабля выстрелил еще раз, опередив опасно приблизившийся корабль отеллоидов. В космосе возник еще один длинный хвост пыли и обломков, и бой закончился. Корабль-нож сделал петлю, оставляя за кормой Меркурий, Солнце и разбуженный рой кораблей отеллоидского флота, включил форсаж. Через минуту искорки чужих космолетов затерялись на фоне уносящегося назад Солнца. Погоня отстала. Корабли отеллоидов не могли бегать так резво, как корабль-нож.

Меркурий тоже превратился в искру света, пропал. Мелькнул в стороне крохотный шарик Венеры. Из темноты выплыл шарик Земли с горошиной Луны, превратился в сине-зелено-серую глыбу планеты с белыми спиралями и пятнами облаков. Еще несколько мелких прыжков, и корабль опустился на поляну — здесь уже наступило утро, — с которой стартовал несколько часов назад.

* * *

Старший Железвич не одобрил самостоятельный разведрейд молодежи к Меркурию, но и не стал распекать молодых людей, вернувшихся с победой. Выслушав сына, он огладил рукой подбородок и сказал:

— Все хорошо, что хорошо кончается. В следующий раз прошу предупреждать о своих планах. Могло случиться что-нибудь непредвиденное, а опыта космических полетов у вас нет.

— У меня есть! — с вызовом заявила Дарья.

Князь посмотрел на нее, скептически изломив бровь, но продолжать в том же духе не стал.

— Сколько вы насчитали кораблей?

— Больше полусотни, это точно, — ответил Дар.

Железвич-старший посмотрел на Боригора, сидевшего с угрюмо-озабоченным видом; встреча происходила в тереме Прохора Бажана, и, кроме молодых разведчиков, в светлице находилось еще трое хуторян: князь, главный витязь общины и старшина хутора.

— Надо немедленно уводить людей!

— Да уж, — буркнул Боригор. — Жди налета. Как бы ребята быстро ни летели, отеллоиды наверняка проследили их траекторию и скоро будут здесь.

Дар встретил взгляд Дарьи, волна жара прилила к щекам. О последствиях разведрейда он не подумал. Впрочем, и она тоже, судя по виноватому виду.

Старшина поднялся.

— Пойду командовать эвакуацией.

Князь посмотрел на Боригора.

— Поднимай дружину в воздух, попробуем отвлечь... — Он не договорил, получив сообщение по рации о приближении черных кораблей. — Они уже здесь! По коням!

Боригор и Бояр стремительно выбежали из дома. Дар догнал отца, страдая от стыда.

— Прости, пап...

— Потом поговорим.

— Что мне делать?

— Берите летак, оружие и присоединяйтесь к дружине.

— Есть!

Дар отстал, подождал спешащих следом Дарью и Борюту.

— Нам разрешили участвовать в отражении атаки отеллоидов.

— Я к своим! — вспомнил о семье Борята. — Скажу, что со мной все в порядке, и присоединюсь.

Молодые люди проводили бегущего в толпе таких же спешащих людей целителя и поспешили на околицу хутора, где Боригор рассаживал дружинников по машинам.

Им достался четырыхместный неф, принадлежащий когда-то спасательной службе, судя по эмблеме на борту. Нырнули в кабину, взлетели, опередив большинство дружинников.

— Извини, ты был прав, — сказала Дарья, раздувая ноздри. — Не надо было нам ввязываться в драку.

Дар промолчал.

Летак поднялся над лесом, и они сразу увидели косяк черных кораблей — пять километровых «ракушек», — идущий к хутору на высоте нескольких километров.

— Вот собаки бешеные! — с дрожью в голосе проговорила Дарья. — Вычислили-таки! Может, развернем нож? Отвлечем их на себя? Спейсер Галиктов с этой пятеркой справится.

Вместо ответа Дар ткнул рукой в сторону, и девушка увидела еще три черных гиганта, спускающихся на лес с неба в десятке километров от них.

— Дьявол! Неужели мы их так разозлили?..

— Это можно было предвидеть.

— Я уже извинилась, — окрысилась Дарья, — себя лучше упрекай.

— Я себя и упрекаю.

— Внимание! — раздался в наушниках раций всех дружинников голос князя. — Попытаемся отвлечь их! Поднимаемся за мной, стреляем по команде по крайнему кораблю и делаем вид, что удираем на юг.

— Мы готовы! — донесся дружный ответ.

Летаки дружины в количестве двенадцати единиц потоком устремились вверх — мошки по сравнению с китообразной тушей отеллоидской машины.

— Залп!

Двенадцать вспышек, двенадцать клинков огня ударили по черной туше, проделывая в ней дымные кратеры и дыры. Корабль дрогнул, косо пошел вниз, оставляя бурые клубы дыма и шлейф мелких черных капель за кормой.

— Уходим!

Летаки закружились в спиральном танце, свились в один ручей, устремившийся на юг. Люди задержали дыхание, надеясь, что флот отеллоидов повернет за ними.

Однако этого не случилось. В погоню за отрядом кинулись только два черных монстра, остальные без колебаний открыли огонь по хутору и по лесу вокруг него.

— Гады! — скрипнул зубами Дар. — Они же там всех перебьют!

— Нас только нож спасет! Давай развернем!

— Не успеем, они заметят и уничтожат корабль!

— Что же делать?

Дара вдруг осенило:

— Есть идея!

Летак свернул в сторону, сделал кульбит и помчался на север, удаляясь от эскадрильи дружины.

— Куда ты?!

— Рядом черноболь, там стоят древние спейсеры спасфлота, один из них вполне способен взлететь. Я подниму его!

— Ты уверен?

Вместо ответа Дар увеличил скорость до предела.

— Дар? — послышался голос князя.

— Я здесь, отец, — не сразу отозвался чистодей.

— Где ты?

— Иду на север, попробую поднять в воздух старый корабль.

Секундное молчание.

— Хорошо.

Дар выдохнул задержанный в груди вздох. Отец мог и не разрешить сыну действовать самостоятельно.

Дарья оглянулась.

— За нами кто-то гонится.

Дар тоже оглянулся, вгляделся в золотистую каплю летака.

— Это Борята. Пусть догоняет, помощник он неплохой. А вот кто летит следом за ним — непонятно.

— Не вижу...

— Перейди на «третий глаз».

— Боже мой!

— Что?

— Это же богоид!

— Какой еще богоид?!

— Глазастый фантом... почему он здесь?! Его же видели возле Меркурия в наше время...

— Потом объяснишь, с чем его едят. Мы уже прилетели.

Неф нырнул к холмам на окраине черноболи, два из которых уже потеряли былой «естественный» вид, наполовину очищенные от слоя почвы. Вершина конуса спейсера «Скиф» сверкала полированным металлом, как новенькая. Летак сделал вираж, опускаясь к самому низу очищенной обшивки. В корпусе звездной машины образовалось отверстие: по мысленной команде Дара инк корабля открыл средний люк.

— Я в рубку! — Чистодей ловко прыгнул в люк прямо из кабины нефа. — Разворачивай нож! Только отойди подальше, к лесу.

— Поняла.

Летак с девушкой метнулся прочь. Но на его место с неба свалился еще один, пилотируемый Борятой.

— Я с тобой!

Дар без слов нырнул в тамбур. Борята метнулся за ним, показывая чудеса гимнастической ловкости, ранее ему не свойственной.

Молодые люди добрались до кокон-рубки спейсера, Дар вызвал инк и приказал ему начать подготовку к старту в аварийном режиме. Инк — у него было личное имя Крад — повиновался беспрекословно, настроенный на подчинение молодому чистодею еще при первом контакте. Но ему для включения систем корабля в рабочее состояние требовалось время, и Дар занервничал, чувствуя гнев и ярость, и отчаяние соотечественников, принявших неравный бой с превосходящими силами противника.

Включилась система обзора.

Стала видна поляна с холмами. У кромки леса висел в воздухе летак Дарьи, сама она бегала вокруг какого-то бугра, то приближаясь к нему, то удаляясь. Но «осиный» космолет не оживал, нож сиротливо лежал на бугре и не торопился превращаться в километровую махину боевого космического корабля.

— Беги к ней! — сориентировался Борята, устроившийся в соседнем коконе управления. — Она не может включить развертку.

— Тогда мы не поднимем «Скиф»!

— Прикажи ему слушаться меня! Не бойся, я не подведу.

Дар размышлял два удара сердца. Окликнул инк:

— Крад, передаю управление другому человеку! Будешь выполнять все его команды с учетом обстоятельств!

«Принял, командир!»

— Взлетай и жди нас! — Дар бросился из рубки в коридор, оседлал заработавший пронзающий лифт и через минуту выскочил из люка как чертик из коробки. Прыгнул в кабину летака Боряты, погнал его на форсаже к лесу, затормозил, выпрыгнул на землю — все это на одном дыхании.

— Не подчиняется, скотина! — обернулась Дарья, злая и расстроенная. — Это ты ему приказал слушаться только тебя?

Дар не ответил, входя в состояние гипервоздействия.

Нож ответил вспышкой света, скачком увеличился в объеме вдвое. Молодых людей шатнуло волной теплого воздуха.

Еще скачок и еще — на месте ножа выросла металлическая с виду гора космолета, придавила кормой лес, а острым носом едва не разрезала ближайший холм.

— Отеллоиды!

Над лесом показались две черные «ракушки».

— Садимся!

В боку корабля возникло овальное отверстие люка.

Молодые люди один за другим скрылись в нем, их подхватила чаша местного лифта и вынесла в зал контроля, где они заняли пустующие ячейки экипажа. Когда включились все системы космолета, стало видно, что древний спейсер спасательного флота Земли «Скиф» уже висит над лесом на высоте ста метров. Борята не подвел, действуя решительно и смело. На него действительно можно было положиться.

«Ракушки» отеллоидов почему-то не решились напасть, то ли испугались стартующего спейсера, то ли решили дождаться подкрепления. Они поднялись до облаков и кружили там, не приближаясь к грозному противнику.

«Связь в электромагнитном диапазоне!» — приказал Дар, сопровождая команду мысленными образами, объясняющими смысл приказа.

Инк «осиного» корабля слегка замешкался, оценивая команду, но все же сообразил, что нужно сделать. В зале управления послышался голос Боряты:

— Дар, ты меня слышишь? Меня зовет кто-то...

— Все в порядке, — сказал Дар. — Мы взлетаем. Следуй за нами, следи за черными. Оружия на борту «Скифа» нет, поэтому в атаку не суйся. Может быть, отеллоиды отступят, когда увидят наши намерения.

— А если нет?

— Попробуем увести их за собой.

— Слушаюсь, командир! — Борята был возбужден, по-детски открыт, с увлечением играл в предложенную игру, не осознавая опасности до конца, и ему это нравилось.

Корабль-нож подскочил над лесом как акробат, выполнявший прыжок на батуте. Затем стрелой метнулся к югу, где в двух десятках километров от черноболи шел бой между черными кораблями отеллоидов и дружиной князя.

Их почему-то не ждали, хотя корабли-разведчики отеллоидов должны были предупредить коллег о появлении нового противника. Все-таки отеллоиды не были воинами, несмотря на свою агрессивную целеустремленность. Будь на их месте безопасники или пограничники-люди, они наверняка подстраховались бы, перехватив новые цели еще на подходе. Отеллоиды, увлеченные погоней за юркими машинами дружинников и уничтожением хуторов, опомнились лишь тогда, когда корабль-нож открыл огонь по их кораблям.

Первыми же двумя выпадами «осиный» спейсер уничтожил две «ракушки», превратив их в фонтаны пыли, обломков, брызг и ошметков. Остальные тут же прекратили преследовать летаки хуторян, дружно бросились в атаку на внезапно объявившегося противника. Появление двух звездолетов их отнюдь не испугало, что подтверждало выводы Дара: гибели отеллоиды не боялись, представляя всего лишь отдельные «клетки» единого гигантского организма.

Корабль-нож, обладая преимуществом в скорости и маневренности, а также навыками скоротечного боя, управляемого компьютерами, ловко избежал попаданий в него колоссальной мощности молний (одна из них проделала в лесу просеку шириной в сто метров и длиной в шесть километров!), воспарил над черными «ракушками» чужих кораблей. А вот «Скиф», ведомый неопытным в ратных делах пилотом, отреагировать на залп черных пришельцев не успел. Гигантские молнии вонзились в конус корабля, проделывая в обшивке извилистые русла и рваные дыры. Инк спейсера попытался защититься силовым полем, включил системы аварийного восстановления, но было уже поздно. Генераторы защиты сработали нештатно, — один из них, вероятно, был поврежден, — и закрыть весь корабль не смогли. Новый залп отеллоидских космолетов отразился лишь частично. В корпусе «Скифа» появились новые пробоины. Он перестал маневрировать и начал падать на лес, вздрагивая и покачиваясь из стороны в сторону.

— Катапультируйся! — крикнул Дар, бросая корабль-нож вниз, на отеллоидские корабли.

Два выстрела Шершня не прошли мимо, еще две черные «ракушки» превратились в языки пыли, дыма и брызг. Оставшийся в одиночестве отеллоидский космолет отвернул в сторону, перестал полыхать зелеными молниями, метнулся к двум другим кораблям, не вмешивающимся в бой, и все три понеслись в небо, превратились в точки, исчезли.

Преследовать их Дар не стал.

«Скиф» между тем потерял управление окончательно, замер на несколько мгновений над речной долиной и рухнул вниз с высоты трехсот метров...

Глава 7

На мгновение фигура Паломника расплылась полупрозрачным облачком, состоящим из тысячи мигающих глаз, и снова обрела форму человеческого тела.

— Не ожидал вас увидеть здесь, — сказал Паломник, вежливо улыбаясь, подал руку, сухую, сильную и теплую. — Обычно Вершители не посылают своих аватар в одно и то же место по одному и тому же делу. Однако все равно приятно.

— Взаимно, — пророкотал Железовский, пожимая руку существу, о котором он знал только со слов Мальгина. — Что вы имеете в виду?

— Недавно здесь я встретил вашего друга, теперь появились вы.

Аристарх озадаченно свел брови.

— Здесь был Клим... которого вы считаете аватарой Вершителя... согласен... но я-то при чем?

— Вы тоже проекция Вершителя, разве что не осознали своей роли в этом процессе.

Железовский покачал головой:

— Я обычный человек...

— Не обычный, и вы это знаете. Вы также должны знать, что Вершитель — это с и с т е м а, цепь состояний разных форм разума, контролирующая развитие Вселенной. Вы и ваш друг, точнее, ваша родовая линия и родовая линия Мальгина, объединяющие десятки и сотни индивидуальных интеллектов, лишь недавно подключились к этой системе.

— Вот уж чепуха, по-моему!.. Извините.

— Вы еще убедитесь в справедливости моих слов, — не

обиделся Паломник. — Что вас привело сюда, на Шив Кумар?

Железовский пожевал губами, разглядывая представителя давно исчезнувшей цивилизации.

— Я ищу Мальгина.

— Он вам так нужен?

— Он нужен не только мне лично.

— Так пошлите ему сообщение, телеграмму, он отзовется.

Железовский хмыкнул:

— Это как? Высунуть голову в вакуум и покричать? Или постучать по рельсу в ритме азбуки Морзе?

— Зачем же? — улыбнулся собеседник, оценив юмор землянина. — У вас есть «почтовый голубь», отправьте его с приказом найти вашего друга, он найдет.

— Какой еще почтовый голубь?!

— Среди вещей, которые хранил Клим Мальгин, есть маршрит, вещичка в форме диска с мигающей искрой...

— Исчезающий «голыш»!

— Это и есть, образно говоря, голубь, почтовый летун, созданный еще во времена Начала Начал. Пошлите его по орилоунской почтовой сети, и он отыщет вашего друга, где бы он ни находился.

— Балда!

— Что?

— Это я о себе. Надо было проверить каждый артефакт... Спасибо за подсказку. Я не знал, что у нас имеется... гм-гм, почтовый голубь. Ваша информация сильно упрощает мою задачу. Значит, вы встречались с Климом?

— Побеседовали и разошлись. Его заинтересовал маатанин, сидящий в Шив Кумаре. Кстати, меня тоже. Все маатане, как известно, покинули наш метагалактический домен, призванные начать процесс с нуля в другом инварианте, а этот почему-то остался. Сначала я думал — его попросту забыли соотечественники. Однако, судя по его реакции на контакт, у него есть м и с с и я, и он собирается ее выполнить.

— Какая миссия?

— Не догадываетесь?

Железовский помолчал.

— Инициация черной дыры?

— В точку. Однако прошу меня извинить, я тороплюсь. Был чрезвычайно рад вас видеть.

Паломник снова превратился в пульсирующее глазастое облачко.

— Подождите! — протянул к нему руку Аристарх.

Облачко обрело человеческие очертания.

— Кто вы? Ведь не человек, верно? Богоид?

— Я один из Живущих-за-Пределами. Держатель Пути. Конечно, давно уже не человек. Хотя я пережил и эту фазу развития разума.

— Какова же наша роль в процесс эволюции? Моя в том числе?

— Вы один из ярких представителей ж и з н и, а какова роль жизни во Вселенной?

— Гомеостаз...

— Тепло.

— Сознательная эволюция индивидуума...

— Еще теплее.

— Но ведь во вселенском масштабе жизнь совершенно незначительна по сравнению с огромными межгалактическими пространствами и гигантскими энергиями галактик...

— Физический размер необязательно является критерием важности явления или объекта. Ваш друг Мальгин —

всего лишь человек, но по масштабному уровню и воздействию на реальность он близок к таким операторам, как и любой из нас, Живущих-за-Пределами, способных манипулировать галактиками.

На чело Железовского легла тень сомнения.

— Это уже уровень... бога!

— А разве люди не являются потомками богов? Которые, в свою очередь, являются реализацией Единого Принципа, Творцами, Свидетелями, Хранителями, Строителями Пути?

— Я... не думал...

— Думайте, у вас еще есть время. Кстати, я встречался и с вашим потомком, Даром Железвичем. Он мне понравился. В мальчике заложен нестандартный потенциал гражданина Вселенной, поработайте с ним. Передайте ему мои наилучшие пожелания.

И Паломник исчез.

— Передам, — ответил Железовский запоздало.

Задумчиво прошелся по залу станции «Джей-Джей Шепли», решая, что делать дальше. В словах представителя древней разумной расы он не сомневался, однако ломать планы не хотелось. Его ждала дочка Мальгина, способная со своим авантюрным характером наломать дров. С другой стороны, нельзя было упускать и шанс вызвать самого Клима. Хотя каким образом исчезающий «голыш» — «почтовый голубь», так сказать, мог найти его в безбрежных далях времен и пространств, представить было трудно.

— Я вас слушаю, — раздался потрескивающий голос инка, обслуживающего станцию.

Железовский встрепенулся. Очевидно, он не заметил, как заговорил вслух.

— Что ты можешь сообщить еще о пребывании Клима Мальгина на станции?

— Файлы моей памяти почти полностью стерты, прошу прощения.

— Кто же их стер?

— Нет информации.

— Любопытно! — Железовского озарило. — А человек по имени Вацек Штыба на станции не появлялся?

— Этот факт зафиксирован.

— Ах ты бледнолицая, трясучая, лживая, спесивая, больная свинья! — проговорил Аристарх с чувством. — Ну, погоди, я тебя из-под земли достану!

Больше он не сомневался, называя оператору трансфера адрес и время переноса: Брянск, две тысячи триста сорок второй год. Приходилось возвращаться, чтобы запустить почту и разобраться с предателем, целенаправленно и настойчиво уничтожающим следы Клима Мальгина.

Глава 8

После отправки жены вместе с другими женщинами на базу Сопротивления на планете Голгофа в созвездии Ящерицы Игнат Ромашин жил не в своем жилом модуле на окраине Смоленска, а на хуторе Клин, в небольшом коттедже, принадлежащем дальнему родственнику жены Игната, Родиону Васильеву. Сам Родион с семьей переселился недавно в Хельсинки, жена у него была финкой, и Ромашин остался один, довольный таким поворотом событий. Во-первых, он был предоставлен самому себе, что уже играло немаловажную роль, во-вторых, о том, что он живет на хуторе, не знали даже коллеги по работе и руководители Сопротивления, кроме Джумы Хана.

Каково же было удивление Игната, когда ранним утром начала сентября к нему в коттедж ворвались вооруженные люди и предъявили ордер на арест, дающий им право обыска и допроса. Единственное, что успел сделать Ромашин, это послать сообщение об аресте дежурному по штабу. И стал ждать, что последует за вторжением.

Тройка «киборгов» провела его в гостиную, обыскала, сорвала рацию, персонком — пси-защитник под волосами на затылке — не обнаружила и усадила в кресло хозяина дома. На вопросы: «в чем дело?» и «где старший?» — оперативники команды не ответили.

«Влип! — отрешенно подумал Игнат. — Надо было послушаться Карла и взять обойму телохранов. Хотя, с другой стороны, если Служба пошла на захват своего же сотрудника, значит, у нее есть железные основания для этого. Вопрос: какие? откуда? Никто из официальных лиц не знает, что советник СБ Ромашин одновременно является провайдером Сопротивления, врагом Ордена Власти. Если только не произошла утечка информации... Неужели в ряды Сопротивления и в самом деле просочился «крот» Службы? Кто? Когда? Где? В какое подразделение?»

Ромашин покачал головой. Решить в одиночку эту задачу он не мог. Но был уверен, что если «крот» и существует, то скорее всего является интрасенсом. Только «суперам» под силу пролезть в засекреченную организацию, также охраняемую «суперами».

Прошло несколько минут.

«Киборги» неподвижно торчали в комнате, не сводя с пленника стволов «универсалов» на плечах.

— Может быть, чайку? — предложил им Игнат по-светски, глядя на стражей снизу вверх.

Те не отреагировали, словно и впрямь были роботами.

Наконец в гостиную вошли еще двое: офицер Службы в чине майора и мужчина с печатью высокомерной снисходительности на бледном лице. Это был уже знакомый Игнату Вацек Штыба, заместитель начальника исследовательской группы на Меркурии, правая рука господина Ландсберга.

— Я так и понял, что это ваша инициатива, — усмехнулся Ромашин. — Что вас интересует на этот раз, пан с у п е р?

Спрашивать, как Служба вышла на него, Игнат не стал, было ясно, что за ним следили.

— Я знаю, что у вас находятся кое-какие интересующие меня предметы, — сказал Штыба с безапелляционной уверенностью, — пан н е с у п е р. А именно — артефакты, спрятанные от научной общественности и силовых структур вашим другом Климом Мальгиным. Отдайте их мне, и мы расстанемся друзьями.

— Ну что вы, господин больной на голову, — с той же усмешкой сказал Игнат. — Друзьями мы не расстанемся аж никак. И артефактов у меня нет, вас явно ввели в заблуждение.

— Может быть, они находятся не у вас лично, а у ваших друзей? У Джумы Хана, к примеру, или у Герхарда Маттера? У кого?

— Я вообще не понимаю, о чем идет речь.

Глаза Вацека сузились, и на голову Ромашина обрушился потолок. Впрочем, персонком нейтрализовал большую часть пси-импульса, которым Штыба наградил советника, и сознания Игнат не потерял.

— Обыщите его тщательней! — бросил Вацек. — У него где-то спрятан «защитник».

Двое «киборгов» схватили Ромашина за руки, третий грубо ощупал голову, нашел паучок персонкома, вырвал с волосами, протянул молчавшему до сих пор майору. Тот повертел «защитник» в пальцах, в сомнении посмотрел на Штыбу.

— Вы уверены, что советник связан с оппозицией?

— Еще как связан, — ухмыльнулся интрасенс. — Он является третьим лицом в иерархии Сопротивления и очень опасен.

— Забирайте его! — приказал офицер подчиненным.

— Не спешите, майор, — остановил их Штыба. — Я хотел бы допросить этого человека. Дайте на секундочку ваш парализатор.

Офицер дотронулся пальцами до рукояти табельного парализатора «василиск», в глазах его снова всплыло сомнение.

— Я не имею права передавать...

— Оставьте свои интеллигентские замашки, майор! Ничего с ним не случится. Я могу обойтись и без гипно, просто не хочу напрягаться. Ну?

Офицер нерешительно расстегнул клапан, вытащил парализатор. Штыба выхватил его, направил на Ромашина.

— Прошу прощения, пан советник, ничего личного, но мне очень хочется знать, кто у вас всем заправляет. Мой друг Аристарх Железовский предупредил меня, что я буду ходить по минному полю, а я этого не хочу.

— Это я сказал, — ровным голосом проговорил Ромашин, покрываясь испариной. Он был готов остановить сердце, чтобы не дать противнику копаться в его памяти, но умирать не хотелось. Оставалась крошечная надежда, что Золотько со своими орлами контрразведки успеет прийти на помощь.

— Вот и хорошо, сейчас разберемся. — Штыба неприятно осклабился. — Напрасно надеетесь на помощь, пан советник, никто вас не спасет. Дежурный по штабу — наш человек, и ваш вызов он просто-напросто заблокировал. А Железовский, насколько мне известно, сбежал в будущее, не так ли?

— Не так! — раздался за спинами «киборгов» мрачный бас.

Штыба дернулся как ужаленный, оглянулся.

В проеме двери возникла фигура математика. Огромная рука подняла парализатор «удав», выстрелила трижды. Оперативники Службы безвольно попадали на пол. Их командир активировал было змейку — электрошокер, но вскочивший с неожиданным проворством Ромашин перехватил его руку и с удовольствием врезал кулаком в квадратный подбородок. Майор отлетел к стене комнаты, сполз на пол с тупым удивлением на лице.

Штыба покосился на Ромашина, озабоченно сосавшего содранную костяшку пальца, но отвлекаться на его нейтрализацию не стал.

— Поговорим? — громыхнул гулким басом Железовский. — Опусти пистолетик, пан Штыба, он тебе не поможет.

— Ты не сможешь... — Голос Вацека сел, на лбу вздулись жилы, лицо напряглось и покраснело. — Ты не...

— Смогу!

Штыба вздрогнул, выронил парализатор. Ромашин подобрал оружие, обошел его, обессилевшего от борьбы с волей Железовского, выглянул в коридор, затем встал рядом с математиком.

— Ты, как всегда, вовремя. Что случилось? Почему ты здесь?

— Потом расскажу. Давно тут эти ребята?

— Минут пятнадцать.

— Надо уходить.

— Что будем делать с ним? — Ромашин кивнул на застывшего Штыбу.

Тот с усилием выпрямился. Сунул руку в боковой карман под уником, вытащил «глюк».

— Я вас... в пыль...

— Какая же ты вонючка! — тусклым голосом произнес Железовский. — У меня всего два вопроса к тебе. Ответишь — будешь жить, обещаю.

— Я т-тебя...

— Вопрос первый: кто «крот»?

— Дежурный по штабу, — вмешался Ромашин. — Он сам признался, думал, что я уже никому не успею сказать.

— Пусть сам ответит. Ну?!

— Д-д...

— Джонсон? Дюк? Доценко?

— Д-дим Олимов...

— Понятно. Мне этот парень никогда не нравился. И жена его тоже. Вопрос второй: чем тебя купили? Что пообещали?

— Н-не т-твое д-де...

— Отвечай!

Штыба отшатнулся, белея. Воля и возможности Железовского были выше, и держался Вацек из последних сил.

— С-с-с...

— Свобода?

Вацек кивнул.

Железовский усмехнулся, выстрелил, проследил за падением тела, обернулся к Ромашину:

— Как все просто в этом далеко не лучшем из миров. Ему пообещали всего лишь свободу, то есть возможность жить так, как он хочет, и этого оказалось достаточно.

— Я его понимаю, — глухо сказал Ромашин.

— А я нет! Ему мало было найти свое место в жизни, он непременно хотел найти и занять это место первым. Однако за все надо платить, это аксиома. Пошли, у нас очень мало времени.

— А с ним что?

— Ничего особенного, будет жить... идиотом.

— Не круто?

— Что заслужил.

Они вышли из коттеджа.

Ромашин мельком глянул на неподвижные тела «киборгов» — у двери, за дверью, на газоне и возле патрульных коггов, белых, с красными и синими полосами по бортам. Насчитал девять тел, невольно покачал головой, глядя на мощную спину размашисто шагавшего впереди Железовского. Тот сказал, не оборачиваясь:

— Они меня не ждали.

— Я понял.

Сели в голубой флайт, на котором прибыл Аристарх, поднялись в воздух.

— Тебе, наверное, придется тоже перейти на нелегальное положение, — сказал Аристарх.

— Придется, — вздохнул Ромашин. — Как ты меня нашел?

— По запаху.

— Я серьезно.

— И я серьезно. — Железовский покосился на спутника. — Джума Хан дал адрес. Я прилетел всего на пару минут позже патруля Службы, учуял Вацека... остальное было делом техники.

— А он почему тебя не учуял?

— Сенс он хреновый, прямо скажем, а гонору много.

— Почему ты вернулся?

— Забыл выключить электробритву.

— Что? — удивился Ромашин.

— Шучу. Неужели не помнишь эту древнюю шутку? Наши предки обычно забывали выключить бритву или чайник.

— Электрочайников уже сто лет не существует.

— Какая разница? Некоторые шутки живут веками. А вернулся я, чтобы отправить почту.

Ромашин смотрел непонимающе, и Аристарх добавил:

— Помнишь, Клим рассказывал нам о встрече с Паломником?

— Помню.

— Я его тоже встретил. Паломник и подсказал мне, как проще всего найти Клима.

— Как?!

Железовский коротко пересказал Игнату беседу с удивительным существом.

— Найду «голыш» и отправлю его искать Мальгина. Мне надо было забрать у Дашки все артефакты, теперь ищи, где она их оставила.

— Скорее всего у Купавы. А Купава уже с остальными женщинами на базе Сопротивления на Голгофе.

— Это не проблема. Я буду там через пару минут. Тебя куда отвезти?

Лицо Ромашина посуровело.

— Вызову Карла, и мы накроем «крота» Службы в штабе. Очень хочется посмотреть ему в глаза.

— Ничего особенного ты там не увидишь, разве что страх. Могу подсобить.

— Справимся сами, у тебя поважнее задача.

Флайт нырнул к пирамидальному «кристаллу» станции метро Смоленска.

В зале было не протолкнуться, люди шли непрерывным потоком, и Аристарх невольно вспомнил тихие станции метро пятьдесят шестого века. Толпы людей ему никогда не нравились, по душе было больше отсутствие шума и суеты.

— Удачи! — сунул руку Ромашин.

— Ни пуха ни пера! — ответил Железовский.

Они разошлись по свободным кабинам, двое людей из бесчисленных миллионов, живущих одним днем, только двое, которые з н а л и будущее, но все же пытались его изменить.

До базы Сопротивления, располагавшейся в красивейшей долине Лав Стори на южном материке Голгофы, второй планеты системы омикрона Ящерицы, Аристарх действительно добрался за две минуты. База имела собственную станцию метро с кодовым выходом, о которой не догадывались ни работники Сети метро Солнечной системы — поскольку она не была зарегистрирована в каталогах, ни работники Службы безопасности. О существовании же базы и вообще знали всего несколько человек, руководители Сопротивления и ее служба охраны.

Выйдя из небольшого здания метро, которому больше приличествовало название «будка», Железовский полюбовался пейзажем долины: река с белоснежными берегами — такой здесь был песок, заросли растений, в которых можно было узнать знакомые формы — в силу принципа физического соответствия жизнь на планетах земного типа порождала примерно те же виды животных и растений, зеленое небо, горы на горизонте, блистающие изумрудным льдом, — и направился искать домик, в котором поселили освобожденную Купаву Мальгину.

Дышалось здесь легко, почти как на Земле. Да и сила тяжести соответствовала земной.

Всего городок базы насчитывал чуть больше сорока коттеджей — на сорок семей переселенцев, но жили в нем пока всего двадцать человек, жены, родители, сестры и дети интрасенсов, согласившиеся на время покинуть родную планету. Поселились здесь и сестры Бояновы, Забава и Власта, Гертруда Маттер, жена ксенопсихолога, Карой Чокой, жена Джумы Хана, с дочерью Аумой, и жена Игната Ромашина Дениз, хотя она и не была интрасенсом.

Людей на территории городка почти не было видно, хотя охрана р а б о т а л а: это Аристарх почувствовал сразу — по в е т р у внимания, подувшему на него со всех сторон. База просматривалась видеокамерами, над ней висел спутник, и ни один посторонний человек появиться незамеченным здесь не мог.

Купаву Аристарх нашел в коттедже под номером семь.

Женщина сидела на веранде с бокалом пурпурной жидкости в руке, и по ее затуманенному взгляду он понял, что женщина пьет вино. Или даже что-то покрепче. Давно. Одна. И настроение у нее далеко не благостно-мажорное. Глаза Купавы были сухими и блестели, но тем не менее она плакала, никого и ничего не видя.

— Привет, — сказал Аристарх, осторожно присаживаясь в хрупкое с виду кресло-качалку напротив хозяйки. — Что празднуем?

Жена Мальгина посмотрела сквозь него, не узнавая, прищурилась. Потом взгляд ее изменился.

— А-а... это ты...

Аристарх отнял у нее бокал, попробовал вино на язык, выплеснул на лужайку. Это было не вино, а приготовленный особым способом маколей, сок лунного кактуса, известного наркотическим воздействием.

— Где ты нашла эту гадость?

— Не смей... выливать... это мое... лучше налей еще...

Аристарх встал, нашел на столе в столовой керамический сосуд с маколеем, вылил содержимое в раковину. Обнаружил в баре вишневый сок, налил в бокал, поколдовал над ним, насыщая с в е ж е с т ь ю, принес на веранду.

— Пей, сейчас ты почувствуешь большое облегчение.

Он заглянул женщине в глаза, проник в сознание, запустил нейросоматическую ретикуляцию организма, ответственную за нейтрализацию ядов и токсинов. Сел напротив с чашкой чая.

Глаза Купавы расширились, в них мелькнул проблеск мысли.

— Что ты... мне дал?

— Что надо. Пей! Голова немного покружится и перестанет.

— Странное ощущение... кто-то ворочается внутри головы...

— Душа твоя ворочается. Не пей больше всякую всячину, козой станешь.

— Кем?!

— Сказку вспомнил про сестрицу Аленушку и братца Иванушку. Где ты нашла маколей? Кто его тебе принес?

— Старые запасы... успокаивает... расслабляет... — Глаза Купавы стали большими и тревожными. — Ты почему здесь?! Ты же должен был улететь за Дашкой! Что с ней?!

— Вот это уже правильная реакция, — сказал Железовский удовлетворенно. — Даша в надежных руках, не волнуйся. Кто все-таки дал тебе маколей? Чувствую, что кто-то тебя посещал, но не пойму кто. Насколько я знаю, в аптеках нарколептики не продаются, и в супермаркетах тоже.

Купава отвернулась, помолчала, отхлебывая сок, глухо проговорила:

— Дан меня навестил...

— Кто? — не понял Аристарх. — Какой Дан?

— Даниил...

— Шаламов?! Дан был у тебя?!

— Посидел полчаса, сделал из воды маколей... — Купава бросила на гостя косой взгляд, криво улыбнулась. — Честное слово, я не обманываю. Он все может... кроме одного... Позвал с собой, обещал райскую жизнь...

Железовский с трудом справился с изумлением, несмотря на все свое железное самообладание.

— Дан был здесь... вот это номер! И охрана его не остановила...

— Он появился прямо в доме... Я же говорю, он все может. — Женщина снова помолчала, посмотрела прямо в глаза Аристарху, сжала губы. — Но я указала ему на дверь! Понимаешь?

— Понимаю, — кивнул он, с сочувствием глядя на женщину, прошлое которой вдруг вернулось к ней. — Чего он хотел?

— Звал с собой... рассказывал, где был... спрашивал, где Дашка...

— О Климе не вспоминал?

— Нет, он был занят только собой. И, по-моему, он знает, что вы делаете. Сказал, чтобы вы не мешали эйнсофу нормально развиваться.

— Так и сказал?

— Да.

— Что он имел в виду? Дан же должен понимать, к чему может привести развитие эйнсофа. — Железовского вдруг озарило. — Если только он сам не поддерживает экспериментаторов! Впрочем, это в конце концов выяснится. Пава, где артефакты Клима? Они у тебя?

— В сумке лежат, — безучастно отозвалась Купава, углубляясь в свои переживания. — Я их не трогала. Дан, кажется, их почуял, сказал даже, что «нерусским духом пахнет», но тут появился патруль, и он забыл о своих подозрениях.

Железовский снова проник в психосферу женщины, перестроил некоторые ассоциативные связи с выходом на положительные эмоции, послал теплый импульс поддержки с «запахом» Мальгина. Встал, нашел в стенном шкафу сумку с оставшимися артефактами, достал «голыш» и, подумав, «стакан» галактики. В сумке остались книга, свеча и кейс со свернутыми хрониками.

Когда он вернулся в гостиную, Купава уже улыбалась. Сквозь слезы. Настроение ее явно улучшилось. Несложно было догадаться, что думает она в данный момент о Климе. Вопросительно и смущенно посмотрела на гостя.

— Я вела себя как дура, да?

— Ты видела плохой сон. Молодец, что не поддалась на уговоры Даниила. Он по-прежнему пытается изменить чужую жизнь, эгоист паршивый. Ну-ка, помоги.

— Что ты задумал?

— Хочу отправить Климу телеграмму.

Брови женщины взлетели на лоб.

— Что?! Какую телеграмму?!

— Я виделся с Паломником, он посоветовал отправить по орилоунской Сети сообщение, адресованное твоему суженому. Вот носитель. — Железовский положил на стол плоский «голыш» с мигающей желтой искоркой.

Купава с недоверием посмотрела на него, протянула руку, но Аристарх остановил ее.

— Не трогай, я не шучу. Паломник тоже вряд ли способен на шутки. Вот что мы сделаем. Я попытаюсь в о й т и в этот камешек, а ты начинай мысленно звать Клима.

— Думаешь, получится?

— Если долго мучиться, что-нибудь получится, — пошутил Аристарх. — Начали!

Он сосредоточился на гипервоздействии, раскрывая все доступные диапазоны электромагнитного и спин-торсионного спектра, вонзил «скальпель» своей воли в твердый на вид камень.

«Голыш» на мгновение растекся струйкой белого дыма, снова затвердел. Искорка на торце замигала чаще.

— Вот гад, сопротивляется!

Еще одно усилие, стоившее Аристарху приличных энергетических затрат, не прошло даром.

В центре округлой поверхности «голыша» возникло белое пятнышко, от него по камешку побежали волны свечения.

— Зовешь? — выдохнул Железовский сквозь зубы.

— Климушка, родной, возвращайся! — с прорвавшейся тоской вслух выговорила Купава. — Я люблю тебя! Жду не дождусь! И Даша ждет...

Камень засиял, как осколок солнца.

Железовский быстро перевернул его, не боясь обжечься.

«Голыш» исчез.

Оба смотрели на то место, где он лежал, затаив дыхание, и ждали. Прошла минута, вторая, третья... пятая... Камень не возвращался.

— Все! — сказал Железовский, расслабляясь, и обнаружил, что он мокрый как мышь. Улыбнулся в ответ на красноречивый взгляд Купавы. — Такое впечатление, что я не почту отправлял, а камни ворочал. Теперь остается только ждать. Ушла твоя телеграмма. Если бы мы знали раньше, что «голыш» — на самом деле почтовый файл...

— Ты думаешь... Клим услышит?

— Непременно! — обнадежил женщину Аристарх, стараясь выглядеть уверенно. Чего греха таить, кое-какие сомнения у него оставались.

Глава 9

Время для Дара остановилось, «Скиф» падал долго-долго, целых двадцать секунд, и все никак не мог достичь земли.

— Катапультируйся! — шептали губы Дарьи и Дара, хотя оба понимали, что помочь другу уже не в состоянии.

И в этот момент в рубке корабля-ножа появился чужой человек, одетый в стандартный бело-серый костюм космена. Дар почувствовал присутствие незнакомца, высунулся из своей «пилотской» ячейки. То же самое сделала и девушка, воскликнула удивленно:

— Дядя Даниил?!

— Это действительно я, — подтвердил незнакомец; у него было красивое скуластое волевое лицо с теплыми карими глазами, портила это лицо только презрительно-капризная складка губ. — Как ты меня узнала?

— У папы есть витейр, вы там вместе...

— Сохранил, значит? Похвально. А ты здорово похожа на мать, сразу и не отличишь. Кто это с тобой? Знакомая личность.

Дарья опомнилась.

— Помоги, дядя Даниил! Спаси Боряту! Он в рубке спейсера, один!

Шаламов прислушался к чему-то, покачал головой.

— Мальчишка в панике, однако. Спасать мне его не

хочется, честно говоря, но можно обдумать условия. — Он оценивающе глянул на Дарью. — Время у нас еще есть.

— Какое время?! — вырвалось у Дара. — Борята сейчас разобьется к...— Он замолчал, увидев, что «Скиф» перестал валиться на лес и завис над вершинами деревьев на высоте двух десятков метров.

— Я, кажется, понял, — продолжал Шаламов как ни в чем не бывало. — Этот парень — сын Аристарха Железовского.

— Не сын — праправнук в сто семидесятом поколении, — уточнила девушка, также пораженная изменением обстановки. — Он сын князя местной общины.

— Надо же, как точно гены передают облик родоначальника, — усмехнулся Шаламов. — Силен железный человек!

— Спасибо, — стеснительно проговорил Дар, — за спасение товарища...

— А я его еще не спас, — возразил гость. — Вы все должны из таких положений выпутываться сами. Что ты здесь делаешь, Дарья?

Девушка выдавила бледную улыбку.

— Приобретаю опыт, учусь жить самостоятельно.

— Правильное решение, — одобрительно кивнул Шаламов, прошелся по вздрагивающему полу рубки. — Хотя учение и опыт — разные вещи. Учение — это изучение правил, опыт — изучение исключений. Ну-ка, выйди, покажись.

— Зачем?!

— Выйди, выйди, хочу посмотреть, какая ты стала. Я помню тебя совсем девчонкой.

Дарья кинула взгляд на Дара, вылезла из ячейки, недоумевающая и слегка смущенная.

— Да, вылитая Купава, — задумчиво сказал Шаламов. — Фигура один в один, только волосы другие и нос от отца.

Дарья нахмурилась, начиная понимать смысл происходящего, торопливо забралась в ячейку.

— Какая ты быстрая, — скривил губы Шаламов. — Все понимаешь с полуслова. Но на вопрос не ответила.

— Вы сами все знаете, дядя Даниил, зачем издеваетесь?

— Знаю, — согласился бывший муж Купавы. — И очень недоволен вашим отношением к процессу.

— Почему?! — изумилась Дарья. — Мы же хотим помочь общине... вообще всему человечеству!

— Столь глобальные задачи вам не по плечу. Они не по плечу даже твоему папаше, хотя он приличный оператор галактического масштаба. Но речь не о нем. Вам придется бросить свое дело «защиты человечества».

— Объяснитесь!

— Изволь, но с одним условием.

— Каким?

— Ты пойдешь со мной. Я покажу тебе н а с т о я щ у ю жизнь Вселенной, в прошлом и будущем, чего не покажет никто.

— Нет!

— Не спеши с решением, девочка, чтобы не пожалеть потом.

— Отстаньте от нее! — резко бросил Дар.

Шаламов посмотрел на него с прищуром, и молодой человек почувствовал, что не может ни сдвинуться с места, ни выговорить слово.

— У тебя будет все, что твоей душе угодно, — продолжал бывший друг Клима Мальгина. — Время, пространство, власть, подчиненные, слуги, рабы и рабыни, украшения, одежда и так далее. Я исполню любой твой каприз, ты будешь счастлива, уверяю тебя. Я могу в с е, но мне не хватает спутницы. Одна закавыка: сделать женщину счастливой нетрудно, трудно самому при этом остаться счастливым.

— Нет! — все с той же решительностью ответила Дарья. — Я буду счастлива только с тем, кого полюблю! И чтобы он любил меня!

— За этим дело не станет, ты п о л ю б и ш ь меня...

Дар неимоверным усилием воли преодолел паралич мышц, выбрался из ячейки, сжав кулаки.

— Прекратите издеваться! Иначе я...

— Иначе что? — с иронией и некоторым удивлением глянул на него Шаламов. — Мальчик, неужели ты думаешь, что одолеешь меня? Надо признаться, ты сильнее, чем я думал, но этого недостаточно.

Глаза Шаламова метнули молнии, и Дар снова застыл как изваяние, не в силах сделать ни одного движения, даже вдохнуть воздух.

— Итак, продолжим, — равнодушно отвернулся от него Шаламов, подошел к ячейке, из которой поднялась в рост Дарья. — Я объясню тебе, в чем вы заблуждаетесь.

— Отпустите его!

— Потом, потом, ничего с ним не сделается, мальчишка — интрасенс и должен уметь выживать в любых условиях. Если же говорить о заблуждениях — твоих, твоего друга, вообще остальных деятелей из так называемого Сопротивления, то они вполне объяснимы и закономерны. Даже лучшие из вас — Аристарх, Маттер, Баренц — о г р а н и ч е н ы в оперировании потоками информации, пронизывающими космос, ограничены в интеллекте, в пространстве и времени. Но их заблуждения опасны, и этому надо положить конец. Ты слышала что-нибудь о «фантомной темной энергии»?

— Краем уха... — нерешительно созналась Дарья.

— Значит, нет. А о таком физическом явлении, как антиколлапс?

— Папа что-то говорил об этом... но какое это имеет значение?

— Самое непосредственное. Объясняю на пальцах. Мы живем в расширяющейся Вселенной.

— Надо же — открытие! — фыркнула девушка.

— Только вот расширяется наш метагалактический домен не линейно, а с ускорением. Это и есть явление антиколлапса, или, как принято говорить, процесс фазового перехода от экспоненциальной стадии расширения к инфляционной. «Темная энергия» как раз и способствует этому расширению, причем все в большей и большей степени. А поскольку финал этого процесса грозит уничтожить весь домен со всем его содержимым, некие силы пытаются его остановить. Не догадываешься какие?

— Уж не отеллоиды ли? — съязвила Дарья.

— В точку. Не сами отеллоиды, а система, которая за ними стоит и которая имеет название йихаллах. Ну, а за системой стоят черные дыры. Вот кому вы пытаетесь помешать.

— Чушь!

— Не разочаровывай меня, девочка, иначе я решу, что ты глупее, чем выглядишь. Близится Большой Разрыв, черные дыры пытаются остановить процесс расширения, и это факт, не подлежащий обсуждению. Ты этого не знала?

— Не знала! Ну и что? — Дарья раздула ноздри. — Это не имеет никакого значения! Не хотите нам помочь — уходите! И освободите Дара!

— Ух, какая ты грозная! — фыркнул Шаламов. — Глаза сверкают, щеки — кровь с молоком, грудь вперед — вылитая мать, когда во гневе. — Он подумал. — И отец у тебя такой же... человек... м-да! Впрочем, ты права, это не имеет значения. Хочешь, я нарисую сценарий, как будет погибать наш инвариант Вселенной? Кстати, таких инвариантов бесчисленное количество, наш не из лучших.

— Не хочу.

— Я все же нарисую. Через десять миллиардов лет — некоторые ортодоксы утверждают, что гораздо раньше, другие — что намного позже, — начнут распадаться звездные скопления типа галактик и их ассоциаций. Чуть позже разорвутся звезды, затем планеты. За десять в минус девятнадцатой степени секунды до Большого Разрыва станут разрываться атомы, затем придет через элементарных частиц. Последними разорвутся квадруполи, мельчайшие «кирпичики» Мироздания. Их еще называют кварками и максимонами. Исчезнет вакуум, исчезнет пространство, исчезнет время. Произойдет очередная фазовая перестройка домена, и на его месте возникнет новая Метавселенная с иным набором констант и физических законов. Но ни человека, ни других разумных существ и систем уже не будет. Тебе нравится такой финал?

— Будет еще что-то! Какой смысл думать об этом сейчас?

— Думать о будущем имеет смысл всегда. Хотя на твоем месте я отреагировал бы точно так же. Итак, что ты решила?

— Я не... — Дарья не договорила.

После долгой борьбы с непослушным телом и поиска способов освобождения Дар наконец преодолел порог пси-запрета, диктующий чужую волю на уровне инстинктивного подчинения, и сбросил путы оцепенения. Сделал два быстрых шага, поднимая руки на уровне груди.

— Вы подлец! Немедленно прекратите!

Шаламов с недоумением оглянулся.

— Батюшки-светы, очнулся! Сильный мальчик! А если я не прекращу?

— Я вас ударю!

— Попробуй.

Дар шевельнулся и, ускоряясь, метнулся вперед.

Шаламов вдруг взлетел в воздух от мгновенного, точного и мощного удара в подбородок, с вытаращенными глазами пролетел несколько метров и едва не врезался в конвульсивно содрогнувшуюся стену рубки. Вскочил на ноги, побелев от ярости.

— Ах ты, щенок! Я же тебя по полу размажу...

— Не смейте! — крикнула Дарья, отталкивая Шаламова мысленно-волевым усилием, из-за чего ответный его удар получился смазанным, нечетким, расфокусированным. Но и этого оказалось достаточно, чтобы Дар потерял сознание.

Он, конечно, пытался защититься, предполагая пси-атаку, поставил полевой экран и даже перенес сознание в «запасной» мозг — спинной и костный, образующий еще один дополнительный «мыслящий контур». Однако удар был слишком мощным. Шаламов владел энергиями на два порядка выше любого человека и был магическим оператором очень высокого уровня. Поддаваясь страстям, он не дозировал силу удара, что говорило о его неадекватном отношении к миру.

Дарья бросилась к упавшему княжичу, припала ухом к его груди, с изумлением и ненавистью глянула на Шаламова, озабоченно ощупывающего вспухший подбородок.

— Вы убили его?!

— Выживет, — оскалился бывший друг отца девушки, — если захочет. Парень кое-чем владеет, я его недооценил. Оставь его, уходим.

— Никогда!

— Тогда они оба умрут, тот — в спейсере, и этот. Решай. Я знаю, женщины любят побежденных, но всегда изменяют им с победителями.

Дарья в немом гневе смотрела на Шаламова и впервые в жизни не нашлась что ответить.

* * *

Дар пришел в себя несколько минут спустя, слыша глухой гул в голове и ощущая позывы на рвоту. Организм, получивший сильнейший шоковый пси-разряд, сбивший чуть ли не все биологические ритмы, с трудом восстановил функционирование сердечно-сосудистой и вегетативной систем и теперь по крохам «собирал сознание» в единое целое.

«Где я?» — пришла первая мысль.

За ней выплыла вторая:

«Сейчас умру...»

Но третья заставила действовать:

«Дарья в опасности! Этот тип легко справится с ней! Ему надо помешать!»

Он открыл глаза.

Светящиеся изнутри, как янтарь, колышущиеся стены, ячейки, «скульптура осы» в центре, вздрагивающий потолок... и никого на полу рубки. Куда они подевались?

Дар привстал на локтях и едва не потерял сознание от нахлынувшей слабости. Лег, справился с головокружением, сел по-турецки и позвал:

— Даша!

Никто ему не ответил.

— Даша, где ты? Отзовись!

Шум в ушах, треск, писк, звон... не голова, а треснувший горшок! Вот бугай здоровенный! Если бы не вмешательство Дарьи, он бы меня убил! Где же она? Неужели ушла с ним?!

Он с великим трудом заставил себя встать, заковылял до ближайшей «пилотской» ячеи, рухнул в нее колодой.

«Шершень... где они?»

В голове вспыхнула мысленно-эмоциональная вуаль н е п о н и м а н и я .

Дар представил в уме девушку.

«Где она?»

Ответ инка «осиного» корабля можно было перевести как: «Не знаю».

«Хорошо... дай обзор».

Включилась система видения, вогнутые ячейки-экраны отразили мир за стенками корабля.

В воздухе — ни одного отеллоидского космолета. Корабль-нож уничтожил-таки весь их флот.

В небе — ни облачка.

Лес под кормой корабля тих и неподвижен.

А посреди луга за рекой — конусовидная гора древнего спасательного спейсера «Скиф», опаленного огнем, угрюмого, с дымящимися пробоинами в корпусе, но с виду еще способного взлететь и выполнить свою задачу. В его обшивке раздвинулась диафрагма люка, из отверстия выглянула вихрастая голова.

— Борята! — прошептал Дар. — Живой!..

Глава 10

На поляне, у подмявшего кустарник и часть леса корабля-ножа, собралась дружина князя — все, кто уцелел. Дружинники были хмуры и неразговорчивы, на огромный корабль посматривали с опаской и уважением, но без особого восхищения. Встречать изделия рук человеческих, да и нечеловеческих тоже, таких размеров людям приходилось нечасто, и все же они были не в диковинку. Предки оставили в наследство потомкам и более значительные сооружения.

К державшимся отдельно Дару и Боряте подошел мрачно-целеустремленный князь.

— Все целы? Где Дарья?

— Не знаю, — тихо ответил Дар, изо всех сил старавшийся выглядеть бесстрастным; поднял глаза на отца и снова опустил.

— Ее захватил Данила Шалимов, — сказал Борята, помятый и растрепанный, но довольный собой. Хвастаться своими успехами ему мешало только отсутствие гостьи из прошлого.

— Шаламов, — поправил приятеля Дар.

— Кто он такой?

— Друг отца Даши... бывший... я не смог с ним справиться...

— Рассказывай.

Дар мельком посмотрел на подошедшего Боригора с обожженным лицом — летак витязя был сбит и загорелся, но все же ему удалось уцелеть — и рассказал историю боя с отеллоидами с подъемом спейсера «Скиф» до появления в рубке «осиного» корабля Даниила Шаламова. Закончил скороговоркой:

— Где теперь Даша, я не знаю. На вызовы она не отвечает. Прости, отец, это я во всем...

— Потом будешь каяться, — перебил князь. — Ищи девочку. Я пообещал Аристарху, что с ней ничего не случится, а своего слова я еще не нарушал. Найдешь, где бы она ни была, сообщишь мне. Остальное — уже не твоя забота.

Круто развернувшись на каблуках, Бояр направился к ближайшему летаку, махнул рукой Боригору.

— Летим в Смолены. Надо эвакуировать все ближайшие хутора.

Один за другим летаки дружины поднялись в небо, пропали за стеной леса. Дар и Борята остались одни, глядя им вслед.

— Не переживай, — робко сказал целитель. — Ты же не виноват, что этот Шалам-балам оказался таким нехорошим человеком.

— Я виноват, — почти неслышно выговорил Дар. — Это я во всем виноват! Не надо было поддаваться на ее уговоры и лететь на разведку. Мы разворошили осиное гнездо...

— Не осиное, — вымученно улыбнулся Борята, — скорее уж змеиное. А что произошло потом? Я ничего не понял. В корабль попали несколько раз, он начал падать, связь с инком отключилась... я уж думал — кранты! А потом вдруг — бац! — корабль уже сидит.

— Шаламов — маг... то есть свободный оператор, он может управлять мощными энергетическими потоками... а я всего лишь сын интрасенса...

— Не прибедняйся, ты тоже сильный оператор, у тебя все еще впереди, — утешил друга Борята.

— Слабак я! — покачал головой Дар, безжалостно добивая свою гордость. — Мне действительно еще учиться и учиться! Завтра же пойду к наставнику.

Борята потоптался рядом, не зная, что сказать.

— Все образуется, найдем мы твою Дашку...

Дар очнулся, оглядел небосвод, словно там должна была появиться точка летака с Дарьей. Шагнул к нависавшей над головой стене корабля-ножа и остановился, ощутив слабое шевеление пси-поля. Оглянулся.

Над лесом и в самом деле просияла звездочка летака, за ней еще две. Воздушные машины стремительно увеличивались в размерах, спикировали на поляну. Из них высадилась целая толпа черных людей — более двух десятков особей! — и среди них человек в дымчато-стеклянном костюме, плывущий узор которого не позволял оценить габариты и фигуру владельца. Костюмы подобного типа назывались «хамелеонами» и при включении систем маскировки делали человека практически невидимым. Дар знал об этом, но «хамелеоны» были редкостью, и община имела лишь один экземпляр спецкостюма, хранившийся в хозяйственном лабазе уничтоженного хутора Жуковец.

Борята бросился к люку, но остановился, видя, что друг не спешит скрыться внутри корабля.

— Ты что, Дар?! Бежим! Их целая армия!

— Это он! — процедил сквозь зубы чистодей.

— Кто?! — не понял приятель.

— Тот человек... в отеллоидском корабле... когда мы с Дашей пытались перехватить его управление... я узнал его!

— Ну и что?

— Он хочет к о н т а к т а...

— Ни к чему нам такие контакты!

— Ты иди, забирайся в кабину и жди, я останусь.

Борята заколебался, переводя взгляд со спины друга на приближавшуюся группу черных людей во главе с землянином.

— Иди! — прошипел Дар.

Борята вздрогнул, скрылся в отверстии люка.

— Вот мы и встретились, приятель, — проговорил незнакомец, широко улыбаясь. — У з н а е ш ь меня?

Он был молод, всего на четыре-пять лет старше Дара, и ощутимо силен. Левая бровь у него была выбрита начисто, что говорило о принадлежности парня к касте либеро, охотников за людьми, чей рейтинг непопулярности достигал максимума. Дар вспомнил об этом мимолетно, оценивая физические данные и в н у т р е н н и е возможности противника.

— Мы не приятели, — негромко сказал он.

Узкие губы незнакомца искривились.

— Вряд ли это имеет значение. В прошлую встречу вы подложили мне хорошую свинью, заставив моих друзей, — жест на молчаливую цепь отеллоидов, — отказаться от атаки. Вот я и пришел поквитаться. Ты не против?

Дар промолчал, продолжая настраивать энергетическую систему для неминуемого поединка. Он уже понял натуру молодого забияки, агрессивную, не терпящую возражений, стремящуюся к безоговорочному подчинению других, слепо отвергающую все виды компромисса. В памяти всплыло слово «отморозок», метко характеризующее личность подобных людей. Правда, считалось, что данная оценка ушла в прошлое, вместе с классом этих мерзавцев. Однако чистодей уже встречался с ними во времена набегов кочевников и знал, чего можно от них ожидать. Отличало незнакомца от остальных беривсеев только его происхождение: он был интрасенсом.

— Тачка у тебя классная! — продолжал незнакомец, небрежно кивая на корабль-нож. — Мне как раз такая нужна, не одолжишь на время? Нечисти развелось тут у вас, на старушке Земле, продохнуть нельзя. Куда ни плюнь — попадешь в интрасенса или целителя. Пора чистилище устраивать.

— Ты из две тысячи триста сорок второго года, — сказал Дар утвердительно.

— Неужели догадался? — произнес парень с нехорошей ухмылкой. — Или в мыслях покопался? Впрочем, и это не имеет значения. Сегодня ты один, я гляжу, твой неповоротливый дружок не в счет. Где же дама?

Дар молчал.

— Нету дамы, — развел руками незнакомец в «хамелеоне» с шутовской ужимкой; он развлекался. — А ведь мы с ней в одном учебном заведении учимся, я ее неплохо знаю. Своенравная особа, но сексапильная. Я бы с удовольствием покувыркался с ней. Не подскажешь, где ее найти?

— Много говоришь, — ледяным тоном бросил Дар.

— Сколько хочу, столько и хохочу, — ухмыльнулся парень. — Ты ведь не запретишь мне делать то, что я хочу?

Дар уже нащупал брешь в пси-защите противника, но первым нападать не хотел.

— Возвращайся в свое время! Здесь м о я земля!

— Ух ты, как недипломатично! А если я не уйду, что тогда? Вызовешь дружину батюшки? Спрячешься под юбку матушки?

Дар сжал губы, сдерживаясь.

Незнакомец оценивающе ощупал его лицо желтоватыми, глубоко посаженными глазами.

— Похоже, ты уже дошел до кондиции, пора обламывать рога молодому олешку. Или мы договоримся? Отдашь спейсерок добровольно?

— Возьми, — шевельнул губами Дар, стряхивая с кистей рук на траву струйки розоватого свечения.

Глаза незнакомца сузились, и в то же мгновение он нанес довольно мощный пси-энергетический удар, метнулся вперед, собираясь добить противника на физическом уровне — ударом в голову. Но Дар был готов к атаке и ответил своим выпадом, пробивая в защитной ауре парня — у него имелся еще и персональный защитник — «красную» дыру. Парень широко раскрыл глаза, получив весомую пси-оплеуху, хотел сманеврировать и выйти из боя, но было уже поздно. Он оказался в зоне поражения Дара, и чистодей без жалости нанес один точный удар ребром ладони по носу противника. Тот без звука упал на траву и затих.

Дар повернулся к неподвижной цепи отеллоидов, поднял вверх сжатый кулак.

— Слушайте меня внимательно! Ваш предводитель побежден! Забирайте его и уходите, иначе будете уничтожены!

Молчание в ответ. Ни один отеллоид не тронулся с места, не сделал ни одного жеста.

— Вы меня поняли? Уходите! Передайте своему командиру, что мы вас всех уничтожим, если вы не уберетесь с Земли и вообще из Солнечной системы!

Дар оглядел неподвижные черные фигуры с белыми белками глаз, повернулся к ним спиной и пошел к кораблю.

Из люка высунулся Борята, не пожелавший оставить друга одного.

— Дар, сзади!

Чистодей, не оглядываясь, просунул под мышку ствол звукового пистолета, с которым не расставался, выстрелил.

Невидимая звуковая «пуля» врезалась в лицо поверженного противника, целившегося в спину Дара из какого-то неизвестного оружия (отеллоидский метатель молний?), и опрокинула парня на землю. Он выронил излучатель, схватился за уши, взвыл. Из перекошенного рта посыпались ругательства, обещания «встретить еще раз, содрать кожу, вырвать сердце и съесть».

Дар, оглянувшись, увидел общее движение отеллоидов — они доставали оружие — и прыгнул в отверстие люка, приказывая инку «осиного» корабля закрыть все входы.

Шершень повиновался с замечательной быстротой.

Когда отеллоиды открыли огонь, молнии разрядов наткнулись на монолит корпуса, затянувший отверстие люка.

Хуторяне оседлали местный лифт, достигли рубки, ячеи которой уже показывали пейзаж вокруг корабля. Было видно, как отеллоиды спешно рассаживаются по летакам и поднимаются в воздух. Первым бежал с поля боя незнакомец в «хамелеоне». Дар слышал его мысленный голос: «Мы еще встретимся, хмырь болотный, я из тебя все кишки выпущу и повешу на них!» — но не ответил.

— Собьем их? — предложил Борята.

— Не стоит, — буркнул остывший Дар. — Мы в разных весовых категориях.

— Они бы тебя не пожалели.

— Я — не они.

Дар приказал Шершню поднять корабль в небо. Внезапно он увидел стремительно приближавшуюся металлическую каплю летака, в то время как другие, с отеллоидами, продолжали драпать во все лопатки, как вспугнутые куры. Ёкнуло сердце: неужто проигравший поединок парень решил отыграться?

Но это был не он.

В голове чистодея пророс призрачный бутончик ментального вызова:

«Правнук, открой десантный люк».

Дар изумленно округлил глаза, но послушался. Его вызывал Аристарх Железовский.

Вскоре человек-гора появился в рубке «осиного» корабля, заполнив ее, казалось, на три четверти. Бегло оглядел смущенно-ждущие лица молодых людей, принюхался.

— Ну и запашок здесь — словно бочку с прогорклым медом опрокинули. Я видел два аппарата с отеллоидами, мчавшиеся на всех парах. Что тут у вас произошло?

— Дар сражался с ними, — сказал Борята. — Вернее, с одним человеком. Победил. И побежденный удрал, вместе с черными бродягами.

Железовский вопросительно посмотрел на Дара.

— Это был интрасенс, — произнес чистодей. — Землянин. Несколько дней назад мы отогнали космический летак отеллоидов, он был среди них. А сегодня он подловил нас, когда отец улетел... Пришлось драться. Мне показалось, что он не из нашего времени, а из вашего.

— Почему?

Дар пожал плечами.

— Аура другая... лексикон... отношение к противнику... Потом он сообщил, что знает Дашу.

— Как он выглядел?

Дар описал внешность незнакомца, добавил:

— У него была выбрита левая бровь... А еще он учился с Дарьей в одном институте.

— Либеро... — помрачнел Железовский. — Глаза желтоватые, нос тонкий, с горбинкой... Это явно сын Торопова, Леон. Я совсем выпустил его из виду... А он здесь! Яблочко от вишенки недалеко падает. Недаром говорится, что дураки не мамонты, они не вымрут. Интересно, где эти ребятки берут трансферы? Отеллоиды их снабдили? Если это так, нас ждут другие беды.

— Шаламов увел Дарью, — тихо сказал Дар.

— Знаю, — кивнул Аристарх. — Встретил князя, он сообщил эту новость. Как это случилось?

Дар рассказал, страдая от стыда.

Железовский задумался, прошелся по бугристому полу рубки, пощипывая подбородок.

— Даниила видели на Земле... он заявился к Купаве, наговорил глупостей... Что ему нужно от семьи Мальгиных, хотел бы я знать? Этот человек ничего просто так не делает. Если он вернулся, то уж не затем, чтобы выкрасть дочь Клима и Купавы. Это слишком мелко для него. Дашка попалась ему под горячую руку. С другой стороны, он псинеур...

— Кто?

— Психически неуравновешенная личность. Попросту говоря, он болен.

— Можно попытаться найти ее в пси-поле...

— Дан мог забрать Дашу с собой в любое другое время и вообще в другие миры... если только у него нет какого-то интереса именно к вашим реалиям. Это единственный шанс.

— Я готов на все!

— И я! — эхом отозвался Борята.

— Верю, ребятки, однако нас маловато будет для такого дела. Пси-интерферометр «триай» срабатывает только при достаточно большом количестве «генераторов» — то есть голов.

— Попросим подключиться к нам отца и других сенсов.

— Придется, хотя я сильно сомнева... — Аристарх не договорил.

Дар вздрогнул, получив мысленный вызов Шершня, который можно было интерпретировать как сигнал тревоги.

— Отеллоиды возвращаются!

В ячеях-экранах рубки возникло изображение приближающейся стаи черных птиц, вырастающей в размерах. Их было не меньше двух десятков. Отеллоиды бросили для уничтожения «осиного» корабля чуть ли не треть всего своего флота.

— Мама родная! — охнул Борята. — Они нас заклюют! Надо уходить!

Дар нерешительно посмотрел на Железовского.

— Уходим?

— Ну уж нет! — ухмыльнулся прапрадед, не выказывая никакого сомнения или беспокойства. — Они еще не знают, с кем связались. Это военный крейсер Галиктов, обладающий прекрасными ходовыми качествами и оружием. Сами Галикты давно ушли в небытие, как и их соперники, с которыми они воевали, а их исправно работающую технику все еще находят в разных уголках Галактики. Сейчас мы им покажем кузькину мать!

— Мы уже показывали, — с гордостью сказал Борята, — когда летали на разведку. Дар сбил пять отеллоидских монстров!

— Прекрасно. — Железовский расположился в соседней ячейке. — Правнук, ты уже управлял спейсером, подключайся к нему, а я присоединюсь к тебе. Повоюем, мать их!

Корабль-нож устремился навстречу приближавшейся эскадре.

Глава 11

Она не помнила, как оказалась в этом странном помещении, напоминавшем рубку «осиного» корабля и сморщенное коровье вымя одновременно. Довершали аналогию свисающие с потолка «сталактиты», похожие на коровьи соски, только глубокого фиолетового цвета.

Стены помещения, в буграх и наплывах, были черными, лоснящимися, и веяло от них электричеством, парафином, горячим железом и неким ж и в ы м духом, создающим впечатление внимательного взгляда.

Дарья встала с пологого возвышения, на котором лежала лицом вниз, прошлась по мягкому, вздрагивающему от каждого шага, как пласт желатина, полу помещения.

Дышать было легко, если бы не запахи. Сила тяжести слегка уступала земной, но незначительно. Светильниками же служили острия некоторых сосков-сталактитов, испускающие розово-оранжевое свечение.

Ни входа, ни выхода, ни одного отверстия, даже самого маленького. Странные наросты на полу, похожие на крутые бараньи лбы. Подземелье. Грот. Или и в самом деле желудок гигантского живого существа. Что за чудеса? И как она сюда попала?

Дарья перешла на гиперзрение и вскоре поняла, что находится внутри огромного, необычной формы — нечто вроде колючего каштана — космического корабля. Вспомнились рассказы княжича, побывавшего на борту корабля-матки отеллоидов. Неужели и ее захватили черные люди и доставили на свою базу?!

Девушка судорожно похлопала руками по карманам уника, похолодела: трансфера не было! Его отобрали, пока она лежала без сознания! Кто?!

Догадка, а точнее — воспоминание сверкнуло в тот миг, когда в помещение сквозь конвульсивно колыхнувшуюся стену вошел человек. Даниил Шаламов.

— Вы! — глухо проговорила Дарья, глядя на него исподлобья. — Это вы меня перенесли!

— Ну просто невероятная догадливость, — иронически посмотрел на нее бывший друг отца. — Просто фантастическая! Рад, что ты быстро пришла в себя. У меня мало времени, поэтому долго рассусоливать не будем. Как говорится, когда мало времени, тут уж не до дружбы, только любовь.

— Отпустите меня! — прежним глухим голосом проговорила девушка. — Верните трансфер!

— Ух, как глаза сверкают! Просто загляденье! Ты сейчас гораздо больше похожа на своего батюшку, чем на мать.

Однако вынужден огорчить, сударыня, он не придет тебе на помощь. Клим парит где-то в столь высоких эмпиреях, что докричаться до него практически невозможно.

— Выпустите меня, немедленно! Здесь скоро будет дядя Ари... — Дарья прикусила язык.

— Железовский, что ли? Это серьезный человек. Только ему до меня, как от Земли до Солнца. Несмотря на физическую мощь. Тем не менее спасибо за предупреждение, об этом стоит кое-кого предупредить. Аристарх может наломать дров. Подожди здесь, я скоро вернусь.

Шаламов вошел в твердую на вид стену, как в пелену дыма.

— Он вам еще покажет! — в отчаянии крикнула Дарья ему в спину.

Шаламов не оглянулся, исчез.

Дарья, бессильно сжав кулаки, топнула ногой, потом заставила себя успокоиться.

Гнев и ненависть были плохими помощниками в данном положении, надо было думать, как изменить ситуацию в свою пользу, и действовать. Кто может помочь? Аристарх! Но его нет. Князь? С ним она мало знакома, да и возможностей у князя не так уж и много. Остается Дар. И его дружок Борята. Может быть, стоит п о з в а т ь их?

Дарья привела мысли и чувства в порядок, уселась в одном из углублений в полу, скрестив ноги, и вызвала состояние «триай». Невидимый и неощутимый поток мысли, превратившийся в своеобразное копье, пронзил космос, за несколько мгновений преодолел расстояние от Солнца до Земли и влился в общее энергоинформационное поле планеты.

Скачком повысилось артериальное давление, сердце заработало в темпе насоса, голова распухла, превратилась в эфемерную сферу, окутавшую планету. Стали слышны «шумы» биорезонансов, соответствующих ментальным полям лесов, колоний муравьев, стай птиц и редких человеческих коллективов. Дарья определила вектор поиска в пространстве, на поверхности Земли, и подключилась к коллективному полю стаи ворон, кружащей над лесом в районе Брянска. Сил на такую форму связи уходило много, но девушка упорно не выходила из «копья» «триай», вслушиваясь в шумы пси-эфира.

Внизу, под стаей, показался хутор, чуть поодаль кружили над лугом три или четыре летательных аппарата. Но княжичем здесь «не пахло», его личное ментальное поле имело другие характеристики.

Дарья «повернулась» внутри стаи, меняя ориентацию обзора. И тотчас же увидела-почувствовала д в и ж е н и е в небе над горизонтом. Там суетились черные пятнышки, вспыхивали и гасли звезды, вспарывали воздух огненные пунктиры и молнии, вспухали облачка пламени и дыма. Там шел бой!

Заставить воронью стаю подлететь ближе к месту боя Дарья не могла, поэтому переключила сознание на рыхлое и рассредоточенное биополе леса в нужном районе. Картинка в голове получилась смазанной, но все же ей удалось понять, что бой идет между двумя десятками кораблей отеллоидов и спейсером Галиктов. Управляли кораблем-ножом двое: Аристарх Железовский и Дар, прапрадед и праправнук.

— Дядя Аристарх! — прошептала девушка. — Дар!

Ее услышали, судя по реакции пси-аур обоих мужчин (на борту корабля находился еще один человек, но не интрасенс), в голове Дарьи проросло крохотное зернышко удивления и радости, однако силы ее кончились, и она по-

теряла сознание, выплывая из поля «триай», как ныряльщик из воды.

В себя пришла через несколько минут. Подняла гудев-
шую, как колокол, голову.

На нее смотрел человек... нет, отеллоид!

Б-р-р, ну и взгляд!

Дарья подхватилась на ноги, преодолевая слабость.

— Чего уставился?! Кыш отсюда!

Отеллоид переступил с ноги на ногу, но остался на
месте.

— Я кому сказала? Пошел вон!

— Приказ... наблюдень... ограничность... не действие...

— Я и так не убегу! — Дарью вдруг осенило. — На корабле есть метро?

— Непонятность... что есть?

— Станция мгновенного транспорта. Мне надо... хочется познакомиться с ее конструкцией.

— Назвательство другое... данность...

— Значит, есть? Веди меня к ней!

— Приказ... ограничность...

— Дурак! Я просто хочу посмотреть на вашу технику,
из любопытства. Ферштейн?

— Обеспечень ограничность... недоступ... ление...

Дарья поняла, что ничего от соглядатая не добьется. То-
му было приказано следить за ней и никуда не выпускать.
На интеллектуальные действия он был просто не рассчитан.
Однако что, если попробовать его перепрограммировать?

Девушка сосредоточилась на внечувственном оперировании и всунула «щупальце» ментального поля в голову
черного псевдочеловека. И ничего не увидела и не ощутила! Мозг в этой голове отсутствовал напрочь! Не было даже слабенькой электронной схемки, управляющей движе-

нием робота. По-видимому, он весь состоял из «железообразного квазиметалла», способного одновременно создавать внутри себя нервные связи и избирательно проводить управляющие импульсы. Отеллоид сам был простенькой программой, реализованной в материале для выполнения определенной задачи.

— Чурка! — в сердцах бросила Дарья, стряхивая на пол с кистей рук ручейки розового сияния. — Свяжи меня с главным инком! Я требую!

— Ограниченность не действие невозможность... — забубнил отеллоид скороговоркой, равнодушный к проявлению чувств пленницы.

Дарья вспомнила опыт княжича в общении с отеллоидами, подошла вплотную и резким ударом отшвырнула стражника к стене. Удар получился не очень мощным, но скоростным, и отеллоид еще в полете разлетелся на несколько жидких ручьев, рухнул на пол вздрагивающей железообразной массой. Через несколько мгновений масса эта растеклась лужей и всосалась в пол без следа.

— И так будет с каждым! — проговорила девушка, борясь с приступом тошноты. — Меня лучше не злить!

В ту же секунду с остриев потолочных груш-сосков сорвалось на пол несколько черных капель в ореоле электрических искр, которые превратились в отеллоидов. Через несколько секунд в зале насчитывалось уже полдюжины этих созданий. Без лишних движений, молча, сверкая белыми глазами, они двинулись к пленнице.

Дарья попятилась.

— Эй, эй, вы чего, чурки? Не подходите! Я буду кусаться!

Но черные псевдолюди окружили ее и, как она ни сопротивлялась, ухватили за руки и за ноги.

Из стены выпятился складчатый выступ, образуя нишу. В эту нишу и воткнули землянку отеллоиды, вливаясь в стену частью выступа и превращаясь в своеобразные захваты.

Дарья оказалась погруженной в отвердевшую черную субстанцию по плечи, не в силах вырвать из нее ни руки, ни ноги.

— Вот дрянь! — чуть не заплакала она, кусая губы, в то время как второе «я» трезво оценило положение: «Кажется, я влипла и в прямом и в переносном смысле!»

Снова вспомнился рассказ Дара, попавшего точно в такую же ситуацию. Что, если применить его положительный опыт? Правда, полной свободы без трансфера все равно не получить, но и торчать вклеенной в стену, как муравей в смолу, совсем не катит.

Девушка заставила себя успокоиться и начала готовиться к энергетической отдаче на пределе всех своих сил. Через некоторое время она собралась окончательно, с угрозой подумав: ну, слизняки, я вам покажу... когда выберусь отсюда!..

Глава 12

Лишь потеряв пятнадцать кораблей из двадцати, инкматка отеллоидского флота сообразила, что противник у нее гораздо более серьезный, чем она рассчитывала, и приказала уцелевшим кораблям отступать. Однако мгновенно сделать это не удалось, поэтому из района боя сумели вырваться только две «ракушки», бросившиеся наутек во все лопатки. Корабль-нож легко мог догнать их и уничтожить, но Железовский не стал отдавать команду Шершню на уничтожение. Во-первых, он не жаждал добить противника любой ценой. Во-вторых, во время боя оба пилота услышали ментальный зов Дарьи, и освобождение девушки становилось теперь главной задачей.

— Что будем делать, ребята? — спросил Аристарх, выглянув из своей «пилотской» ячеи.

— Летим к Солнцу! — ответил Дар. — Даша находится на базе отеллоидов.

— Если только нам позволят долететь до Солнца.

— Кто?

— Дан Шаламов.

— Пусть попробует!

Железовский глянул на лицо парня со сжатыми губами и пылающими глазами, хмыкнул, сел поудобнее.

— А твое мнение, отрок?

— Конечно, надо лететь! — уверенно заявил Борята.

— Что ж, безумству храбрых поем мы песню. Вперед, Шершень! Впрочем, минутку. Нам может понадобиться помощь. Вот что мы сделаем. Лети-ка ты, парень, к князю. Пусть подготовит дружину для десанта.

— А меня он послушается? — с сомнением сказал Борята.

— Послушается. Скажешь, что пришла пора поквитаться с отеллоидами. Мы с правнуком пока посчитаем запасы.

Борята вылез из ячеи, бросил взгляд на Дара. Тот кивнул:

— Давай, Борик. Скажи отцу, чтобы поторопился.

— Бери мой куттер, — добавил Железовский. — Я оставил его в тамбуре.

Борята выбежал из рубки.

Железовский проводил его взглядом, подождал, пока молодой целитель покинет борт корабля.

— Вот теперь можно двигаться и нам.

— Разве мы не будем ждать дружину отца?! — удивился Дар.

— Не будем. Нет времени. Да и не поможет она, честно признаться. Нам нужны умные головы, а не сильные руки. К тому же нет необходимости рисковать жизнью парня, не владеющего экстрарезервом. Он будет только мешать. Вперед, Шершень!

Корабль-нож рванулся вперед, глотая пространство со сказочной быстротой. Он обогнал шарахнувшиеся в стороны отеллоидские космолеты и спустя всего двадцать две минуты с момента старта вышел к скоплению черных «ракушек» основной космической флотилии отеллоидов. Изрядно потрепанной, к слову сказать. Колючий пятикилометровый «каштан» базы-матки окружало всего три с половиной десятка «ракушек», все, что осталось от грозного флота. Возможно, с десяток отеллоидов еще бороздили просторы Солнечной системы, рыскали вокруг Земли и других планет, но они вряд ли смогли бы существенно усилить группировку, начнись война. И все же, по мнению Дара, кораблей было еще очень много.

Их заметили.

От черной стаи, зависшей на высоте около миллиона километров над фотосферой Солнца — напротив эйнсофа, отделились пять «ракушек», рванули навстречу «осиному» кораблю.

— Нужна связь! — произнес Железовский озабоченно. — Иначе снова придется воевать. Я попробую позвать главного отеллоида-атамана по «триай», а ты включи бортовые системы связи. Спейсер Галиктов должен иметь неплохие передатчики.

Дар повиновался, считая секунды, оставшиеся до встречи с кораблями противника. Двигались они уже не так быстро, как прежде, зная возможности «осиного» космолета, но все равно времени у пилотов корабля-ножа оставалось совсем мало, не больше трех минут.

Шершень понял, что нужно пилоту, почти мгновенно. Похоже, ему даже доставляло удовольствие подчиняться человеку, несмотря на разницу в подходах к сотрудничеству такого плана у людей и у разумных ос.

Включились генераторы электронных полей, а также гравитационные и фотонные излучатели, передавая в космос на всех диапазонах речь человека.

— Внимание! Предлагаю начать переговоры! Мы не хотим воевать! Внимание! Предлагаем начать мирные переговоры! Мы не хотим воевать!

— Добавь — предлагаем обмен, — быстро сказал Железовский. — Мы отдаем им артефакт, за которым они гонялись на Земле, а они пусть вернут пленницу.

Дар послушно повторил слова прадеда, представив, как их корабль сверкает сейчас лучами лазерных передатчиков, превратившись в своеобразную елочную игрушку.

Прошла минута, другая...

«Ракушки» отеллоидов разошлись кольцом, охватывая идущий малым ходом «осиный» спейсер.

«Объекты в зоне поражения, — доложил Шершень. — Прикажете открыть огонь?»

Конечно, инк Галиктов не владел земными языками, но смысл его мыслепередачи сводился именно к этой фразе.

«Подожди, — ответил Дар. — Продолжай передавать сообщение. До тех пор, пока объекты не начнут стрелять».

— Кажется, нас наконец услышали, — сквозь зубы выговорил Железовский. — Сейчас пришлют парламентера.

Корабль-нож остановился.

Замерли и черные корабли отеллоидов, отнюдь не выглядевшие хищными военными машинами. Что вблизи, что издали они больше походили на «живые» морские раковины с моллюсками внутри. Хотя никаких моллюсков внутри них не было. Каждая «ракушка» представляла собой единый квазиживой организм, способный по мере надобности лепить из своего жидкокристаллического тела любые формы.

От стаи отеллоидского флота отделился еще один «организм», текучей струей метнулся к спейсеру Галиктов, оставляя за кормой хвост тающих искр. Расстояние в два миллиона километров он преодолел за шесть минут, демонстрируя неплохие ходовые качества. Остановился в семидесяти километрах от корабля-ножа.

С минуту ничего не происходило.

— Они ждут нас? — тихо спросил Дар.

— Пытаюсь понять... этот кусок желатина общается со своей маткой... но я не понимаю...

— Может быть, я выйду? Встречу...

— На чем? Галиктам не нужны были летательные аппараты, они сами летали. Подождем немного, предоставим инициативу противнику. К тому же Дарьи на борту этого посланца нет.

Прошло еще две минуты.

Спейсер отеллоидов закончил разговор со своим начальством и двинулся к «осиному» кораблю «мелкими шажками», помаргивая возникающими на его корпусе фиолетовыми огоньками. Должно быть, на языке отеллоидов это означало: «Стойте на месте, я подхожу, не стреляйте».

Черное пятнышко, оконтуренное белой вуалькой — так система обзора корабля-ножа вела все космические объекты, — превратилось в тушу кита, в округлую ребристую гору, загородила половину звездной сферы. Когда расстояние, разделявшее корабли, сократилось до двух сотен метров (Дар готов был скомандовать Шершню открыть огонь на поражение и уходить), километрового диаметра «ракушка» отеллоидов остановилась.

Секунда, две, три... пять...

От корпуса чужого космолета отделилась черная капля,

помчалась к «осиному» спейсеру. Дар сгоряча едва не крикнул: огонь! — но вовремя остановил мысль. Капля не представляла собой бомбу или ракету с ядерной начинкой. Это был парламентер-отеллоид.

— Открой ему люк, — сказал Железовский. — И проводи сюда.

Черная капля приблизилась к корпусу корабля-ножа, нырнула в отверстие люка. Вскоре в рубке открылся входной люк, из него вылетела бликующая черная сигара и превратилась в «негра» с белыми глазами.

Железовский выбрался из «пилотской» ячеи, шагнул навстречу отеллоиду.

— Привет, гонец. Каковы твои полномочия?

Голова парламентера покрылась слоем искр, создавая впечатление шевелящихся огненных волос.

— Мой полномочность передача... отдать вещь... йихаллах решать...

— Твой йихаллах подождет. Мы отдадим вещь только в обмен на девушку. Но прежде ответь на пару вопросов. Тебе позволено отвечать?

— Представлен... ность... передать... ожидаемость... слушать йихаллах...

— То есть твой начальник тебя слышит?

— Да есть посредство носитель...

— Через корабль? — догадался Железовский. — Ну и прекрасно. Вопрос первый: человек по имени Даниил Шаламов находится у вас? Тот, который доставил на вашу базу девушку. Понимаешь, о чем я говорю?

— Запас мало понятийность... понимать мы-да... ответ вопрос: человек данность отсутство... нет...

— Я понял так, что его в настоящий момент на борту

базы нет. Жаль, мы бы с ним быстро договорились. Последний вопрос: где девушка? Пленница?

Отеллоид снова покрылся слоем искр, потерял человеческую форму, с трудом восстановил ее.

— Нутрь... ренность йихаллах... бытийно есть нормаль... зован... ность...

Железовский кинул мимолетный взгляд в сторону «пилотской» ячейки Дара.

— Не нравится мне его заикание. Такое впечатление, что он вот-вот лопнет. Герхард прав, квазистабильность их тел имеет пределы. Надо поторопиться. Возвращайся! — обратился он к парламентеру. — Передача состоится здесь же, как только вы доставите пленницу. И передай своему командиру, что я уничтожу всю вашу камарилью, если с головы пленницы упадет хоть один волосок! Понял?

— Передачность послание... выслуш... ность... согласие быть...

— Иди!

Отеллоид вывернулся сам в себе (спина и грудь поменялись местами), зашагал к выходу из рубки. Но не дошел несколько метров, остановился. Голова его повернулась вокруг оси, ничего не выражающие глаза уставились на выглянувших из ячей пилотов.

— Поступление приказность... уничтож... ность...

По телу псевдочеловека побежала мелкая рябь, с каждого бугорка посыпались длинные белые искры.

— Самоликвид! — рявкнул Железовский. — Он сейчас взорвется! Выбрасываем его к чертовой матери!

Но Дар уже и сам сообразил, что происходит, и дал Шершню мысленную команду.

Вокруг оплывающего черным стеарином отеллоида в

полу рубки образовался кольцевой выступ до пояса, зажал его тело и стремительно вынес в отверстие люка.

Видеокамер в коридорах «осиного» корабля не было, но внутренним взором Дар видел перемещение опасного груза к внешним выходам. Отеллоид взорвался практически в метре от раскрывшегося в борту корабля люка.

Взрыв был такой силы, что огненный факел ударил на две сотни метров, прожигая в корпусе корабля-ножа глубокую воронку и дотягиваясь до «ракушки» отеллоидского корабля. К счастью, конструкторы Галиктов предусмотрели подобного рода аварии (корабль действительно предназначался для ведения боевых действий), и защитная система быстро устранила повреждения корпуса, не затронувшие основные энергокоммуникации.

— Огонь! — скомандовал Железовский, не дожидаясь реакции отеллоидской эскадры. — Маневр!

Корабль-нож выстрелил, рванулся в сторону, еще раз выстрелил, и разящие молнии «ракушек» прошли мимо. Зато Шершень не промахнулся. Две «ракушки» превратились в длинные струи черных брызг, пыли и дыма. За ними еще две. Оставшиеся космолеты кинулись прочь, таща за собой хвосты ярких тающих искр. Их можно было догнать и уничтожить, но Железовский не стал этого делать.

— Врубай передатчики! Попробуем договориться еще раз. Не знаю, чья это идея — запустить к нам шахида-смертника, но явно не отеллоидов. У них есть консультант-землянин.

— Я же с ним дрался...

— Сын Торопова? Возможно. Но если это так, шансов договориться у нас мало, парень принадлежит к секте либеро, полный отморозок, и ему наплевать на результат переговоров, на Дашу, на нас с тобой и на отеллоидов. Однако попытаемся.

Дар вызвал Шершня. Включились системы связи корабля.

— Внимание! Вызываю центр управления! Если в течение часа обмен не состоится, база будет уничтожена! Повторяю...

— Вот это по-нашему! — одобрительно кивнул Железовский, мысленно бросая в эфир примерно эту же фразу. — Ты быстро цивилизуешься. Вряд ли нашим черным друзьям и их маме-йихаллах придет в голову, что мы блефуем.

Дар ошарашенно глянул на прадеда.

— Как блефуем? Разве мы не собираемся... атаковать базу?!

— Там Дашка, — мрачно оскалился Железовский. — Мы не имеем права рисковать. Но я надеюсь, что нам поверят. Сын Торопова — в силу низменных качеств души, отеллоиды — в силу своей негуманской логики, не использующей обман в качестве аргумента.

— А если они... не поверят?

— Тогда придется брать базу на абордаж.

Дар недоверчиво глянул на спутника. Тот явно не шутил.

— Нас же только двое...

— Зато мы в тельняшках, — усмехнулся Аристарх. — Была такая приговорка у моих предков в двадцатом веке. Вызывай их еще раз.

В эфир полетела очередная порция телеграмм:

— Внимание! Вызываю центр! Если в течение часа...

Ждать пришлось чуть больше двадцати минут. Императив-центр отеллоидов решал поступившую вводную, оценивал свои силы и советовался с экспертом-человеком. Неизвестно, что ему предлагал Леон Торопов, но решение матка отеллоидов приняла оптимальное — для себя, разумеется. Ограниченные знания человеческой психологии не позволили ей рискнуть д е л о м . Программа требовала выполнения задачи любым способом, а передача пленницы в обмен на артефакт существенно сокращала путь к цели.

В динамиках рубки раздался самый обыкновенный человеческий голос:

— Эй, княжич, ты меня слышишь?

Дар встретил взгляд выглянувшего из ячеи Железовского.

— Это он... мой противник...

— Леон Торопов.

— Княжич, слышишь меня?

— Отвечай, — кивнул Аристарх.

— Слышу.

— Приди и забери свою подружку, если не струсишь. Да не забудь прихватить вещицу, о которой шла речь.

— Не забуду, — глухо пообещал Дар.

— Я пойду, — заворочался Железовский, вылезая из ячеи.

— Нет, я! — твёрдо заявил молодой человек. — Я его не боюсь.

— Нет никаких гарантий, что он не обманет.

— Все равно надо идти мне.

Железовский помолчал несколько секунд, обдумывая решение.

— Ладно, передавай в эфир сообщение для императив-центра отеллоидов. Их «мама» должна знать, что мы согласны на её условия, озвученные человеком.

— Внимание! — проговорил Дар. — Мы высылаем представителя для обмена.

— При малейшей попытке нападения на представителя открываем огонь на поражение! — добавил Железовский. — А это специально для тебя, земная б...дь! Твой отец находится у нас, и его жизнь будет зависеть от того, как ты себя будешь вести! Понял, господин Торопов-младший?

Молчание в эфире.

— Понял, — удовлетворенно проговорил математик. — Вот теперь принимай посланца.

Корабль-нож сделал прыжок и вышел точно к центральному «каштану» базы отеллоидов, на борту которой томилась в плену Дарья. Корабли-«ракушки» отеллоидского флота взвихрились метелью, окружая пришельца, но ближе чем на два десятка километров подходить к нему не решились. На фоне раскаленной, усеянной зернами и оспинами конвективных ячеек, петлями протуберанцев и более яркими факелами флоккул горы Солнца они почти терялись, и лишь специальные методы обработки видеоинформации, используемые инком «осиного» спейсера, позволяли пилотам ориентироваться в пространстве.

— В «заскоке» ты долго не продержишься, — сказал Железовский, критически оглядывая фигуру Дара. — Там гигантские перепады полей, температура выше точки плавления любого металла плюс потоки радиации. Нужен какой-нибудь скаф, летательный аппарат с хорошей защитой.

— На борту нет летаков.

— Что, если попробовать объяснить Шершню, что нам нужна защитная капсула?

Дар вызвал Шершня, Железовский присоединился к нему, и они принялись сочинять видеоряд, объясняющий «осиному мозгу» желание пилотов. Тот, к его чести, сообразил быстро. В носу корабля образовалась овальная оболочка, похожая на живое пульсирующее человеческое сердце, только в полсотни раз больших размеров. В сознании людей возникло необычное сочетание «немых звуков и ощущений», которое можно было перевести на человеческий язык фразой: «Модуль готов».

— Отлично, — потер руки Железовский. — Теперь мы мало зависим от внешних условий. Пойдем, я тебя провожу.

Дар выбрался из «пилотской» ячейки.

Корабельный лифт доставил их к созданной Шершнем капсуле, выглядевшей странно и необычно. Вблизи она больше походила на гигантское муравьиное яйцо белого, с янтарными разводами, цвета.

— Залезай. В случае чего беги оттуда галопом. Не дай захватить себя в плен, тогда договариваться будет значительно труднее.

Дар кивнул. Он уже настроился на иной ритм жизни, вдвое повышающий скорость физиологических реакций, и пытался «достать» Дарью стрелой мысленного вызова. Однако девушка не отвечала, и все мысли молодого человека были заняты ею. Он ч у в с т в о в а л ее близость.

— Ни пуха ни пера, — добавил человек-гора.

Дар не ответил. В его времена это присловье было уже забыто.

В капсуле возникло отверстие в рост человека.

Дар вошел. Железовский вошел следом за ним.

— Погляжу, как ты тут устроишься.

В капсуле было темно, но стоило людям войти, в ее стенках протаяли ячеи видимости, превращая помещение в своеобразный фасетчатый глаз. Посреди, прямо из пола возникли две ячеи — «пилотские кресла».

— Одно лишнее, — сказал Железовский странным голосом. — Закрой его перегородкой.

В голове Дара проросло зернышко незнакомого псиголоса, сопровождаемое ощущением готовности с л у ж и т ь. Это заговорил инк капсулы, которому Шершень делегировал часть своих функций и подключил к общей системе связи.

— Садись, — сказал Аристарх.

Дар сел, повозился, устраиваясь поудобнее.

За спиной возникла перегородка, отделившая пилотский «кокон» от остального помещения.

«Как ты там?» — послышался мысленный голос Железовского.

— Отлично! — вслух проговорил Дар.

— Я выхожу... стартуй.

Дар подождал несколько секунд и скомандовал инку: «Вперед!»

Мысленное присутствие прадеда вселяло уверенность и придавало сил. Затем думать об этом стало недосуг.

В борту корабля прорезалось отверстие люка. С тихим хлопком вылетел в пространство воздух, увлекая за собой капсулу. Ухнуло в пятки сердце — наступила невесомость. Затем огненное крыло света смахнуло темноту, и Дар невольно зажмурился, буквально ныряя в густой поток алого сияния невероятной глубины. Несмотря на фильтры, включенные автоматикой капсулы, подгоняющие условия обзора под параметры человеческого зрения, этот поток был так чудовищно плотен, что ориентироваться в нем было невозможно. Дар видел лишь огонь со всех сторон, чуть менее яркий в противоположной от Солнца стороне.

«Ничего не вижу!» — сообщил он, ошеломленный переходом от темноты к физически ощутимому, как жидкое пламя, свету.

«Держись! — прилетел мысленный голос Железовского. — Я буду корректировать полет. Пока что ты летишь правильно».

«Фасетки» капсулы покрылись сеткой мелких «трещин», существенно снизившей солнечный накал. Видеосистема капсулы пыталась помочь пилоту. Но и после этого Дар ничего не видел, кроме бушующего вокруг огня. Тогда он закрыл глаза и сосредоточился на гиперзрении.

Стало легче.

Корабль-матка отеллоидов, до которой было всего около трех километров, обозначился в поле зрения полупрозрачной медузой, висящей над огненной бездной. Стал виден и эйнсоф, погруженный в верхние слои атмосферы Солнца, удивительно похожий на круглый птичий глаз: черный зрачок, алая радужка, чуть более яркий ободок и еще одно темное колечко. С расстояния в миллион километров он вовсе не создавал впечатления грандиозного и опасного явления.

«Не отвлекайся», — послышался мыслеголос прадеда.

Дар встрепенулся, сбросил оцепенение.

«Поехали!»

Резкий толчок.

Капсула дернулась, полетела вперед, как волан от удара по нему ракеткой. Дар едва не потерял сознание от рывка. Но сетовать на действия машины, приспособленной для перемещения своих прежних хозяев, свободно переносящих дикое ускорение, было поздно.

Приблизилась «медуза» отеллоидской базы.

Капсула с пилотом преодолела расстояние, отделявшее корабль-нож от базы, всего за десять секунд.

Колючий «каштан» базы заполнил собой переднюю полусферу обзора. Правда, тень от нее была такая жиденькая, что не намного притушила блеск огненного солнечного океана. Тем не менее Дар не потерял ориентации, продолжая пользоваться не глазами, а трансперсональной системой зрения, усиленной интуицией.

В боку базы возникло отверстие.

«Дальше действуй самостоятельно», — напомнил о себе Железовский.

Капсула нырнула в отверстие, больше похожее на рот, чем на люк. Резко стемнело. Движение прекратилось. Восстановилось привычное тяготение, примерно равное земному.

«Выходи, посланец», — услышал Дар характерный мыслеголос недавнего противника. Скомандовал водителю капсулы открыть люк, одновременно сканируя пространство лучом внесенсорного восприятия. В голове развернулся призрачный фонтанчик знакомого «мыслезапаха». Откликнулась Дарья:

«Дар?! Ты здесь?!»

«С тобой все в порядке?! Где ты?»

«Меня вклеили в стену, не могу вырваться!»

«Жди, я уже иду».

«Один?!»

«Прадед подстраховывает в «осином» корабле».

«Выходи, княжич!» — снова пробился в мыслесферу Дара пси-вызов младшего Торопова.

Дар вылез в отверстие люка, огляделся.

Капсула лежала в углублении посреди необычной формы помещения, стены которого походили на застывшие фиолетовые, с голубоватыми гребнями, волны. Ни одного острого угла — плавные кривые линии, синусоиды, параболы, гиперболы, эллипсоиды. Ничего похожего на искусственное сооружение. Полость внутри живого организма, который, по сути, и представлял собой император-центр (база-матка) отеллоидов. Дар уже сподобился в свое время побывать внутри этого космического левиафана, и его интерьеры были ему не в диковинку. Странным образом его судьбу разделила и Дарья, став пленницей главного создателя отеллоидов.

В стене помещения (дышалось здесь легко, воздух был насыщен кислородом, хотя запахи приятными назвать было трудно) прорезалось овальное отверстие. В него протиснулся молодой человек знакомой внешности, с которым Дар сражался в лесу на Земле. За ним в тамбур вылезла дюжина отеллоидов, молча окружила парламентера.

— Вот мы и снова встретились, — сказал Леон Торопов, нехорошо ухмыляясь; он был вооружен «универсалом», торчащим из плечевой турели, а из поясного захвата выглядывала рукоять еще одного пистолета — парализатора «василиск». — Может быть, продолжим старый разговор?

— Я прибыл не для разговоров, — сухо отрезал Дар. — У меня есть то, что нужно черным. Приведите сюда девушку.

— Я прибыл не для разговоров, — передразнил чистодея Торопов-младший. — А у меня нет таких полномочий. Шаламов оставил ее на попечение здешней автоматики, ее и проси.

В глазах молодого человека мелькнула насмешка. Он наслаждался ситуацией, считая, что противник находится в безнадежном положении.

Дар оглядел бесстрастные физиономии черных псевдолюдей, выбрал одного из них.

— Я принес предмет обмена. Приведите сюда ваш объект обмена.

Отеллоид не пошевелился, хотя Дар успел поймать слабенький призрачный лучик ментальной связи, выскользнувший из макушки отеллоида и вонзившийся в потолок тамбура. Отеллоид запрашивал у своей «мамы» инструкции.

— Кажется, они тебя игнорируют, — презрительно ухмыльнулся Торопов. — Ты кажешься им недостаточно важной персоной.

— Повторяю, — произнес Дар. — Приведите сюда объект обмена. Я принес то, что вам нужно.

— Показать... данность... — обрел голос отеллоид.

Дар вынул из ранца чашу — «обломок суперструны», поднял над головой.

В то же мгновение с потолка сорвалась вниз черная струйка, норовя схватить чашу. Дар прянул в сторону и выстрелил из грапля. Звуковая «пуля» вонзилась в струйку, разнесла ее на капли.

Рука Торопова легла на рукоять пистолета на поясе, ствол «универсала» нащупал лоб Дара. Движение на долю секунды замерло.

— Немедленно прекратите! — раздался вдруг чей-то гулкий бас, и из «осиной» капсулы на пол тамбура выбрался... Железовский!

— Вы?! — ошеломленно открыл рот Дар.

— Аристарх! — пробормотал побледневший Торопов, оглядываясь на оставшихся равнодушными отеллоидов. — Ты был здесь!..

— Где девочка?

— Там... — показал за спину Торопов.

— Веди!

Сын бывшего командора погранслужбы съежился, как от удара, и покорно повел за собой обоих парламентеров. О сопротивлении он даже не подумал, зная возможности человека-горы.

Глава 13

Только получив передышку, удивленный и обрадованный появлением прадеда, Дар наконец оценил общий психоэмоциональный фон базы отеллоидов и мимолетно подумал, что находиться внутри живого (пусть и созданного искусственно) существа не слишком приятно. Ассоциации будили атавистические страхи (вдруг она — то есть матка отеллоидов — начнет их «переваривать»?!) и заставляли напрягаться до мышечных судорог.

Дорога к центральному залу, в котором держали пленницу, заняла несколько минут. Лифт базы не работал, либо его не существовало вовсе, и от тамбура до центра пришлось идти пешком по петлявшему, как длинная кишка, коридору.

Торопов-младший оглядывался, натыкался на взгляд Железовского и сникал. Воля Аристарха была сильней. К тому же предатель понимал, что оправдаться не сможет, и чувствовал себя скверно.

Отеллоиды, сопровождавшие землян, хранили молчание. Они выполняли приказ матки» и не вмешивались в разговоры людей, не понимая их переживаний.

Вошли в зал, знакомый Дару. Он увидел погруженную в черный субстрат стены Дарью, бросился к ней.

— Наконец-то, — бросила девушка с независимым видом; она хорохорилась, но было видно, что дочь Мальгина готова плясать от ликования.

— Освободите ее! — обернулся Дар.

Торопов-младший с кривой ухмылкой развел руками.

— Сие от меня не зависит. Поговорите с «мамой», это ее инициатива — обменять девчонку на артефакт. Послушайся она меня... — Он осекся.

— Мы представляем, — усмехнулся Железовский, тоже

подходя к радостно взиравшей на него Дарье. — Где Шаламов?

— Ушел по делам, оставив меня на попечение этих черных уродов. Трансфер забрал.

— Не сказал, когда вернется?

— Нет.

Железовский обернулся к мрачной группе отеллоидов.

— Освободите ее!

От его баса по залу пробежало гулкое эхо, стены зала конвульсивно дрогнули, по ним пробежала волна, здорово напоминавшая волну мышечных сокращений на человеческом теле.

Один из отеллоидов выступил вперед.

— Отдать необходимость... да... освобожденность есть...

— Прежде снимите с нее ограничители движения.

Отеллоиды все разом переступили с ноги на ногу, словно речь парламентера-человека поставила их в тупик.

Железовский, давно пытавшийся установить прямой мысленный контакт с маткой черных псевдолюдей, поднял голову к потолку, сузил глаза. В то же мгновение пол под ногами собравшихся в зале заходил ходуном, завибрировали стены.

— Что это?! — округлила глаза Дарья.

Дар знал ответ: Железовский держал связь с Шершнем, дал команду, и тот нанес «ювелирный» удар по базе, стесав несколько ее шипов-наростов.

— Надеюсь, т а к о й язык вам понятнее? — пробасил Аристарх.

Его слова предназначались прежде всего в о д и т е л ю базы, и тот понял.

— Понятность да есть... — заговорил отеллоид. — Нет нужность сила воздействие...

Гладкие черные вздутия, удерживающие Дарью, начали оплывать, опадать, рассасываться. Она с криком радости выдернула руки, потом ноги, бросилась к Дару. Молодые люди обнялись, девушка первой поцеловала спасителя, потом то же самое повторил он.

— Передачность отдать нужность вещь... — забубнил отеллоид-переводчик. — Можность уход...

— Держи. — Аристарх забрал у смущенно оглянувшегося праправнука чашу, передал отеллоиду. — Мы уходим. Не вздумайте устроить какую-нибудь провокацию. Моя боевая машина разнесет вашу базу в пыль!

— Не выпускай их! — сорвался вдруг с места Торопов-младший. — Они блефуют! Никто не станет стрелять по базе, когда все они находятся в...

Железовский оглянулся на него, и предатель замолчал, будто в рот ему загнали кляп, сделал шаг и сел на пол с выражением безмерного удивления на лице.

Отеллоиды зашевелились, глядя то на него, то на людей, направившихся к овальной дыре выхода. Дар и Дарья задержались.

— Не останавливайтесь! — с нажимом проговорил Железовский. — Я останусь... на пару минут, поговорю с местной властью. Даша, держи трансфер.

— А ты? — неуверенно посмотрела на него девушка, беря сферу транслятора.

— Мне он не понадобится.

— Но они могут...

— Идите! Все будет хорошо. Садитесь в капсулу и... Аристарх не договорил.

Некая сила шевельнула весь массив базы, и с дуновением холодного ветра в центре зала возникла странная прозрачная фигура, напоминающая какого-то хищного зверя и человека одновременно. Внутри фигуры загорелись узкие огненные глаза. Объем зала искривила та же непреодолимая сила. Фигура сжалась, уплотнилась, потеряла «лишние» детали и превратилась в человека.

— Ах вы, сучьи дети! — сказал Шаламов, оглядывая шеренгу отеллоидов и застывших землян. — Решили обойтись без моего с о г л а с и я? Нехорошо-с! А ты, Аристарх, меня и вовсе огорчил. Тебе-то зачем играть в эти игры?

— Это ты играешь в и г р ы, — прогудел Железовский угрюмо; волосы на голове математика встали дыбом, в них засверкали искорки, с пальцев рук стекли на пол струйки электрического сияния. — Мы делаем дело — защищаем свой дом и свой род. А вот что ты здесь делаешь?

— Они заставили меня... — сбросил оцепенение Торопов-младший, вскочил на ноги, бросился к Шаламову, но споткнулся и упал. — Черт! Они вооружены! Заставь их...

— Помолчи!

Торопов умолк, тяжело дыша, взялся за рукоять парализатора, но не вытащил.

Шаламов посмотрел на Дара оценивающе, перевел взгляд на Аристарха.

— Похож, похож, прямо копия. Сильные у тебя гены, дружище, позавидовать можно. Однако что же мне с вами делать? С одной стороны, вы действительно пытаетесь удержать цивилизацию от падения, что весьма благородно, хотя и глупо. С другой — мешаете выполнению более важной задачи — нейтрализации инфляционного раздувания нашей Метавселенной, чем, собственно, и занимаются эти парни. — Шаламов кивнул на отеллоидов. — Вернее, их создатели.

— Черные дыры... — почти беззвучно прошептала Дарья.

Шаламов благосклонно посмотрел на нее.

— Я тебе давно говорил об этом. Жаль, что твои друзья не понимают щекотливости ситуации. Даже не знаю, что с ними делать.

Дар сжал кулаки, шагнул к нему.

— Вы не имеете права...

Шаламов небрежно качнул пальцем.

Чистодей вздрогнул, остановился, кровь бросилась ему в лицо. Было видно, что он борется с волевым воздействием Шаламова, парализующим нервную систему. Справился! Снова сделал шаг вперед, упрямо боднув лбом воздух.

— Я не позволю вам...

— Это Я не позволю! — каркнул Шаламов, ощерясь, поднял руку... и перед ним вырос Железовский.

— Не горячись, Дан! Перед тобой не враги! Возможно, мы чего-то недопонимаем, неправильно думаем, не то делаем, но и ты, и мы — люди! Если, конечно, я не ошибаюсь в своей оценке. Давай отпустим ребят и спокойно во всем разберемся.

— Мне не в чем с вами разбираться! Вы сейчас же уберетесь отсюда! И больше не будете вмешиваться в деятельность йихаллах! Иначе!..

— Что — иначе? — с угрюмой кротостью усмехнулся Железовский. — Ты нас уничтожишь?

— С дороги! — глухо проговорил Шаламов, борясь с собой, и всех находящихся в зале шатнула невидимая сила. — Уходите, иначе я за себя не отвечаю!

Железовский оценивающе глянул на его изменившееся лицо с пылающими черным огнем глазами, кивнул спутникам:

— Возвращаемся.

— Она останется! — посмотрел на Дарью Шаламов.

Железовский потемнел, сказал тихо:

— Опомнись, Дан! Это же дочка Клима. Он спас тебя, вытащил из хроника...

— Я не просил его спасать меня, — пренебрежительно скривил губы Шаламов. — К тому же он мой должник. Он отнял у меня все: жену, дочь, смысл жизни...

— Ты сам отнял у себя все и продолжаешь множить ошибки. Мне обидно и стыдно за тебя.

— Обидно, когда твои мечты сбываются у других. А насчет стыдно... странно, что мне об этом говорит интрасенс. Разве супера способны стыдиться?

— Мы такие же люди, — возмутилась Дарья, выходя из-за спины Аристарха, — и испытываем те же чувства! Вам должно быть совестно, дядя Даниил! Я не останусь с вами! Папа вам не простит!

Последние слова оказались лишними, Дарья поняла это, но поздно.

Шаламов, с хмурой задумчивостью разглядывающий девушку, вздрогнул, глаза его побелели, налились яростью.

— Да плевать я хотел на твоего папу! Не дорос он еще до уровня моего наставника! Убирайтесь!

Железовский и Дар получили ощутимый удар в грудь, но устояли.

— Ты останешься, я сказал! — палец Шаламова уперся в Дарью.

Девушка отшатнулась, бледнея, и тут же покорно засеменила к бывшему другу отца.

Железовский весь покрылся ореолом искр, шагнул к Шаламову. Их взгляды скрестились. Несколько мгновений ничего не происходило, лишь по залу пробежал вихрь горячего воздуха, шатая людей и отеллоидов. И в этот момент в схватку двух магов — хотя уровень оперирования Аристарха был существенно ниже, это чувствовалось —

вмешался Дар. Он прыгнул вперед, преодолев в прыжке разделявшее их расстояние, нанес Шаламову стремительный удар в подбородок.

И произошло чудо!

Шаламов не успел отреагировать на удар. В воздухе мелькнули его пятки. Он пролетел десять метров и с гулом врезался в упруго завибрировавшую стену зала. Вскрикнула от неожиданности Дарья.

Однако Шаламов тут же вскочил на ноги, бледный от изумления и ярости, скачком вырос в размерах, превращаясь в пятиметрового гиганта, полузверя-получеловека. Из горла его вырвался рык:

— Ты посмел... меня ударить... второй раз! Ну, держись, щенок!

Железовский туго толкнул воздух ладонью.

Хлесткий силовой удар снова отбросил Шаламова к стене.

— Уходите, я его задержу!

— Я вас... всех... на атомы!..

Невидимая жуткая сила начала искривлять стены зала, корчить тела людей. Отеллоиды со звуком лопающихся воздушных шариков стали взрываться, разлетаться на черные брызги.

Железовский попятился, накрывая себя и спутников сияющей вуалью защиты. Но его сил не хватало, и, хотя к нему присоединились Дар и Дарья, напор энергии Шаламова сминал защитное поле, рвал его в клочья, валил людей с ног.

Аристарх вспомнил о трансферах.

— Уходите... в Сеть... по «струне»... быстрее!

— Нет! — отчаянно крикнула Дарья. — Только вместе!

Яростный выпад Шаламова разнес пузырь защитного поля на светящиеся клочки, разбросал людей по залу.

Внутри человеко-зверя клокотал такой вулкан страстей, что не выдерживало пространство, «трескаясь» на части, даже вакуум начал «шататься» и «гореть», рождая потоки элементарных частиц. Люди почувствовали дурноту и боль в нервных окончаниях, будто под кожу просочились боевые нанороботы и начали кромсать нервные клетки миниатюрными скальпелями.

И вдруг что-то произошло!

Гул стихий, разбуженных взбунтовавшейся психикой Шаламова, резко пошел на убыль. Пространство зала перестала мять чудовищная сила. Затем между людьми и гигантом, в котором уже почти не было ничего человеческого, возникло полупрозрачное облачко с глазами.

— Богоид?! — прошептала упавшая Дарья, приподнимаясь на локте.

Облачко засверкало огнями и превратилось в фигуру человека в стандартном унике. У него были седые волосы, твердо сжатые прямые губы, прямой нос, серые глаза, в которых мерцало ледяное пламя.

— Папа! — слабо вскрикнула Дарья, пытаясь подняться.

— Клим! — выдохнул Железовский, с трудом выпрямляясь.

Дар ничего не сказал. Сел, заставил себя встать, глядя на гостя во все глаза. Подошел к девушке, помог ей подняться. Дарья на подгибающихся ногах бросилась к отцу, прижалась к нему с рыданием.

— Папочка, любимый! Как же долго я тебя искала!

Мальгин улыбнулся, погладил ее по волосам, отстранил, всматриваясь в лицо дочери, снял слезы с ресниц.

— Все хорошо, милая, я вернулся. Прости, что заставил поволноваться. — Он повернулся к участникам драмы, разглядывающим его с разными чувствами. — Аристарх, дружище, рад тебя видеть! Я получил твое послание и сразу отправился домой. Купава подсказала, где тебя искать. Прости, я немного ошибся в расчетах, потому и задержался. А это кто рядом с тобой?

— Праправнук.

— Извини, я мог бы и не спрашивать, Купава говорила мне о нем. Вы похожи как две капли воды.

Железовский поймал взгляд Мальгина и понял, что тот нарочно говорит просто, мягко и доступно, успокаивая сразу в с е х одновременно, хотя при этом з н а е т обстоятельства встречи и просчитал ее финал.

Мальгин еще раз погладил дочь по голове, по спине, сделал два шага к Шаламову, слегка успокоившемуся, но все еще люто сверкавшему глазами.

— Привет, Дан. Поговорим?

— Убирайся! Мне не о чем с тобой говорить!

— Ошибаешься, дружище, тема для разговора есть, хотя не я ее выбирал. Я не спрашиваю, зачем тебе понадобилось похищать мою дочь. Я не спрашиваю, зачем ты поддерживаешь йихаллах. Я этого никогда не понимал и не пойму. Но я спрашиваю: почему ты решаешь за всех нас? За всех людей? Ты спросил их, хотят они, чтобы их родина превратилась в черную дыру? Ты спросил моих друзей, которых тебе почему-то хочется убить, что ими движет, когда вокруг все против них? А они тем не менее продолжают спасать вопреки логике обывателей и нищих духом? Наконец, ты спросил м е н я, спасшего тебя дважды, на чьей я стороне?

Шаламов оскалился, метнул на Мальгина клинок взгляда. Пространство дрогнуло, шатнулось, конвульсивно содрогнулись стены зала. Но Мальгин выдержал ментальный удар, не дрогнув лицом. Сказал участливо, разряжая обстановку:

— У тебя ссадина на подбородке.

Шаламов озабоченно взялся за подбородок, посмотрел на Дара. Тот гордо вздернул голову, как бы говоря: это я сделал! И я вас не боюсь!

— Ты не ответил на мои вопросы, — добавил Клим.

Шаламов шумно выдохнул воздух, криво улыбнулся, провел пальцем по подбородку, ссадина исчезла. Фигура бывшего космена стала уменьшаться в размерах, теряя «лишние» детали — конечности и когти, превращавшие его в зверя.

— Ты не понимаешь...

— Ошибаешься, Дан. Это ты не понимаешь. Есть объективная реальность, выраженная в противостоянии двух разумных систем: йихаллах и человечества. Одна система защищает свое право на существование и волеизъявление, вторая заботится о с в о е м будущем. Конфликт глубок и нелогичен, его следует решать столь же глубоким толерантным лекарством — то есть з а к о н о м Творца, запрещающим одним жить за счет других. И есть твое л и ч н о е мнение, основанное на твоих внутренних проблемах и субъективных оценках, не отражающих истину. Понимаешь разницу?

— Ты глупец, Клим! О каких субъективных оценках идет речь?! Близится Большой Разрыв! Расширение нашего домена Вселенной ускоряется, стадия экспоненциального раздувания скоро сменится стадией инфляции! Сначала начнут рваться гравитационные связи, разрушая галактики, потом — ядерные, разрушая звезды! За ними лопнут электромагнитные и сильные, разнося в прах атомы и сами элементарные частицы!

— Возможно, так и будет.

— Возможно! — фыркнул Шаламов. — Именно так и будет, если разбегание не остановить! А йихаллах как раз и занимается процессом остановки, формируя систему стабилизации из черных дыр! А вы ей мешаете!

— Я сказал — возможно, будет так. А может быть, и нет. И все же при любых обстоятельствах пусть наше солнышко не станет черной дырой!

— Но тогда ансамбль не замкнется, система не сможет работать в полную силу!

— Есть замена, я проверил.

— Какая замена?

— Во-первых, в резерве у нас есть коричневый карлик Шив Кумар с маатанином внутри. Я беседовал с ним и договорился, он будет готов к переходу в йихаллах уже через год. Во-вторых, для инициации черной дыры вполне подходят ближайшие соседи Солнца. Арктур, альфа Волопаса, до него всего тридцать три световых года. Бетельгейзе, альфа Ориона, красный гигант. Антарес, альфа Скорпиона, тесная пара из красного гиганта и изумрудно-зеленого карлика. В общем, при желании можно легко отыскать зародыш для черной дыры.

— Кто будет этим заниматься?

— Йихаллах, кто же еще. В ее распоряжении огромные энергетические ресурсы балджа Галактики и множество добровольных помощников.

— Это каких же?

— Ты, к примеру, — усмехнулся Мальгин. — Кое-кто из людей на Земле. Разумники на планетах звезд балджа. Отеллоиды. Хотя эта разумная жидкокристаллическая система имеет и свое название — раса Бье. Вот этот молодой человек, — Мальгин кивнул на выглядывающего из дыры в стене Леона Торопова, — встрявший в эту авантюру по недомыслию.

— Черт с ними! Они плохие помощники. Плевать я на них хотел! И на вас тоже, на вашу планету, ваше Солнце и вашу Вселенную! Никто не вправе становиться у меня на пути! А тот, кто встанет...

Железовский, не сделавший до этого момента ни одного движения, шагнул к Мальгину и стал рядом с ним. Шевельнулась Дарья, бросаясь к отцу. Последним к группе присоединился Дар, сжав кулаки. Вокруг всех четверых засиял ореол прозрачно-золотистого сияния, и стены зала вновь шатнула сдерживаемая до поры до времени с и л а.

Шаламов угрожающе набычился.

Молния разряда, соединившая его с группой людей, разнесла в пыль уцелевших отеллоидов. Внутри базы — все же она в какой-то мере была живым существом — зародился сердитый гул. Из потолка и стен высунулись черные кратеровидные наросты. Воздух в зале загустел и начал мерцать. Матка отеллоидов давала понять, что гости ей надоели.

— Не надо, Дан, — мягко сказал Мальгин. — Повторяю, мы не враги тебе. И со всеми тебе не справиться. Возвращайся туда, где тебя ждут. Так будет лучше для всех.

Шаламов несколько мгновений ненавидяще сверкал глазами, р а с к а ч и в а я пространство «щупальцами» пси-энергетических потоков, потом как-то сразу обмяк, погас, невесело усмехнулся:

— А где меня ждут? Нигде...

— Ты сам виноват в этом. Тебе ведь, по большому счету, никто и не нужен. Даже Купава.

Ноздри Шаламова побелели, он с большим усилием справился с приступом раздражения.

— Я люблю ее...

— Странная у тебя любовь, друг мой. Минуту назад ты готов был забрать с собой дочь Купавы. Тебе лечиться надо, и ты это знаешь.

Шаламов резко выпрямился, вздернул голову, испепелил бывшего друга взглядом... и исчез!

По телу базы прошло колебание. Напряжение схлынуло, все почувствовали облегчение, зашевелились, поглядывая то на Мальгина, то на место, где стоял Даниил Шаламов.

Торопов-младший пискнул и скрылся в отверстии люка. Дарья зябко передернула плечами, прижалась к отцу.

— Как хорошо, что ты вернулся! Что теперь будет? Что будет с нами?

Мальгин рассмеялся.

— Вопрос имеет два уровня. Первый — глобальный. Что будет с людьми, с человечеством. Так? Второй — личный. Что будет конкретно с нами. Отвечаю по порядку. К сожалению, человечество вымрет, как вымерли когда-то динозавры. И никто не в состоянии остановить этот процесс. Я был у самого ф и н а л а Мироздания и знаю, чем все закончится.

— Ужасно! — прошептала Дарья.

— Ты судишь со своей точки зрения, но есть и другая, хотя я близок к твоей оценке. Что касается ответа на второй вопрос... в этом инварианте Вселенной у нас действительно нет будущего. Зато существует множество иных инвариантов, где положение людей не столь трагично. Мы можем переселиться туда и начать новую жизнь. К примеру, я посетил инвариант, где есть Галактика, Солнце и планета Земля, девственно чистая и зеленая, но нет людей. Удивительно прекрасный мир.

— Где он находится? И что такое инвариант?

— Существует спектр Миров, который в разных уголках Большой Вселенной называют по-разному: Древо Времен, Фрактал Времен, Веер Миров, Дендроконтинуум и тому подобное. Наш метагалактический домен представляет собой лишь одну из «веточек» Древа Времен, инвариант Мироздания, подпорченный «вирусом» контролеров. Многие называют их Вершителями.

Железовский озадаченно пригладил пальцем бровь.

— Вершители — вирус?! Разве ты сам не являешься в какой-то степени Вершителем?

— Я был одним из п р о я в л е н и й Вершителей, не более того. Возможно, тебе уготовлена та же участь. Вершители не являются жителями нашего домена, они пришли из других инвариантов.

— Живущие-за-Пределами?

— Живущие-за-Пределами не имеют к ним никакого отношения. Так вот Вершители пришли к нам из другого инварианта, имея цель построить идеальную Метавселенную, лишенную недостатков, для чего и создали сеть контроля. Но это длинный разговор, требующий времени и размышлений.

— Ты меня заинтересовал...

— Ты счастливый человек, Аристарх, — со странной завистью сказал Мальгин, — тебе еще интересно жить. К сожалению, этот период когда-нибудь кончается у всех. Многия мудрости...

— Умножают печали.

— Да, мой друг.

По стенам зала пробежала волна вспухающих и опадающих складок, постепенно затихая.

— Да, мэм, — откликнулся Мальгин, глянув на потолок. — Мы уже уходим. Ты все слышала, делай выводы.

— Можно еще один маленький вопрос? — торопливо подался вперед Дар; под взглядами остальных у него запылали уши, но, как и его прапрадед, он держал марку — остался невозмутим.

— Валяй, чистодей.

— Если человечество исчезнет... интрасенсы тоже... уйдут?

— Все, что имеет начало, имеет конец, мальчик. Интрасенсы не исключение, они плоть от плоти люди и с теми же недостатками. Ну, если только этих недостатков чуть-чуть поменьше. Многие из них, достигшие п р о с в е т л е н и я, перейдут в другую фазу бытия, станут Живущими-за-Пределами. Некоторые найдут свое счастье в прошлом, переселившись туда общинами и семьями, реже — в будущее, единицы найдут пути в другие инварианты.

— А... мы?

Мальгин снисходительно и немного печально улыбнулся.

— Это будет зависеть от вас. Каждый сам пишет свою судьбу. Выбор есть всегда.

— Вы его... знаете? Какой мы сделаем выбор?

— Нет, — с почти незаметной заминкой — ее засек только Железовский — качнул головой Мальгин. — Этого я не знаю. Ищите мир светел — для себя и друзей, для сородичей и добрых людей. Возможно, вам повезет, хотя путь этот непрост и опасен. Но если найдете силы и веру...

Дар посмотрел на Дарью.

— Найдем! — ответила та с великолепной уверенностью, улыбнувшись сыну князя.

И даже Аристарх Железовский, прошедший огни и воды и потому скептически относившийся к романтикам, вдруг почувствовал взмах крыльев мечты за спиной.

Ноябрь 2003 г.
Москва — Жуковка — Гряды

Содержание

Литературно-художественное издание

Головачев Василий Васильевич

ЧЕРНАЯ СИЛА

Ответственный редактор *Д. Малкин*
Редактор *Е. Самойлова*
Художественный редактор *А. Сауков*
Технический редактор *Н. Носова*
Компьютерная верстка *А. Захарова*
Корректор *Т. Киселева*

ООО «Издательство «Эксмо»
127299, Москва, ул. Клары Цеткин, д. 18, корп. 5. Тел.: 411-68-86, 956-39-21.
Интернет/Home page — www.eksmo.ru
Электронная почта (E-mail) — **info@ eksmo.ru**

По вопросам размещения рекламы в книгах издательства «Эксмо»
обращаться в рекламное агентство «Эксмо». Тел. 234-38-00.

Оптовая торговля:
109472, Москва, ул. Академика Скрябина, д. 21, этаж 2.
Тел./факс: (095) 378-84-74, 378-82-61, 745-89-16, многоканальный тел. 411-50-74.
E-mail: **reception@eksmo-sale.ru**

Мелкооптовая торговля:
117192, Москва, Мичуринский пр-т, д. 12/1. Тел./факс: (095) 411-50-76.
1 марта 2004 года открывается новый мелкооптовый филиал ТД «Эксмо»:
127254, Москва, ул. Добролюбова, д. 2. Тел. (095) 780-58-34

Книжные магазины издательства «Эксмо»:
Супермаркет «Книжная страна». Страстной бульвар, д. 8а. Тел. 783-47-96.
Москва, ул. Маршала Бирюзова, 17 (рядом с м. «Октябрьское Поле»). Тел. 194-97-86.
Москва, Пролетарский пр-т, 20 (м. «Кантемировская»). Тел. 325-47-29.
Москва, Комсомольский пр-т, 28 (в здании МДМ, м. «Фрунзенская»). Тел. 782-88-26.
Москва, ул. Сходненская, д. 52 (м. «Сходненская»). Тел. 492-97-85.
Москва, ул. Митинская, д. 48 (м. «Тушинская»). Тел. 751-70-54.
Москва, Волгоградский пр-т, 78 (м. «Кузьминки»). Тел. 177-22-11.

ООО Дистрибьюторский центр «ЭКСМО-УКРАИНА». Киев, ул. Луговая, д. 9.
Северо-Западная компания представляет весь ассортимент книг
издательства «Эксмо». Санкт-Петербург, пр-т Обуховской Обороны, д. 84Е.
Тел. отдела реализации (812) 265-44-80/81/82.

Сеть книжных магазинов «БУКВОЕД». Крупнейшие магазины сети «Книжный супермаркет»
на Загородном, д. 35. Тел. (812) 312-67-34 и Магазин на Невском, д. 13. Тел. (812) 310-22-44.
Сеть магазинов «Книжный клуб «СНАРК» представляет самый широкий ассортимент книг
издательства «Эксмо». Информация о магазинах и книгах в Санкт-Петербурге по тел. 050.

Всегда в ассортименте новинки издательства «Эксмо»:
ТД «Библио-Глобус», ТД «Москва», ТД «Молодая гвардия»,
«Московский дом книги», «Дом книги в Медведково», «Дом книги на Соколе».

Весь ассортимент продукции издательства «Эксмо»
в Нижнем Новгороде и Челябинске:
ООО «Пароль НН», г. Н. Новгород, ул. Деревообделочная, д. 8. Тел. (8312) 77-87-95.
ООО «ИнтерСервис ЛТД», г. Челябинск, Свердловский тракт, д. 14. Тел. (3512) 21-35-16.

Книги «Эксмо» в Европе — фирма «Атлант». Тел. + 49 (0) 721-1831212.

Подписано в печать с готовых диапозитивов 26.01.2004.
Формат 84x108 $^1/_{32}$. Гарнитура Таймс. Печать офсетная.
Бум. тип. Усл. печ. л. 25,2. Уч.-изд. л. 21,7.
Тираж 65 000 экз. Заказ № 4402059.

Отпечатано с готовых монтажей
на ФГУИПП «Нижполиграф».
603006, Нижний Новгород, ул. Варварская, 32.

«МОРЕ КРОВИ» ОТ ЮРИЯ НИКИТИНА

Не пугайтесь, речь идет всего лишь об абсолютно новом романе со старым названием — **«ВЕЛИКИЙ МАГ»**. *Вот что говорит по этому поводу сам автор:*

«Здесь осталось то, что было в первом варианте помимо лекций, а также добавлено то, в чем меня любят упрекать критики: море крови, трупов, вывалившиеся кишки, стреляющие из обеих рук красотки, жестокость и насилие,

НУ ПОЧТИ «ГАМЛЕТ», ТОЛЬКО КРОВИ И ТРУПОВ ВСЕ ЖЕ МЕНЬШЕ.

Словом, этот «Великий маг» не тот «Великий маг», я объяснил понятно? ☺»

ВНИМАНИЕ!
Поклонники творчества
Юрия Никитина!
Не пропустите за старым названием
и почти новой обложкой
совершенно новую книгу!